장보고와 청해진

장보고대사해양경영사
제2차 국제선상학술회의

손보기 엮음

1996
완도군(청해진) 주최
장보고대사해양경영사연구회 주관

도서출판 혜안

장보고 대사와 관련 있는 영정 그림이나 나무에 새긴 상이 일본의 절에 전하는 것은 세 가지이고, 모두 신라명신(新羅明神)으로 불리고 있다(사진1, 2, 3).

사진 1. 히에이산(比叡山) 미이데라(三井寺=園城寺) 선신당(善神堂)에 있는 영정 (교의에 걸터앉은 상).

사진 2. 히에이산 미이데라 선신당에 있는 나무에 새긴 상. 11세기 일본의 무사 기질을 나타내는 것으로 전하며, 공개하지 않음.

사진 3. 교토(京都) 적산선문(赤山禪門)에 있는 앉은 모습의 문인상.

사진 4. 적산 법화원 터에서 출토된 기와(암키와와 숫막새기와).

사진 5. 산동성 영성시 장가촌에서 소장하고 있는 장씨족보.

사진 6. 산동성 영성시 적산 서쪽에 새로 지은 적산 법화원(대웅전과 양옆에 지은 법당). 남쪽 가람에는 창보고 대사 초상화, 『번천문집』, 『삼국사기』, 『삼국유사』들의 영인 기록이 전시되어 있다.

사진 7. 적산 법화원 정자와 장보고 대사 기념탑.

사진 8. 장보고 대사 기념탑.

사진 9. 제2회 장보고 대사 해양경영사 국제선상 학술회의 1차 발표회를 새유달 호에서 가졌다(왼쪽부터 쥬장, 김성훈, 김정호[좌장], 김문경, 손보기 교수. 1996. 5. 15. 18:00-22:00).

사진 10. 국제선상 학술회의 2차 발표회(왼쪽부터 깐수, 김광수, 손보기[좌장], 김정호, 요시오카 교수. 1996. 5. 16. 9:00-11:00).

사진 11. 장보고 무역항로 답사 무역항선 환영식(1996. 5. 16. 15:00).

사진 12. 대한민국 전라남도 완도군 · 중화인민공화국 산동성 영성시 우호합작관계를 맺는 조인식.

사진 13. 장보고 대사 해양경영사 탐사 단원들이 석도항에서 환영식을 위해 새유달호 원양항해 실습선에서 내리고 있다.

사진 14. 적산 법화원비기(완도군수, 군 위원 일행).

사진 15. 신라촌의 중심진좌인 香春神社.

머리말

중국에 건너가 군중소장이라는 직위에 오른 장보고는 신라인들이 종으로 팔려 오는 것에 가슴아파하고 귀국하여 단기 3161년(신라 홍덕왕 3, 서기 828)에 청해진을 세우고 지금으로부터 1168년 전에 대사가 되었다. 당나라 군주의 도움을 얻어 인류의 불평등을 바로잡고 홍익인간의 뜻을 실천하기에 이르렀다. 중국 - 한국 - 일본을 잇는 무역을 일으켜 중동 - 중국 - 남아시아 - 일본과의 물자교역을 하게 되고 서로가 귀한 생산품을 교환하는 길을 처음으로 트게 되었다. 이 과정에서 배무이 산업이 일고 여러 가지 생산품과 생활용품을 만들어 수요가 적은 단위의 경제를 동아시아를 중심으로 중동과 남아시아의 국제교역 경제기구로 발달시키게 되었다.

그 효과는 동아시아의 선진성을 이끌어 내는 데 이바지하였다. 유럽에서는 아직도 성서를 베껴 쓰는 상황이었는데 불경을 목판으로 새기는 단계에 접어들었다. 무구정광대다라니경이 여러 벌 찍혀져 그 가운데 한 벌이 선사품으로서 일본으로 보내졌을 가능성도 있다. 이 불경이 장 대사의 무역선을 통해 건너갔다면 일본인들의 구법행진이 불길처럼 일어났을 것도 생각하기 어렵지 않다고 느껴진다. 그의 무역은 현세에서 삶을 풍부하게 만드는 계기를 마련하였고 배를 타고 내세를 생각하며 구도의 길을 떠나게 하기에 충분하였을 것이다.

장보고 대사의 해상경영 방식은 기술과 제품의 경쟁을 일게 하였고, 독점영업의 폐를 없애는 데도 도움이 되었을 것으로 여겨진다. 등짐장사법, 봇짐장사법은 배깃을 거쳐 실려 온 상품을 통해서 이루어졌다. 생산지로부터 멀리 떨어져 있는 사람들에게 필요한 물품을 직접 날라다 주는 사업행위 덕분이었다. 수요와 공급을 맡아서 풀어 주는 편리한 방법이었다.

보고채기는 상품이 남아돌 때 싸게 사서 곳집채워놓기를 통해 값을 내리게 하는 구실을 하고 유통의 원리를 백성들에게 몸소 알게 하였을 것이다. 따라서 우리 나라의 봇짐·등짐장사는 해상경영의 기둥이 되었을 것이다. 등짐을 안전하고도 쉽게 옮길 수 있는 방법이 지게의 발명으로 이어지지 않았을까? 우리 나라에서 발명된 것이라고는 지게밖에 없다고 이야기된 일이 있지만 미군이 에이 프레임(A Frame)이라고 부르면서 뱃짐 나르는 데 쓰기도 하였다. 물자를 나르는 데, 또는 두리농업을 해 나가는 데 필요해서 창안되었을 것이다.

해양경영은 우리의 문화에서 빼놓을 수 없는 생활방식이었다. 이에 대한 연구를 통해서 덜 밝혀진 얼개를 찾아 내야 할 것이다. 우리의 5일장, 7일장은 이러한 수요·공급의 원칙을 발달시켜 왔고, 보고채우기·보구채기로 발달시켰다. 개성상인·강화상인들의 조직과 수칙은 이를 말해 주는 것으로 보인다.

해양기술의 발달은 시기에 따른 자연환경의 이용, 적응, 새로운 기술의 창조로 이어졌고, 국적에 관계 없이 항해를 책임지고 맡아 주었다는 사실은 일인들의 관계에서 드러나고 있다. 그들의 중국 왕복에 힘이 되었다는 신라인 선단의 기술은 고구려·백제·신라 - 고려 - 조선으로 이어졌다. 이 충무공의 일본 수군에 대한 뛰어난 해전은 그 아래서 일한 서남해안의 해운전문가가 항해·조운·지리·조류·해류·풍향들을 꿰뚫어 알고 있었던 데 힘입은 바 컸다. 일본의 모든 해양환경에 통달했던 사실도 잊지 말아야 하며 이러한 지식은 높이 평가되어야 할 것이다.

흔히 청해진을 완도의 좁은 지역에 한정하여 생각하는 흠이 있다. 완도의 장도는 중심 초소의 구실을 하였다고 생각되며, 완도 - 고금도 - 조약도 - 신지도 - 생일도 - 청산도 - 태모도 - 소안도 - 노화도 - 보길도를 잇는 섬들의 왕국이 해남 - 강진 - 장흥을 잇는 육지병풍의 힘을 받아 튼튼한 자연환경을 이루고 있다. 청해진은 이러한 육지·해양 환경을 갖추고 있다는 점을 제대로 풀이해야 할 것이다.

국제학술회의를 열겠다는 뜻을 우리는 너무나 짧은 시간을 두고 풀어 나가야 했다. 더 폭넓게 참여하게 하고 싶었으나 시간이 없어 범위를 좁혀야 했다. 인류의 평화와 번영을 위한 기구를 생각하면서 가능한 한의 힘을 모으기로 하였다. 김문경 교수, 김정호 전남농업박물관장과 더불어 완도군에 모여서 학술회의를 열기로 정하였다.

1996년 5월 15·16일 적산 법화원으로 가는 배에서 한국방송공사, 문화방송 및 언론계 등 202명이 지켜보는 가운데 국제회의를 열었다. 석도항에 닿은 것은 예정보다 일렀다. 장 대사님의 넋이 반기는 가운데 황해는 거울같이 잔잔하여 새유달호의 선장을 비롯하여 모두가 처음 있는 항해라고 놀라워했다.

석도항에서 환영식을 마치고 한국인이 경영하는 공장들을 보고 다음 날 영성시의 시청 청사에서 완도군 영성시 협조협정식에 참여하였다.

법화원에 이르렀을 때 아직도 남아 있는 옛 절터 일부도 머지않아 달라질 것으로 보였다. 우리 나라 한 단체가 세운 기념비 내용에 고쳐져야 할 점이 적지 않게 눈에 띈다. 담장 너머의 유적지 보존이 문제가 된다고 생각했다. 법화원도 인류가 공유하는 문화재이므로 이의 보존문제에 대해서 한·중 당국자의 협조가 필요하다. 청해진시·영성시의 협조를 더욱 깊이 할 것을 건의한다.

1996년 6월 15일

손 보 기

장보고대사해양경영사연구회장

차 례/장보고와 청해진

국제선상학술회의 일정표

1996. 5. 15~23

5.15 아침 — 참가자 서울 김포공항 출발 — 완도 도착

16 : 00 완도항 승선 출발

선상 국제학술회의 (1차)

18 : 00 ~ 18 : 50 저녁 진지-晩餐

기조연설

19 : 00 장보고 해양경영사 연구의 방향과 과제
손보기 교수 (연세대)

19 : 50 9~11세기 신라사람들과 강남
김문경 교수 (숭실대)

20 : 50 미래사 시각에서 본 장보고 해양경영
김성훈 교수 (중앙대)

21 : 20 통일신라시대 해외교통술요
쥬장(朱江) 교수 (揚州대학)

22 : 00 1차 발표 마침

선상 국제학술회의 (2차)

5.16　09 : 00　신라시대 한·중항로
김정호(전남농업박물관장)
09 : 50　장보고 세력 흥망의 역사적 의미
김광수 교수 (서울대)
10 : 40　월주요갈래 청자의 형태분류를 통해 본
고려청자의 분석
요시오카 간스케(吉岡完祐) (元寇史料館연구원)
11 : 30　남해로의 동단 - 고대 한·중해로
무함마드 깐수(Muhmed Kanso) 교수(단국대)
12 : 20 ~ 13 : 30 점심진지-中食
14 : 30 ~ 16 : 00 토론
16 : 30　石島항 도착 예정

5.17　赤山 法華院, 榮成市 답사
5.18　19 : 00 석도 출항
5.19　황해 항해
5.20　07 : 00 伊萬里港 입항예정
5.21　후쿠오카(福岡) 다자이후(大宰府)
5.22　오전 大川內窯
09 : 00 伊萬里港 출항
5.23　09 : 00 완도항 입항 해산
17 : 00 목포항 입항

장보고 해양경영사 연구의 방향과 과제

손 보 기

1. 머리말

광개토대왕이 육상왕국을 세운 기록을 비에 새긴 것이

단기 2747=장수왕 2=서기 414년이고

장보고 대사가 해상왕국을 세우고 청해진대사로 자리한 것이

단기 3161=흥덕왕 3=서기 828년입니다.

농업국가로 동아시아를 지배한 왕국에서 해상왕국으로 발전하는 데 414년이 걸린 셈입니다.

우리는 육상왕국과 해상왕국을 이룩했던 겨레의 자손들입니다. 앞으로 3차원의 세계에서 왕국을 세울 수 있는 겨레인 것을 알 수 있습니다. 우리 겨레의 할제(미래)를 위해 힘찬 발전을 바라며 해상왕국이 세워진 지 1168년이 되는 1996년에 장 대사가 열어

* 연세대 석좌교수, 장보고대사해양경영사연구회장

놓은 뱃길에서 장 대사를 기리는 국제학회를 열려고 합니다. 장 대사가 이룩한 업적을 드높이고 청해진의 영광을 되찾아 우리 겨레의 사명을 다할 것을 약속하고저 합니다. 우리의 할제는 그제, 어제에 이어 이제가 있기에 밝을 수 있습니다.

그그제는 홍익인간의 뜻을 지닌 단군이 나라를 세웠고 그제는 광개토대왕의 육상왕국과 장보고 대사의 해상왕국이 세워졌고 어제는 세종이 민본정신을 바탕으로 하여 겨레의 글자를 만들고 민의에 따른 세법을 국민투표를 거쳐 만드는 데 이르렀습니다. 할제를 위하여 우리는 우주왕국 가운데 일원으로 인류를 위하여 이바지하여야 할 사명을 지니게 되었습니다. 뛰어난 한 분이 모든 것을 이룩하는 것은 아니고 겨레 모두의 뒷받침으로 이러한 빛나는 탑을 세울 수 있다는 것을 알아야 할 것입니다. 따라서 우리는 자랑스러운 겨레임을 느끼며 아직껏 갈라져 있는 겨레임을 잊어서는 안 될 것입니다. 아울러 장 대사의 인권 문제에 대한 뛰어난 풀이를 본받아 우리는 상처를 씻고 하나의 겨레나라가 되어야 할 것입니다.

우리는 장 대사의 발길을 따라 그가 이룩하였던 해상왕국의 현장을 밟아가며 그 참모습을 되새겨 내고 그려내듯 밝혀서 우리의 역사가 지니는 뜻을 찾아 할제를 위한 힘을 기르는 데 이바지하고자 합니다. 아울러 장 대사가 이룩한 바를 우리 겨레에 길이 미치게 하고 장 대사의 이룩한 일의 자리매김을 해 주어야 한다고 생각합니다. 그렇기에 앞서 장 대사에 대한 꾸준하고도 깊은 연구로 그 시대에 이룩했던 모든 분야에 대해서 밝혀 내야 할 것입니다.

2. 그그제의 역사

홍익인간의 뜻을 실현한 보기로서 장보고 대사의 인권정신은 단군의 전통과 맥이 통한다고 생각합니다. 우리는 단군의 역사를 한낱 흔한 신화나 설화로 보아 넘기거나 그 속에 담긴 깊은 뜻을 느끼지 않고 지나치고 있는 것 같습니다. 역사는 시대마다의 가치관을 지니고 있었으며 그 가치관을 역사 속에 담아서 전하고 있습니다. 단군의 역사는 다음과 같이 풀이할 수 있습니다. 세 세대에 걸친 이야기가 줄거리를 이루고 있습니다. 그것은 인류 역사의 세 시대를 나타내는 것입니다. 구석기문화, 신석기문화 그리고 청동기문화의 세 시기의 선사시대 문화를 줄여서 전하고 있는 것입니다. 하늘 아래서 사는 것을 본 환인은 구석기문화 환경에서 땅에다 심는 곡식 농사를 짓는 것을 내려다 본 둘째아들(서자로 나타내고 있습니다) 환웅이 그 나라에 내려가기를 바라기에 그 뜻을 받아들였습니다. 첫째 아들은 남아서 하늘을 지켜야 하기 때문이지요. 식량 생산을 위해서 기술을 지닌 바람의 신(풍백), 비의 스승(우사), 구름의 스승(운사)을 거느리고 땅으로 내려와 씨앗을 뿌리고 곡식을 생산하는 시대를 열게 된 것입니다. 이 시대에는 목숨을 이어가기 위해 병을 다스려야 하고 선악을 가려 내어 형벌과 상을 줄 수 있는 농업생산사회를 이루게 발달한 것이 신석기시대입니다. 질흙을 물에 빚어 질그릇(토기)을 구워 만들었는데 불의 열도는 800도쯤 되어야 했습니다. 그릇의 생산으로 물과 음식을 집안에서 먹을 수 있게 되었지요. 개울까지 가야 물을 마시던 시기의 문화에 혁명이 일었지요. 그릇을 갖추고 남은 곡식과 음식을 담아 둘 수 있게 되었고 집을 갖추게 됩니다. 문화가 일게 되었습니다.

쇠붙이 연장을 만들려면 불의 온도가 1000도가 넘게 끓여야 했습니다. 일이 불어나자 더 많은 사람이 있어야 했고 인구도 늘어서 여러 갈래의 작은 마을에서 살던 사람들이 큰 고을을 이루게 됩니다. 한 갈래 안에서 혼인을 하게 되면 유전상 좋지 않아 다른 갈래의 사람과 혼인해야 하는 이치를 깨닫게 됩니다. 족외혼을 하게 되는 슬기가 일게 되었습니다. 슬기에 슬기를 더하는 슬기슬기사람의 문화가 일어납니다. 여러 갈래의 사람들이 사는 사회에서 곰을 높이 여기는 갈래와 범을 귀하게 여기고 사냥하며 살아가는 사람들 가운데 농사를 지을 줄 아는 겨레의 여인이 혼인하게 되어 낳은 아들이 단군 임금이었습니다. 마침내는 금빛나는 놋쇠그릇과 놋쇠연장 놋쇠치레걸이를 만드는 기술을 지니게 되고 왕족도 생기게 되는 단계에 이르렀습니다. 나라의 법이 생겨 사회의 얼개가 만들어집니다. 이러한 문화가 이룩되는 과정에서 우리의 겨레역사는 선사시대를 거치며 문화의 역사가 이어졌습니다. 우리 겨레의 역사가 이같이 시작되었던 것입니다. 청동기시대의 삶은 물과 불을 정복하고 사회조직을 만들어 법을 지닌 가운데 문화를 창조한 시기였습니다. 단군의 역사는 바로 이러한 선사시대의 역사와 문화를 줄여서 세 임금의 역사로 요약한 것입니다. 홍익인간의 뜻이 바로 우리의 선사시대 역사를 꿰뚫는 시기입니다. 환인, 환웅, 단군은 이러한 세 시대의 역사 문화를 전하고 있는 것입니다. 어느 나라에서도 홍익인간이라는 드높은 뜻을 역사의 이념=이상=가치관으로 삼고 있는 보기는 없었던 것으로 압니다. 우리의 선사시대에서 족외혼을 통해서 유전상의 문제를 풀어나간 것도 드물게 봅니다. 우리같이 동성동본 사이의 혼인을 금하는 것도 다른 문화에서 찾아보기 힘드는 일로 알고 있습니다. 친척을 촌수로 따지는 곳도 별로 없는데 로마의 경우가 오직 비슷하다고 합니다. 세계 인류역사를 이같이 차원 높게 남긴 고조선의 역사는 이같이 풀이할 수 있습니다.

3. 그제의 역사

우리 겨레가 중국 동쪽지역에서 살아 왔던 것은 일찍부터였습니다(尹乃鉉, 「중국 동부해안지역과 한반도」『장보고 해양경영사 연구』, 이진, 1993). 이 같은 겨레의 뿌리를 배경으로 고구려의 큰 왕국이 이 지역에 유민을 많이 남기고 백제, 신라, 발해도 이어서 이 곳에서 터전을 마련하고 살았습니다. 고구려가 나·당에게 무너지면서 중국의 서쪽과 동북쪽에서 세력을 떨치면서 고선지 장군의 정벌과 이정기 세습 세력으로 터닦기를 하였습니다. 장 대사가 갑자기 일어선 것이 아니라 이러한 배경을 바탕으로 하였습니다(김문경, 「장보고, 해상왕국의 사람들」『장보고 해양경영사 연구』). 발해는 중국과 또 동해(조선해)를 거쳐서 활발한 무역을 하였습니다. 신라가 세 나라를 합치는 단계에 이르러 황해를 중심으로 차원이 높은 인권질서를 세우면서 다국간 국제무역을 발달시킵니다. 중국과 일본에 거점들을 세우고 남중국쪽에서 아랍상인들과의 교역도 일으킵니다(M. 깐수, 『신라·서역교류사』, 단국대출판부, 1992). 이러한 다국적 종합상사는 청해진에 본거를 둔 여러 나라와의 교역으로 근대를 지향하는 것이었습니다. 바탕에 깔린 정신은 홍익인간 - 민본 - 인권의 이념이었습니다. 인권문제를 국제화한 시초입니다. 종합무역상사를 일으켜 동아시아에서 맨 처음으로 청해진의 자연환경에 적응하는 민간무역을 이룩하고 해상교통 회사를 만든 것입니다. 장보고의 무역상사는 배로 실어나르고 포구에서 봇짐장사로 구석구석을 누볐던 것으로 나타납니다. 경쟁상대의 상인들은 보고채우기 방법과 등짐=택배 방법으로 우리 나라 봇짐장사의 전통을 창출해 냈던 것으로 미루어 생각됩니다. 이러한 시간 - 공간 - 인간을 잇는 커다란 뜻의 역사를 찾고 이를 복원한다는 것은 우리에게 주어진 과제가 아닐 수 없습니다.

장 대사의 교역품 가운데는 완도가 본산지일 가능성이 큰 황칠, 지리산에 심기 시작한 차, 강진과 그 언저리에서 구워 낸 해무리굽 청자, 신라의 비단(김성호는 silk가 우리말 명주실을 감는 '실케'에서 왔을 것이라고 주장한다), 세공 금속공예품, 아랍에서 수입된 유리제품, 반대 방향의 약재들이 들어 있었을 것으로 생각해 볼 수 있는 것 같습니다. 돛배로 항해하던 시기의 돛의 원료인 베(帆布)는 신라에서 아랍으로 수출된 중요한 품목이었습니다. 양자강 근처의 신라청자는 중국인에게 팔렸던 것으로 그 유물이 중국에서 발굴되고 있어 중국 학자들은 고려자기가 아닌 신라청자로 알고 있습니다(김정호, 「康津靑磁와 청해진」『장보고 해양경영사 연구』; 林士民, 「唐代 東方海事活動과 明州港」, 위의 책). 기술은 중국 월주의 가마터에서 들여온 것으로 알려져 공업생산기술의 이전도 이루어졌음을 알게 됩니다. 근대사회의 중상주의를 엿볼 수 있습니다. 자기를 만드는 데 우수한 질의 고령토가 해남 등지에서 산출되는 것도 주목됩니다. 이러한 실물의 발굴에 참여한 요시오카 선생의 논문을 이번 회의에서 들으실 수 있습니다(중국의 답사기록은 김정호, 「西南연안의 對中遺跡과 청해진」『장보고 해양경영사 연구』).

이 시기의 기온은 지금보다 좀더 따뜻했었고 해안선의 높이도 1미터쯤 높았을 것으로 추측되며 완도의 특산인 황칠, 지리산의 차를 가꾸는 데는 조건이 지금보다 나았을 것으로 풀이됩니다. 배무이공방들이 호수와 같은 바다 지세에 둘러싸인 환경에 맞는 산업이 일었습니다. 우리가 청해진의 지도를 보면 영암, 강진, 장흥의 육지를 북쪽 병풍으로 하고 완도와 고금도, 조약도, 그리고 신지도, 생일도, 평일도로 감싸여 있는 호수 같은 바다는 그 해안선들을 마당으로 하여 1만 명의 군졸, 수병, 해운인을 껴안을 수 있는 하늘이 내린 지세입니다. 더 남서쪽으로 노화도, 보길도, 소안도, 애모도, 청산도가 놓여 있어 이같이 훌륭한 지세는 다시 찾기 힘든 기지입니다. 완도군의 해안선 길이만도 772킬로미터가 되는 것을 생각하면 그 값을 따질 수 있을 것입니다. 장 대사의 청해진은 이러한 얼개를 지니고 있습니다. 조류에 대한 것도 조류도를 보시면 그 뜻을 알게 됩니다(대한민국 수로국, 「조류도 : 여수에서 완도」, 1995.11 ; 「조류도 : 목포항 및 부근」, 1996.2).

청해진이 해체되고 해운교통의 기술자들이 벽골제가 있는 김제군으로 옮겨졌지만 항해기술은 고려 왕건의 부하에게 이어지고 그 해상세력을 바탕으로 고려가 일고 송나라와의 무역관계는 발전하였습니다. 송나라가 거란에 밀려나면서 남송에서 무역관계가 유지되었지요. 원나라와의 관계에서 주인 의식을 지니고 싸웠던 삼별초의 항거를 통해서 해양기술이 다시 일게 되었습니다.

조선시대에 들어와서 청해진에 대한 기록으로는 세종 때의 『세종실록지리지』 권46, 지리지 2권 탐진현조에 부인도(富仁島), 은파도(恩波島), 벽랑도(碧浪島), 선산도(仙山島)와 더불어 완도

(莞島)가 들어 있습니다. 다음으로 같은 책 2권 강진현 아래 4개의 해가 적혀 있는데 맨처음 사전(祀典)에 실려 있다고 되어 있습니다. 1449년에는 의정부에서 형조의 의견에 따라 품신한 것이 있는데 "완도는 해남·강진의 경내에 있으나 바다 가운데 떨어져 있어 달량(達梁), 마도(馬島)의 방어소와 거리가 멀어 적이 변을 일으키면 구원하러 가지도 못하게 되어 고립되기 쉬운 곳이니 백성들이 밭 갈고 씨 뿌리는 것을 금하게 하라고 하여 왕이 이에 따랐다"고 합니다(『세종실록』 권126, 31년 11월 26일). 그런데 1460년에는 전라감사 이연손에게 조운선 100척을 만들게 하여 배무이 기술자 100명, 목공 200명을 뽑아서 부안현 변산과 강진현 완도에 이르도록 하라고 하였다고 적혀 있습니다(『세조실록』 권21, 6년 7월 1일). 배무이는 변산과 완도에서 하게 한 것을 보면 완도는 장보고 대사 때부터 배 만드는 전통이 내려오고 있었던 것으로 보입니다. 1522년에는 왜적이 들어오는 요로가 되고 있기에 여수 돌산도에 방탑진, 완도에 가리포진(加里浦鎭)을 두게 하고 성을 쌓아 방어에 대비하고자 수군첨사(水軍僉使)를 두게 하였습니다(『중종실록』 권44, 17년 5월 壬子 ; 『萬幾要覽』 軍政篇, 560). 한편 목장도(국립중앙도서관 지님)와 대동여지도에는 완도에 목장이 있었고 고금도에는 관왕묘를 두었는데 이는 임진왜란 때 삼군수군절도사 이순신 제독이 1598년 둔전을 이곳으로 옮기고 도민을 모아 경작하게 하였으며 큰 진으로 만든 것으로 적혀 있습니다(『萬機要覽』 軍政篇, 560). 청해진 구역에 있는 마도(馬島), 신지도(薪智島)도 왜란중 중요한 곳이었다고 생각됩니다. 십구포(十九浦)는 월출산의 서쪽을 흐르는 두 내가 합쳐지는 곳으로서 신라 때 탐라의 왕자가 찾아와 복속했던 포구

이며 청해진 영역에 들었던 곳입니다. 이러한 해상요로인 청해진 옛터는 충무공이 왜를 무찔렀던 해상이기도 합니다. 그의 빛나는 해전 전술도 장대사 때의 기술인 전문인들에 의해서 그 전통이 이어졌음을 알 수 있으며 그보다 앞선 백제인들의 기술, 고구려인들의 전통이 맥을 이어온 것으로 보입니다. 청해진에서 더욱 발달한 이 지방의 배무이기술자, 해운기술자, 지세와 해류의 흐름에 밝고 조류 - 풍향에 밝은 이름 없는 기술자들에 의해서 이루어 놓은 바는 역사배경으로 나타납니다. 영암의 어란포, 달량은 이준경이 왜를 무찔렀다는 이 지역의 국방상 요지였음을 말해 줍니다. 『만기요람』에는 이 충무공이 왜적을 유인해서 해남 우수영으로 끌어들여 크게 승전하였고 완도는 둘레 290리이고 영암과 강진으로 나뉘어 있고 널빤지를 만들기 위한 소나무 육림을 하는 기술을 지닌 마을사람들의 황장소(黃腸所)로 나뉘어 있었던 것으로 나타납니다. 1804년에 강진현으로 모두 합해진 것으로 적혀 있습니다. 이 섬에 송징이라는 활 잘 쏘는 사람이 있어 화살이 60리까지 미쳤다는 말도 아울러 전하고 있습니다.

4. 이제까지의 연구

그 동안 장보고 대사에 대한 연구는 1930년대에 들어서 동빈 김상기 선생에 의해서 비롯되었고(「古代의 貿易形態와 羅末의 海上發展에 就하여」『震檀學報』 1, 1935), 1955년에는 라이샤워(Edwin O. Reichauer, *Ennin's Travels in T'ang China*, New York)의 연구에서 처음으로 자리매김이 시작되기에 이르렀읍니다. 그 뒤에 김문경 교수에 의해서 보다 폭넓게 고구려 · 백제 사람들의 중국 안에서의 배경이 밝혀져 보다 깊은 이해를 지닐 수 있게 되었습니다. 완도문화원은 1985년 『장보고의 신연구 - 청해진 활동을 중심으로 -』를 펴냈으며 완도 일대의 유적유물 조사도 시작하였습니다. 중국에 있는 유적의 실제 답사와 조사를 외교관계가 없는 어려움 속에서 이룩한 것은 김성훈 교수였으며, 김 교수의 선도로 해양경사연구회를 조직하기에 이르렀고 대한선주협회 등의 도움을 얻어 적산 법화원에 한글비를 세우기에 이르러 일인들의 역사왜곡을 바로잡는 데 공을 세웠습니다. 제1차 국제학회를 1992년에 청해진에서 열고 김문경·김성훈·김정호 님이 엮어 펴낸 바 있는 『장보고 해양경영사 연구』(1993)는 여러분의 연구수준을 한 차원 높여 놓은 것으로 평가됩니다. 문체부 문화재연구소에서 청해진의 장도를 발굴하여 성과를 올린 바 있습니다. 관련된 논문들도 적지 않게 나온 바 있고 우리 나라 학자, 일인 학자, 중국 학자, 미국 학자의 연구도 불어나고 있습니다. 해양 관계와 조선기술, 문화재 보호를 위한 연구에 앞장섰던 최광남 님은 과로 끝에 큰 뜻을 이루지 못하고 아깝게도 이승을 떴습니다. 연구는 여러 측면에서 이루어지고 있지만 얼개를 지닌 계획된 연구가 아직도 이루어지지 못하고 있습니다. 오히려 개인 단위의 연구로 여러 갈래로 펼쳐지고 있는 상황이지만 그 가운데 전라남도 농업박물관의 김정호 관장의 노력이 돋보입니다. 그 동안에 펼쳐 낸 여러 책을 몇 가지 들어 보면 다음과 같습니다. 『청해진의 옛터 완도 장좌리』(1992), 『전남의 진·영』(1995), 『전남 본관성씨연구』(1996), 『조선시대의 전남진상품』(1994), 『호남역지』(1992), 『전남의 옛지도』(1992), 「서남연안의 유적과 청해진」, 「강진청자와 청해진」, 「해류와 한·중항로」(1992) 등을 들 수 있습니다. 최근에 장 대사를 청해진 출신이 아닌 당나라 사람으로 보며 사료풀이도 벗어난 점이 적지 않은 책이 출판된 것으로 알고 있습니다.

5. 연구의 방향

장보고 대사에 대한 연구는 그 뜻이 한겨레와 다른 인류에 끼친 바를 밝혀야 할 필요가 있다고 생각합니다. 그분이 이룩한 일을 밝히자면 그 얼개, 규모, 지세환경, 기후환경, 해상조류, 항로, 항법, 조선기술 그리고 연관된 사람의 자원, 경험을 통한 항로 조건에 통달한 장인, 전문 인간문화재, 생산 개술자, 생산 사회의 모습을 찾아야 할 것입니다. 이러한 내용을 찾아 내기 위해서는 완도군 안에 있는 유적, 역사들을 찾아 복원하여야 할 것입니다.

이러한 작업은 한국 안의 유적만이 아니라 중국, 일본에 있는 관계 유적도 조사하고 역사 기록도 아울러 찾아야 할 것입니다. 이러한 연구 조사 작업을 통해서 장보고 대사의 자리매김을 해야 할 것입니다. 그 자리매김은 우리의 그그제, 그제, 어제, 이제를 거쳐 할제에 미치는 고리 속에서 이루어져야 할 것입니다.

장 대사의 국제경영방식으로 오늘날의 문제도 풀어 나가야 할 것입니다. 오늘날 중국에서 불어오는 황사에 대해서는 흔히 언론이나 일기예보를 통해서 흘러 나옵니다. 그 황사에 섞여 날아오고 황사가 없어도 중국의 석탄 속에 무서울 만큼 많이 들어 있는 아황산 가스는 가을부터 겨울, 이른봄까지 무한정 우리 나라로 날아 들어옵니다. 비에 섞여서도 들어옵니다. 그 오염은 황하와 양자강의 물에 그 밖의 유독화학성 오염수로 바다로 들어옵니다.

황해는 한없이 오염되어 가고 있습니다. 해류는 동아시아에서 풀어야 할 중요한 문제로 일고 있습니다.

오늘날 우리 해양의 오염은 우리와 중국이 마치 경쟁이라도 하듯이 위험한 상태로까지 다다르고 있는데 이러한 상태를 바로잡기 위해서는 장보고 대사의 위업을 이어받아 과학기술의 기획화와 기술인들의 양성에 이어 과학자, 기술자, 해양학자, 해군력 등의 증강이 요망되는 시점입니다.

그제, 어제, 이제의 역사만이 아니라 할제, 모레, 글피에 대한 바램과 설계를 지닌 가운데 해양 경영과 남서해안 발전안이 세워져야 한다고 생각합니다. 오늘날의 WTO 등의 국제관계도 국제정의·인권문제를 아울러 장 대사가 다루던 원칙과 원리로 풀어나가야 할 것입니다. 역동성 있고 주인 의식을 지니는 역학관계의 역사로 끌고 나가야 할 것입니다. 중국과의 협력도 어업협정, 환경오염 문제, 자원보호 문제들을 과학방법으로 장 대사의 경영방식과 정신으로 풀어 나가야 하겠다는 방향을 세워야 할 것입니다.

그 동안의 연구에서 미치지 못했던 점을 비롯하여 영광의 역사를 찾아내는 데 그치지 않고 역사상의 문제와 가능성을 두루 살펴야 할 것입니다. 한 시대를 연구하는 데 있어서 그 시대의 자연환경, 역사환경, 국제환경을 밝혀야 할 뿐 아니라 그 이전의 역사와 이어지는 맥과 줄기를 가다듬어야 할 것입니다.

청해진의 유적조사에서 장도의 발굴, 법화사 절터의 발굴은 성과가 있었으나 청해진을 너무나 작은 얼개로 보아서는 안 될 것입니다. 대신리 - 하홍리 - 중도리 - 정도리를 잇는 해안선과 언저리, 망석리 일대의 해안선과 언저리 장도 둘레의 구조물, 고금도

-조약도-생일도-신지도를 잇는 선상의 얼개도 조사되어야 할 것입니다. 조선-군영-조운과의 관계 속에서 조사작업과 깊은 관계가 있을 것으로 보입니다. 이러한 것은 정밀한 조사와 제4기 지질조사를 통해서 성과를 거둘 수 있을 것이며, 전자기기를 이용하면 이러한 지역의 유구와 유적을 찾아 낼 가능성도 클 것으로 여겨집니다. 더욱이 지자기 탐지기(GeoRadar) 등을 이용할 수도 있습니다.

법화사지의 발굴에서는 신라시기보다 고려시기와 관련 있는 유구로 가려졌으나 더 높은 쪽의 절터, 장좌리의 토성, 옛 무덤들의 조사들이 필요하다고 생각됩니다(김정호 관장 답사 의견).

완도가 지니는 해양환경, 지세, 조류, 풍향, 항로 등의 연구도 종합해서 연구하여야 할 분야입니다. 여기에 조류도를 실어서 참고로 하겠습니다. 장보고 대사의 해양경영에 대한 연구는 먼저 완도를 중심으로 하는 그 지역의 해양환경을 먼저 조사하여야 할 것입니다. 『신증동국여지승람』(1530년), 37권의 강진현을 보면 완도는 현의 남쪽 60리 되는 바다 가운데 있고 둘레가 290리로 되어 있으며 자세한 것은 해남현 속에 있다고 하였습니다. 이 때 이미 둘레에 있는 여러 섬의 해안선에 대한 기록이 담겨 있습니다. 고이도 105리, 조약도 95리, 신지도 90리, 가배도 30리, 소흘도 20리, 다야도 4리, 동량리 4리, 부인도 5리, 운파도 6리, 벽랑도 4리, 죽도 6리, 재마도 15리로 적혀 있습니다.

조선총독부에서도 우리의 농지, 임야를 수탈할 생각으로 조선토지조사령을 펴고 1918년에 이를 마쳤으나 이 시기에 섬과 해양선에 대한 조사도 하여 조선지지자료를 냈는데, 1919년 3월에 『조선지지자료』에 완도군에 딸린 섬들의 해안선 연장길이, 너비,

초고지점의 높이를 밝혀 놓고 있습니다.

완도군에 딸린 모든 섬의 수는 135이고 해안선 길이의 모듬은 772,100미터, 너비는 22,776평방리에 이르는 것으로 밝혀 놓았습니다. 장 대사는 이미 이 사실을 머리 속에 그리고 있었을 것으로 생각됩니다(별표로 그 숫자를 넣어 둡니다).

앞으로 청해진의 얼개에 들어 오는 둘레의 섬, 바다, 만, 곶, 바다 깊이, 해안선의 길이들을 제대로 조사하고 선사-역사시대의 유물·유적을 해안, 육지, 바다속까지 차츰 조사해 나가야 할 것입니다. 완도군을 주로 하는 청해진 관계 유적의 조사는 먼저 지표조사를 하여야 할 것입니다. 위에서 밝혔듯이 장 대사 사업의 규모나 성격으로 보아 관련 유적이 완도군 일대에 널리 분포되어 있을 것이므로 그 전모를 찾기 위한 노력이 바탕이 되어야 한다고 봅니다. 연차 계획으로 정밀조사를 펴 나가야 할 것입니다.

이 조사계획은 장 대사 시기만이 아니라 선사시대부터 역사시대를 포함하고 할제에 대한 발전계획도 세워야 할 것이며 해상환경, 생산계획까지도 어우러져야 할 것입니다. 서남해안의 발전계획도 담아야 할 것입니다.

장 대사 관련 유적만 하더라도 이웃한 여러 딸린 섬의 해안선, 만, 곶, 들, 언덕들에 걸쳐서 시행되어야 할 것입니다. 60여 개의 유인도와 143개의 무인도들에 대한 가능성을 밝혀야 할 것입니다. 이는 장 대사의 경영 얼개가 남해안 모든 곳에 연관되어 있었을 것을 생각하면 당연한 일일 것입니다.

장 대사 관계 유적의 조사는 적어도 그 시대의 해안선이 지금보다 1미터쯤 높았을 것으로 미루어 생각하여 조사에서 감안되어야 할 것입니다.

강진군의 가마터 유적의 조사를 이용한 무역 관계와 관련되는 유적들의 지세, 조류 등에 대한 연구도 아울러 이루어져야 할 것입니다.

완도를 비롯한 조약도, 고이도, 신지도에는 목장이 있었던 것도 생산에 큰 가능성을 줄 수 있다고 생각됩니다. 이 밖에 황칠은 칠 가운데서도 가장 침투성이 높고 보존상, 예술상 우수한 특산물이므로 양식 생산화되어야 할 것입니다. 완도에서는 자연으로 자라고 있는 것이 밝혀지고 있습니다(정명호・홍동화 증언).

위와 같이 오늘의 장보고 대사 해양경사연구의 연구 방향과 과제에 대해 말씀드렸습니다. 끝으로 완도군은 청해진시로 만들어야 한다고 생각하오니 진해시와 더불어 해양역사에서 빛나는 이름을 되찾도록 노력하여 주시기를 부탁드리면서 끝맺겠습니다.

뒤에 붙여서

적산 법화원의 옛터에 절간을 지었고 그 언저리에도 많은 새로운 건축물이 늘어가고 있는데 이들은 원래의 절터를 범하고 있으며 옛 기와들이 아직 많이 묻혀 있는 담장 북쪽 남향을 바라보는 터전도 새로운 집터로 쓰여질 가능성이 많은 것으로 보입니다. 이는 영성시와 문물보존 책임자들에게 자매결연을 맺은 완도군과 문화재 관계자들이 건의하여, 이를 보존하고 발굴들을 거쳐서 인류공동 문화재를 아끼는 마당에서 장 대사의 유적을 시기를 놓치지 않고 조처하도록 노력해 주기를 바랍니다.

이 밖에 매우 중요한 전통이 장 대사의 무역과 상행위 방식 - 곧 오늘날의 경영방식을 복원할 필요가 있다고 생각합니다. 요사

이 장 대사가 세계에 맨처음으로 종합상사를 이룩하였다고 합니다. 상행위에 있어서 우리 사회에 꾸준히 내려오는 전통으로서, 봇짐장사 또는 보부상으로 불려지는 것은 바로 실수요자에게 직접 날라 주는 수요자 우선 방식의 택배 상행위입니다. 이 전통은 봇짐을 등에 지고 마을 깊이 외딴 곳까지도 찾아가서 파는 행위로서 가장 발달된 방법이고 소규모의 상품일지라도 중계지점에서 직접 소비자에게 날라다 주는 택배형식입니다. 산품의 수집은 독점을 목표로 하고 경쟁자는 독점가를 막는 방법으로 보고채기라는 방법으로 경쟁자 상품을 사서 재어 두는 방법으로서, 다른 동업자와 경쟁하는 뛰어난 방법을 써 왔다는 것을 알 수 있습니다. 경영상 뛰어난 방법이었습니다. 한편으로 값 올리기를 막고 독점행위를 무너뜨리는 보고채기는 바로 장보고의 독특한 수법으로 풀이되는데, 개성상인, 강화상인들의 경강상인들의 경영방법으로 이어져 내려온 것으로 풀이됩니다. 곧 이 방법은 생산으로 이어지며 강진을 중심으로 하는 청자 - 해무리굽 청자의 생산, 지리산에서의 차의 생산도 이러한 생산과 상행위를 손아귀에 넣고 지배한 것으로 미루어지기도 합니다. 신라의 돛베(帆布)의 아라비아 수출도 바로 이러한 생산 - 판매를 잇는 상사 행위로 볼 수 있을 것으로 생각됩니다. 비단 '실케'의 수출 생산이 비단 원료의 수출을 뜻했다는 것도 그 증거를 찾아 내야 할 것입니다. 신라의 호구장적에서 엿볼 수 있는 뽕나무와 누에치기는 이러한 각도에서 생각해 볼 만한 자료가 될 것으로 여겨지기도 합니다.

육림사업을 하여서 널빤지를 주로 만드는 장인의 소가 있었으므로 배무이와 재궁(梓宮) 짓는 기술도 발달했을 것으로 보이며 소나무를 기르는 좋은 조건을 지녔던 것으로 미루어집니다. 완도에 황장소가 있었던 것으로 풀이되기도 합니다.

이 밖의 여러 가지 사실을 우리는 찾아 내지 못하고 있을 것이므로 우리는 할 수 있는 데까지 모든 분야에 걸쳐서 찾고 복원하여야 할 것입니다. 상업 - 상술 - 생산기술 - 해양의 과학발달 - 환경 - 보전 - 국제우의 - 공동번영 - 인권존중 문제에 이르기까지 많은 분야에 있어 크나큰 발전을 이룩하였을 것으로 여겨집니다. 청해진 시대의 번영과 영광을 되찾는 것이 이제 - 할제의 지표가 되어야 할 것입니다.

고맙습니다.

참고자료

완도군 안의 청해진 유적의 얼개를 찾기 위한 자료

면	섬	해안선(m)	나비(평방리)	최고지점 높이(m)
노화면	소저도	500	0.002	73.0
	가덕도	500	0.001	23.0
	죽굴도	4000	0.027	61.2
	잠도	1500	0.007	64.0
	외모도	1000	0.007	87.2
	대정원도	2000	0.013	65.3
	소정원도	1300	0.007	62.0
	소장구도	1500	0.006	61.0
	장구도	2500	0.016	73.4
	어룡도	3100	0.027	85.1
	상도	500	0.003	32.0
	미득도	600	0.003	36.0
	옥매도	500	0.002	25.0
	가도	700	0.004	55.0
	토금도	2100	0.024	12.0
	저도	1100	0.012	85.0
	마삭도	2500	0.012	64.0
	마안도	3000	0.016	43.0
	잉도	10500	0.186	153.9
	서잉도	5000	0.073	156.8
	노록도	2500	0.030	139.0
	후장구도	1600	0.012	43.0
	보길도	42500	2.257	430.3
	장사도	2500	0.022	65.0

노화면	기도	1000	0.004	68.0
	예작도	7500	0.024	143.2
	복생도	600	0.002	75.0
	야도	500	0.002	74.0
	노화도	46500	1,582	170.0
	이포리저도	800	0.005	43.0
	구용도	1000	0.004	22.0
	발도	500	0.001	31.0
	육도	500	0.002	21.0
	하구용도	1500	0.005	23.0
	대고도	1000	0.005	45.0
	항도	700	0.004	42.0
	장구도	600	0.003	43.0
	소마삭도	700	0.003	23.0
	모듬	156909	4.415	
군외면	계도	500	0.002	41.0
	소화도	600	0.003	48.0
	속화도	3500	0.058	127.3
	백일도	7500	0.089	109.3
	흑일도	7500	0.154	183.5
	양도	2009	0.010	43.0
	서화도	1500	0.012	68.9
	고마도	6500	0.085	85.0
	사후도	6000	0.056	57.5
	토도	1500	0.011	28.5
	달도	6000	0.080	93.0
	모듬	43100	9.560	
청산면	청산도	38500	0.303	343.4
	여서도	8500	0.303	351.6
	항도	2500	0.018	105.0
	지초도	1500	0.007	25.0

청산면	장도	3600	0.011	48.1
	대모도	15300	0.278	241.0
	소모도	2600	0.029	97.4
	불근도	3000	0.016	65.0
	모듬	74900	2.859	
소안면	소안도	44500	1.573	364.0
	죽도	500	0.001	7.0
	소구도	700	0.003	22.0
	구도	2000	0.022	1056.6
	횡관도	15000	0.238	200.6
	자지도	8000	0.129	171.7
	모듬	70700	1.966	
완도읍	완도	33500	4.060	644.1
	장도	1100	0.005	45.0
	몰서	500	0.002	6.0
	달도	7000	0.077	93.8
	주도	500	0.002	25.0
	모듬	42600	4.146	
고금면	묘당도	2500	0.020	65.0
	대개도	500	0.004	25.0
	송도	500	0.002	23.0
	도어두지	2000	0.015	58.0
	대죽도	500	0.004	32.0
	조약도	50000	1.680	389.0
	초완도	3500	0.031	123.3
	장고도	500	0.002	15.0
	입도	1000	0.004	43.0
	원도	2000	0.018	89.0
	잉도	1700	0.009	65.0
	장도	2500	0.012	61.0

고금면	고금도	54500	2.601	245.9
	척찬도	4500	0.052	95.6
	모듬	126200	4.454	
신지면	치도	1000	0.005	45.0
	혈도	1200	0.008	76.0
	신지도	45500	1.978	224.9
	갈마도	2000	0.012	61.0
	내룡도	1000	0.003	45.0
	외룡도	1200	0.006	25.0
	형도	500	0.002	23.0
	장도	2000	0.011	72.5
	모황도	2000	0.016	115.0
	달해도	1500	0.006	83.0
	모듬	58990	2.047	
금일면	흑서	500	0.0021	15.0
	우노	2500	0.015	66.3
	부도	4000	0.047	88.0
	섭도	4300	0.064	118.5
	대병풍도	600	0.002	12.0
	장고도	1200	0.006	41.0
	대칠기도	1700	0.008	30.0
	평일도	56500	1.356	234.6
	생일도	1700	0.978	482.6
	용랑도	700	0.002	43.0
	도용랑도	900	0.005	45.0
	매물도	1200	0.006	92.0
	형제도	1500	0.010	55.0
	소덕우도	1300	0.009	77.0
	항도	500	0.002	42.0
	랑도	500	0.001	23.0

금일면	소도	750	0.004	43.0
	펄찬도	600	0.002	8.0
	소랑도	4000	0.072	106.1
	다랑도	3500	0.038	145.0
	소다랑도	1500	0.008	45.0
	송도	2000	0.012	78.0
	원도	2500	0.030	173.9
	장도	5500	0.092	160.6
	소마도	1000	0.007	63.0
	대마도	1500	0.012	85.0
	황제도	7500	0.055	78.9
	안매도	1000	0.005	45.0
	구도	2500	0.032	127.0
	송도	1000	0.005	63.0
	덕우도	5500	0.061	117.0
	금도	32500	0.805	218.0
	비견도	7000	0.044	49.3
	질마도	1000	0.004	43.0
	대납다도	600	0.002	22.0
	대화도	2500	0.012	57.0
	중화도	750	0.002	42.0
	신도	5500	0.081	179.0
	병도	500	0.002	23.0
	척도	1200	0.009	65.0
	충도	10000	0.162	218.9
	장고도	500	0.002	17.0
	허우도	1500	0.010	65.0
	모듬	198800	4.083	

완도군 모듬　　섬 모두 135개
해안선 길이 772,100미터
너비 22,776평방리=364.416평방킬로미터

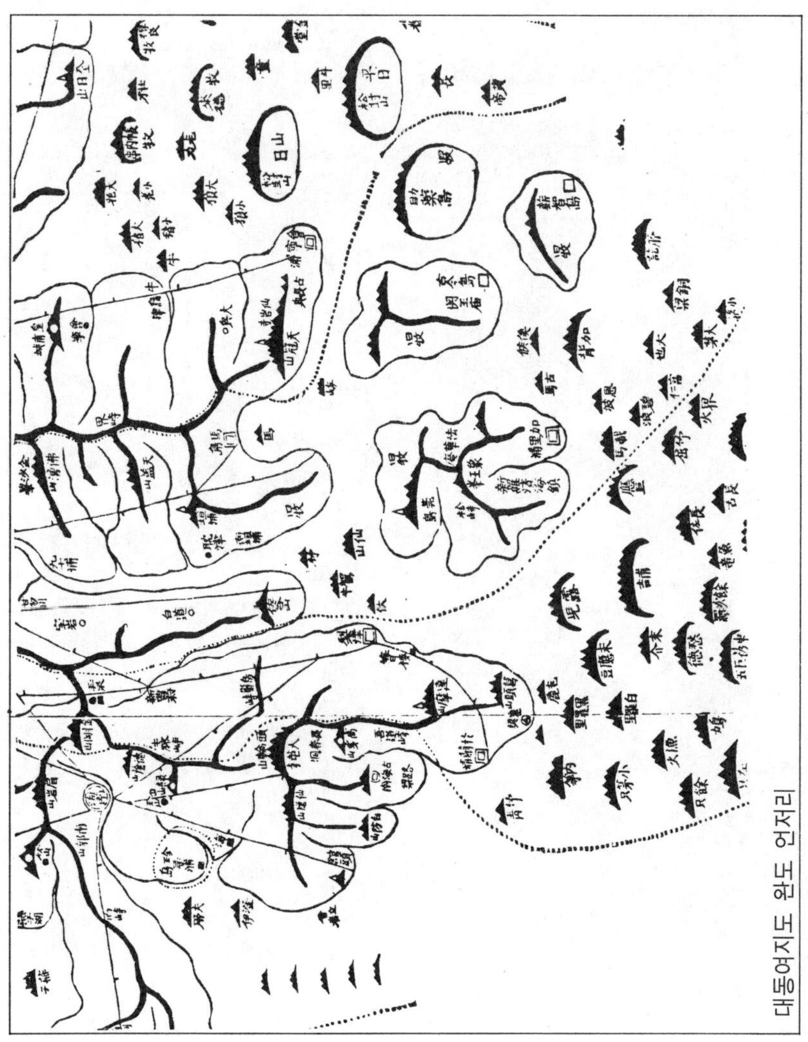

대동여지도 완도 언저리

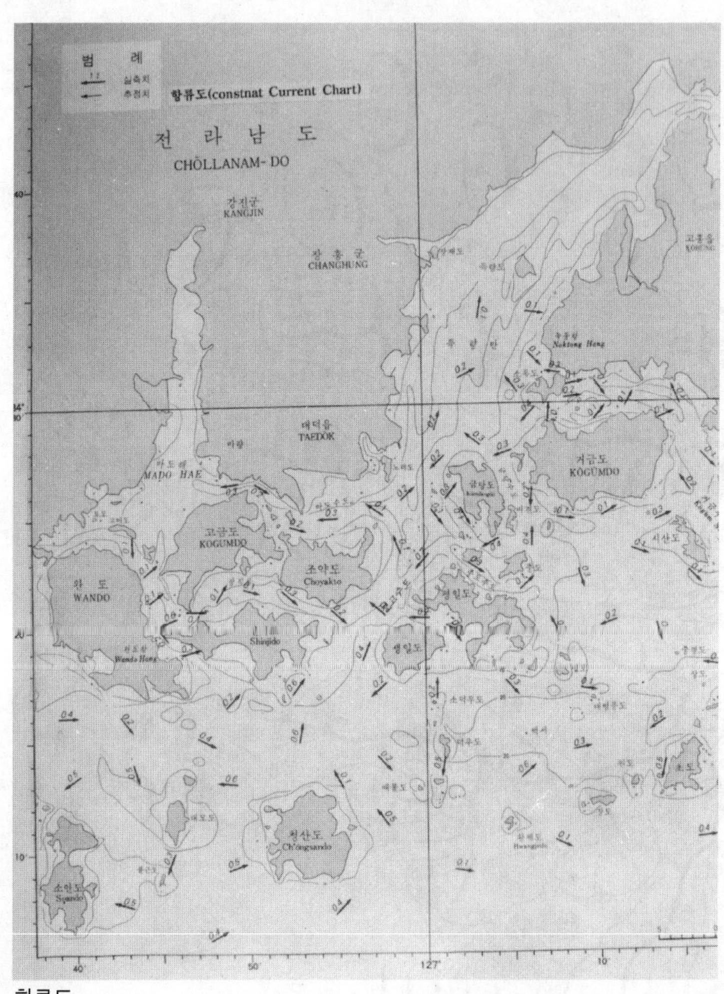
범 례
실측치
추정치
항류도(constnat Current Chart)
전 라 남 도
CHŎLLANAM- DO
강진군
KANGJIN
장 흥 군
CHANGHUNG
대덕읍
TAEDŎK
마도해
MADO HAE
고금도
KOGUMDO
거금도
KŎGUMDO
조약도
Choyakto
완 도
WANDO
Wando Hang
Shinjido
청산도
Ch'ŏngsando
소안도
Soando
127°

항류도

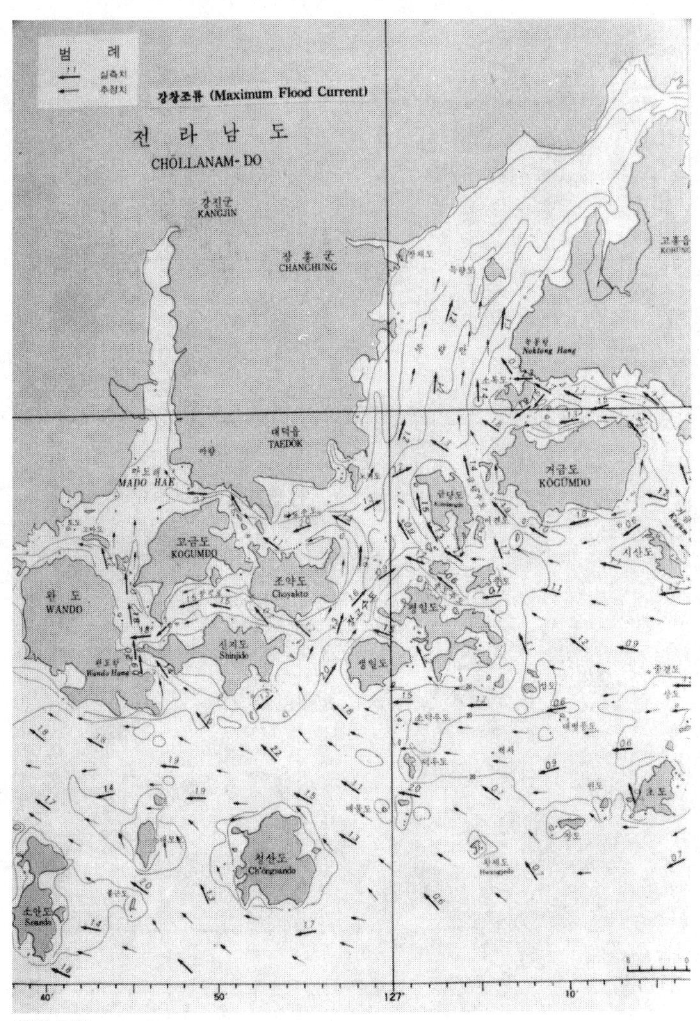
범 례
실측치
추정치
강창조류 (Maximum Flood Current)
전 라 남 도
CHŎLLANAM- DO
강진군
KANGJIN
장 흥 군
CHANGHUNG
TAEDŎK
MADO HAE
거금도
KŎGUMDO
고금도
KOGUMDO
완 도
WANDO
조약도
Choyakto
신지도
Shinjido
청산도
Ch'ŏngsando
소안도
Soando
40'
50'
127°
10'

강창조류

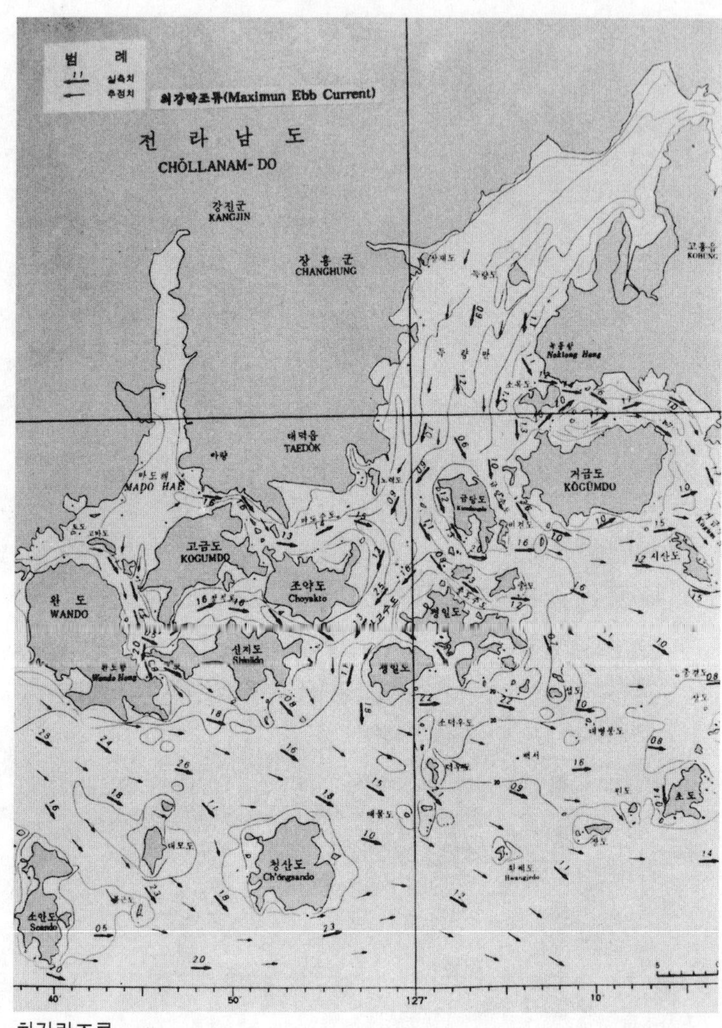
범 례
실측치
추정치
최강락조류(Maximun Ebb Current)
전 라 남 도
CHŎLLANAM-DO
강진군
KANGJIN
장 흥 군
CHANGHUNG
대덕읍
TAEDŎK
마도해
MADO HAE
고금도
KOGUMDO
완 도
WANDO
조약도
Choyakto
신지도
거금도
KŎGŬMDO
청산도
Ch'ŏngsando
소안도
Soando

최강락조류

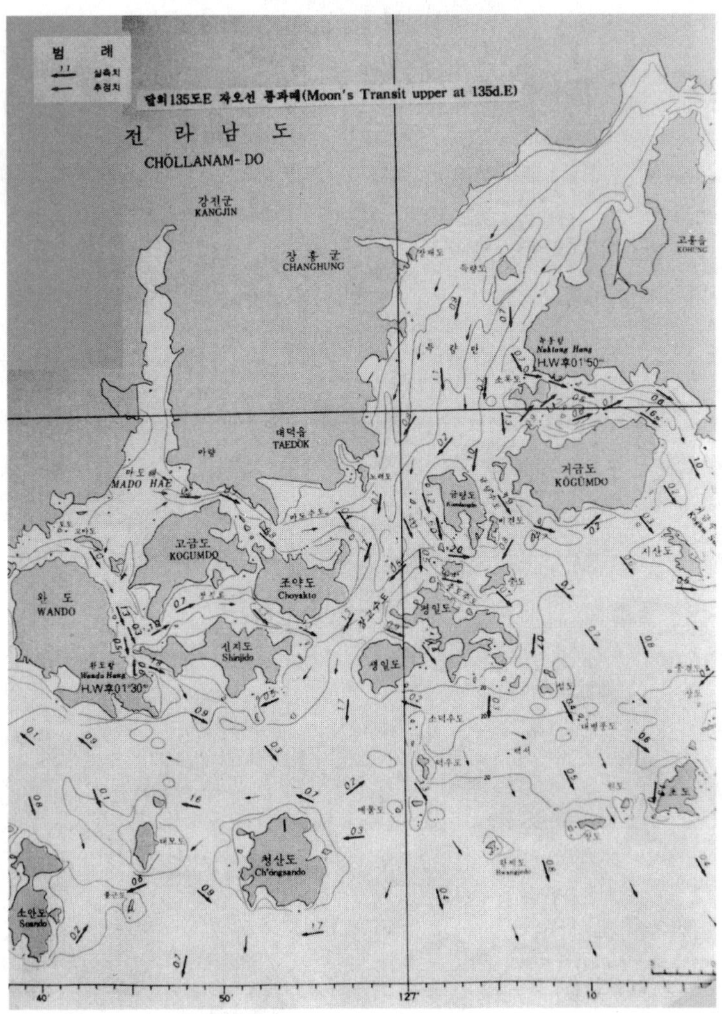

달의 135도E 자오선 통과때

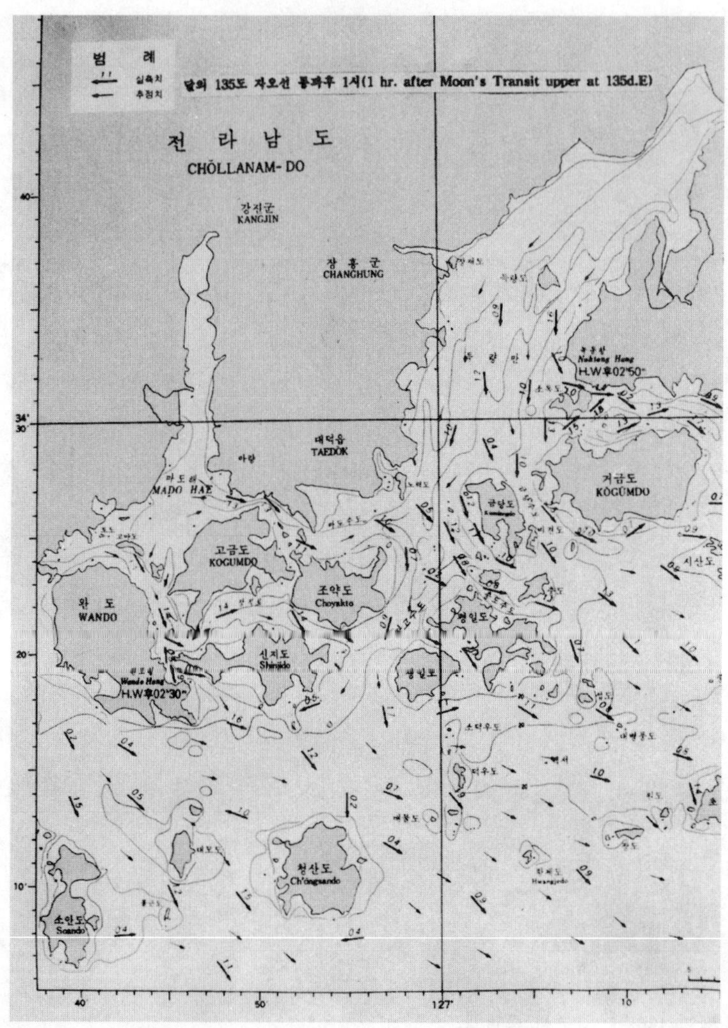

달의 135도 자오선 통과후 1시

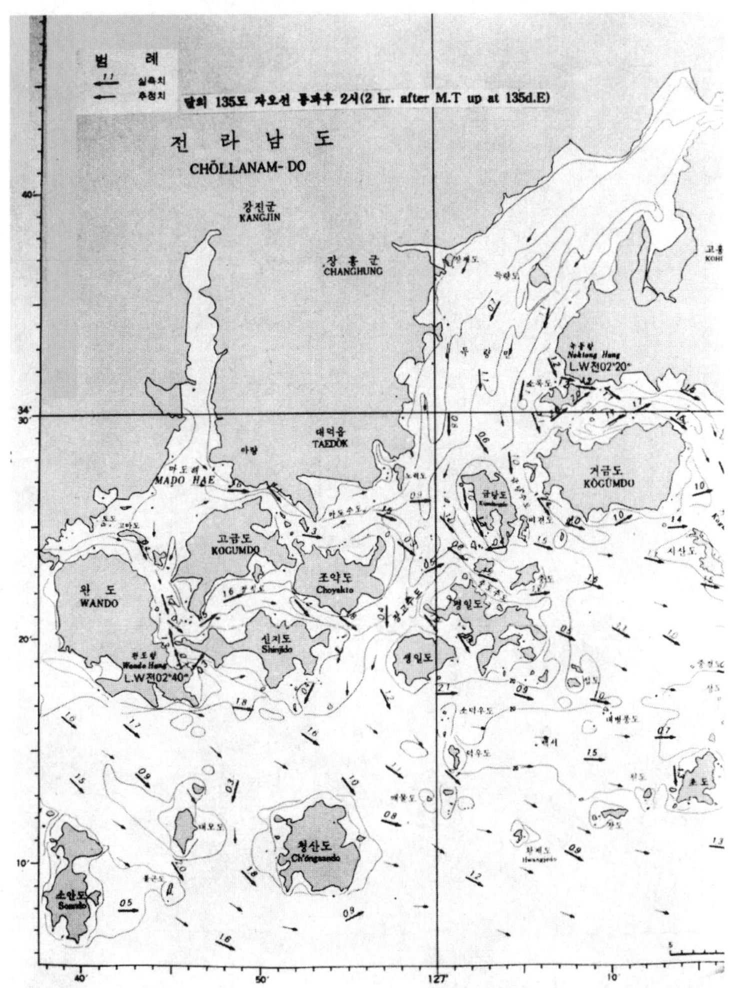

달의 135도 자오선 통과후 2시

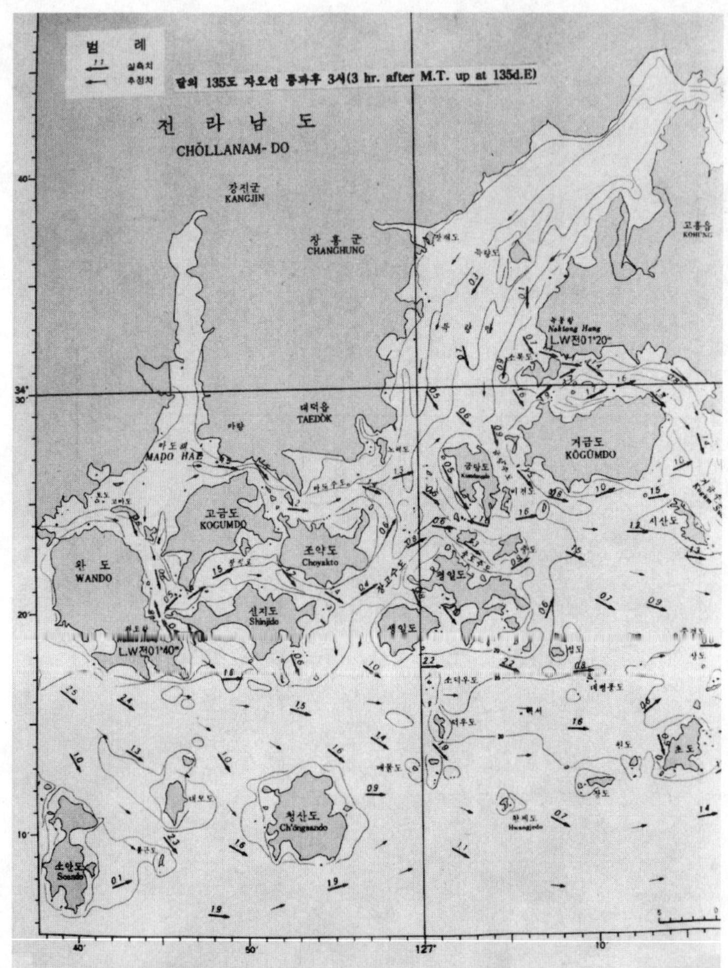

달의 135도 자오선 통과후 3시

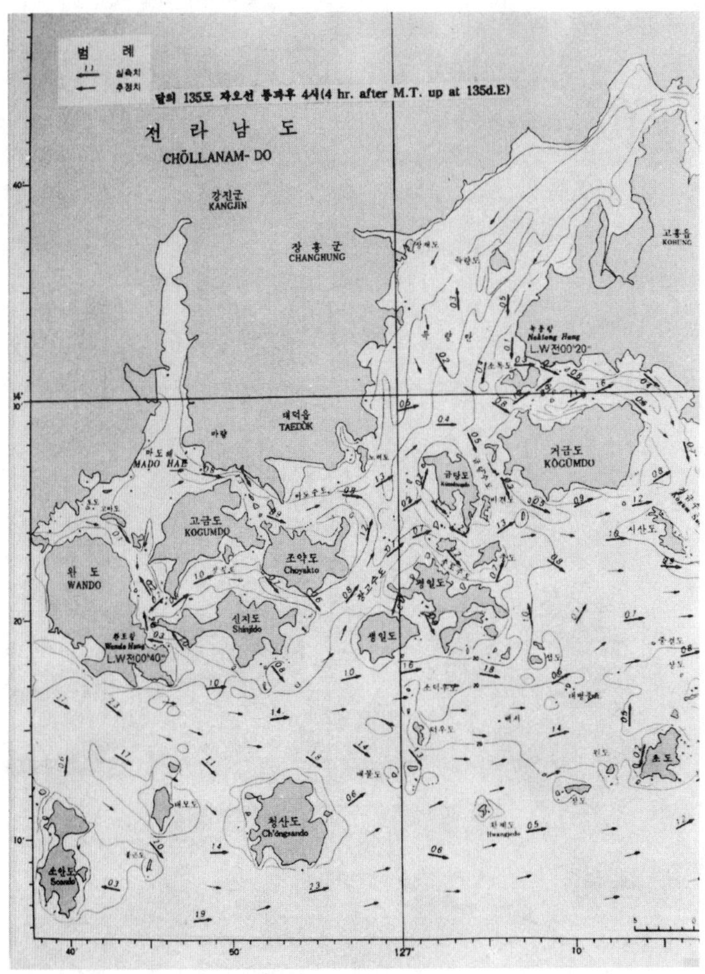

달의 135도 자오선 통과후 4시

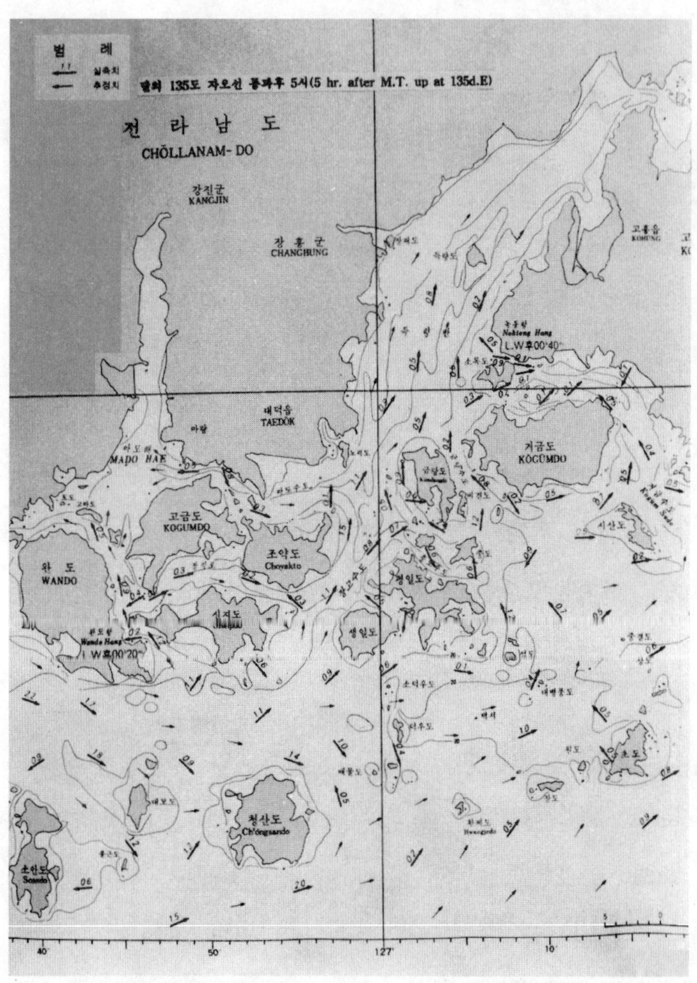

달의 135도 자오선 통과후 5시

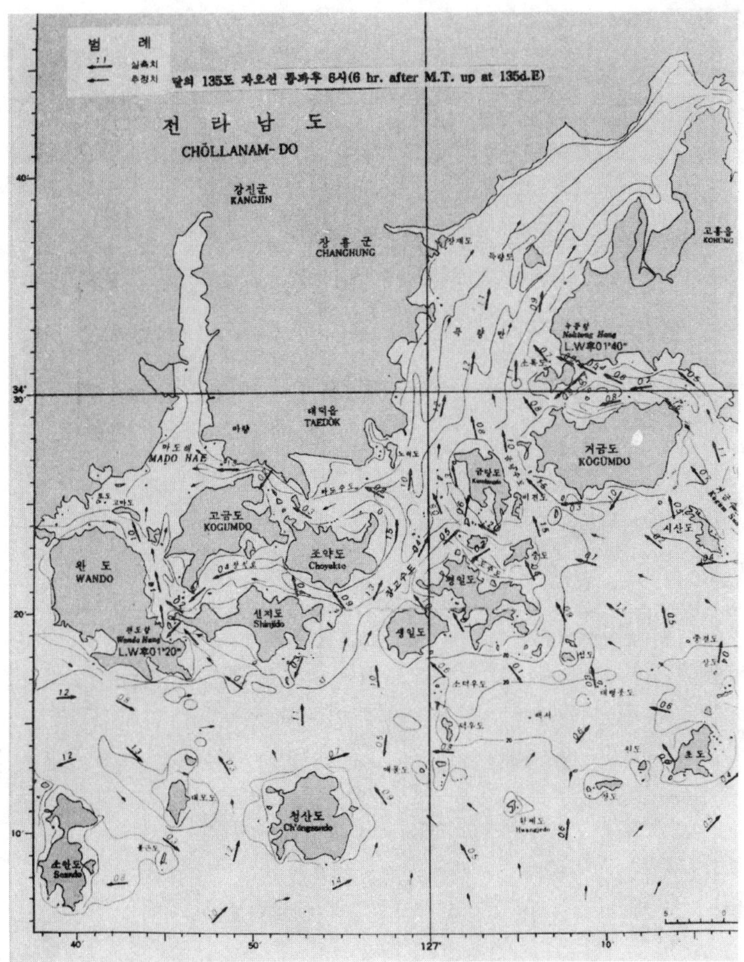

달의 135도 자오선 통과후 6시

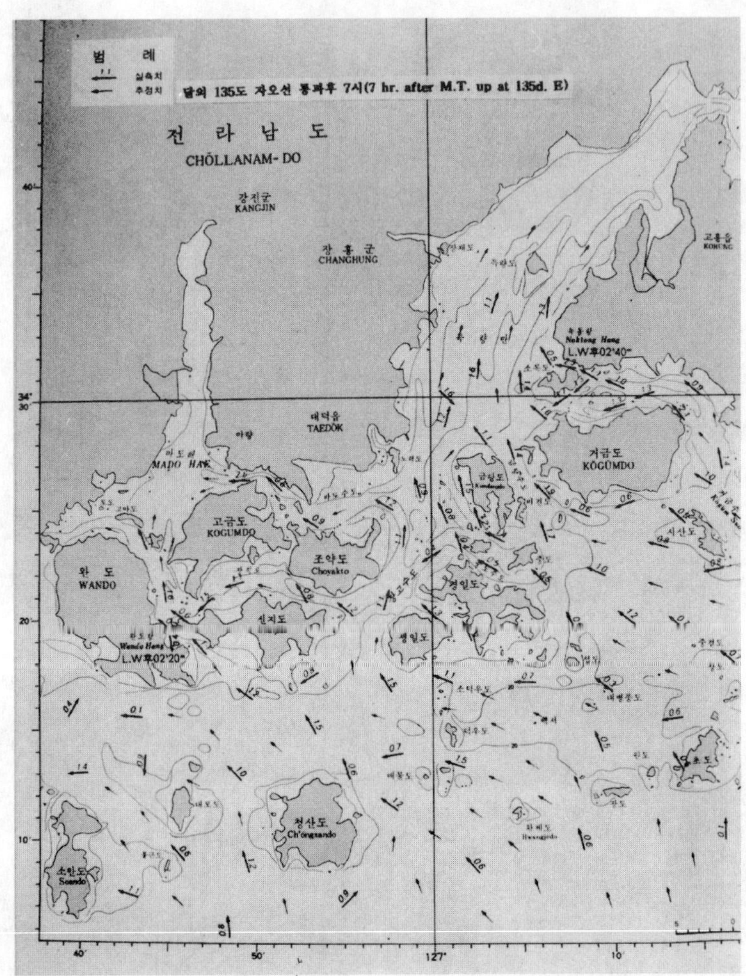

달의 135도 자오선 통과후 7시

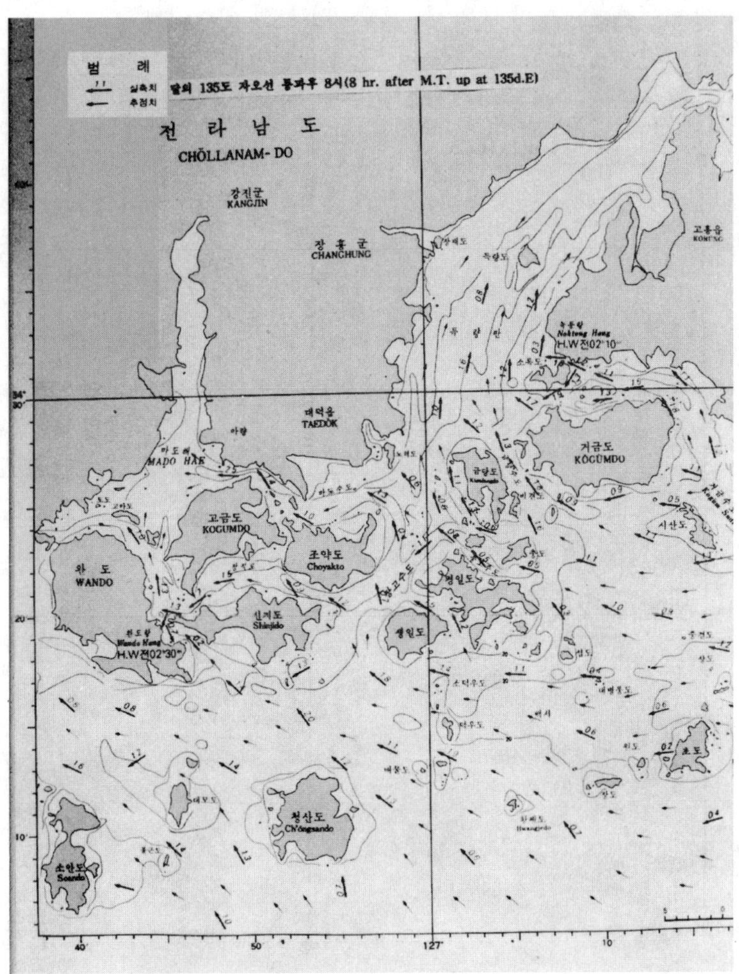

달의 135도 자오선 통과후 8시

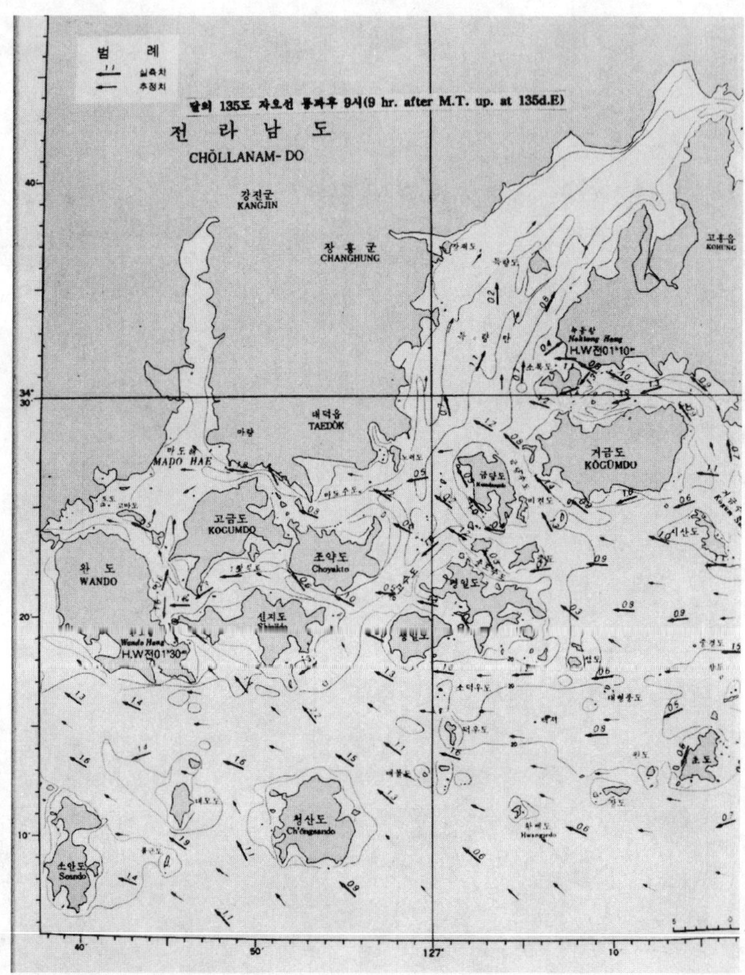

달의 135도 자오선 통과후 9시

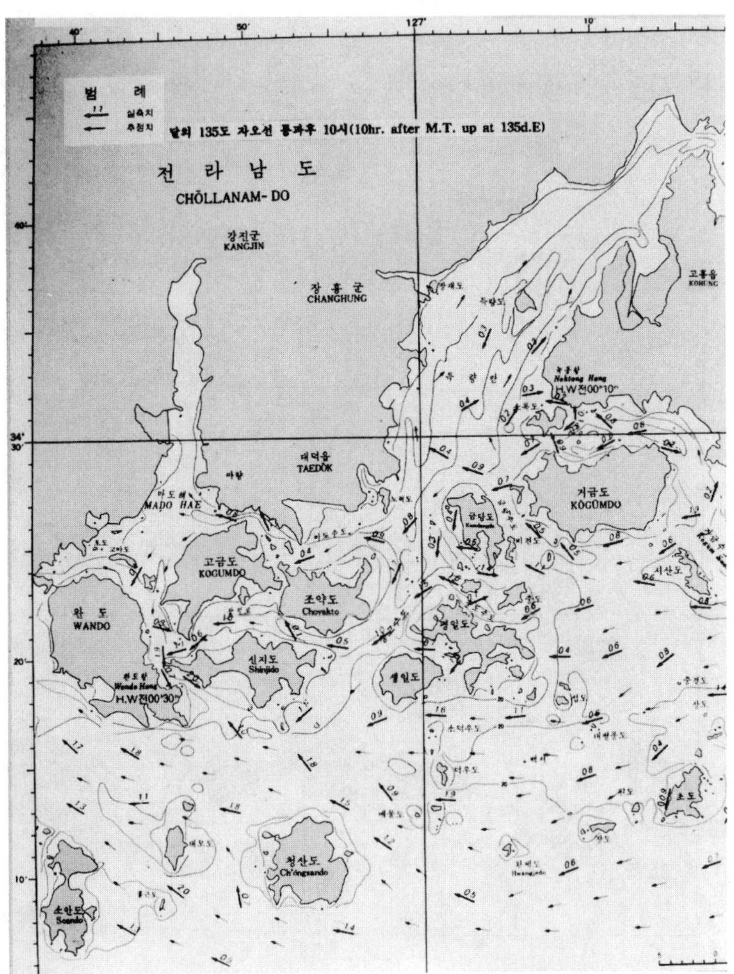

달의 135도 자오선 통과후 10시

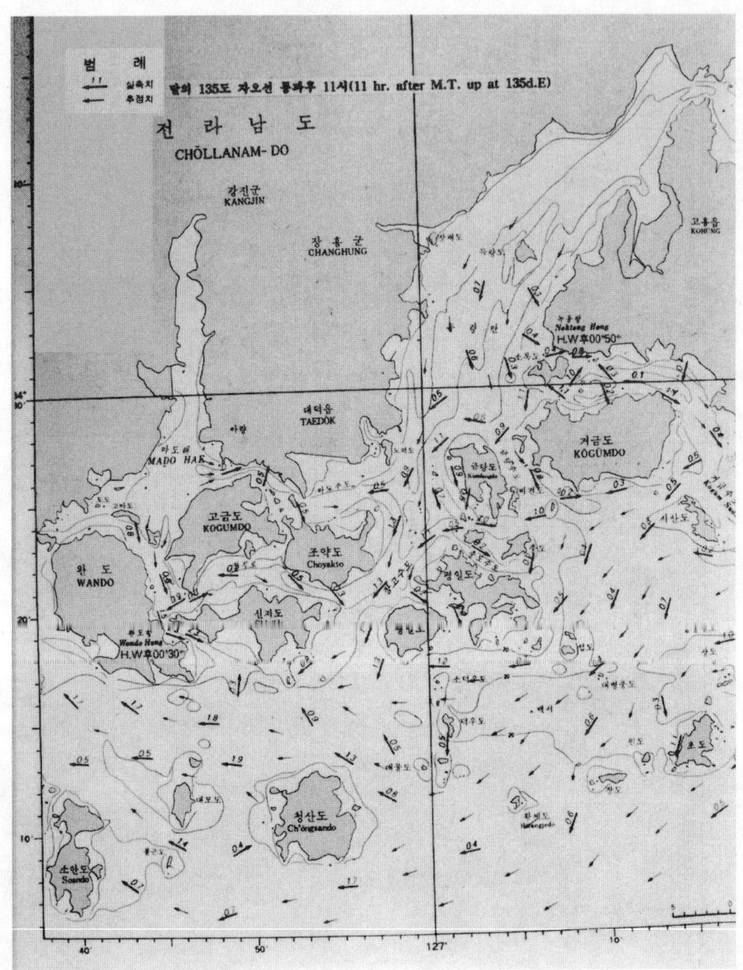

달의 135도 자오선 통과후 11시

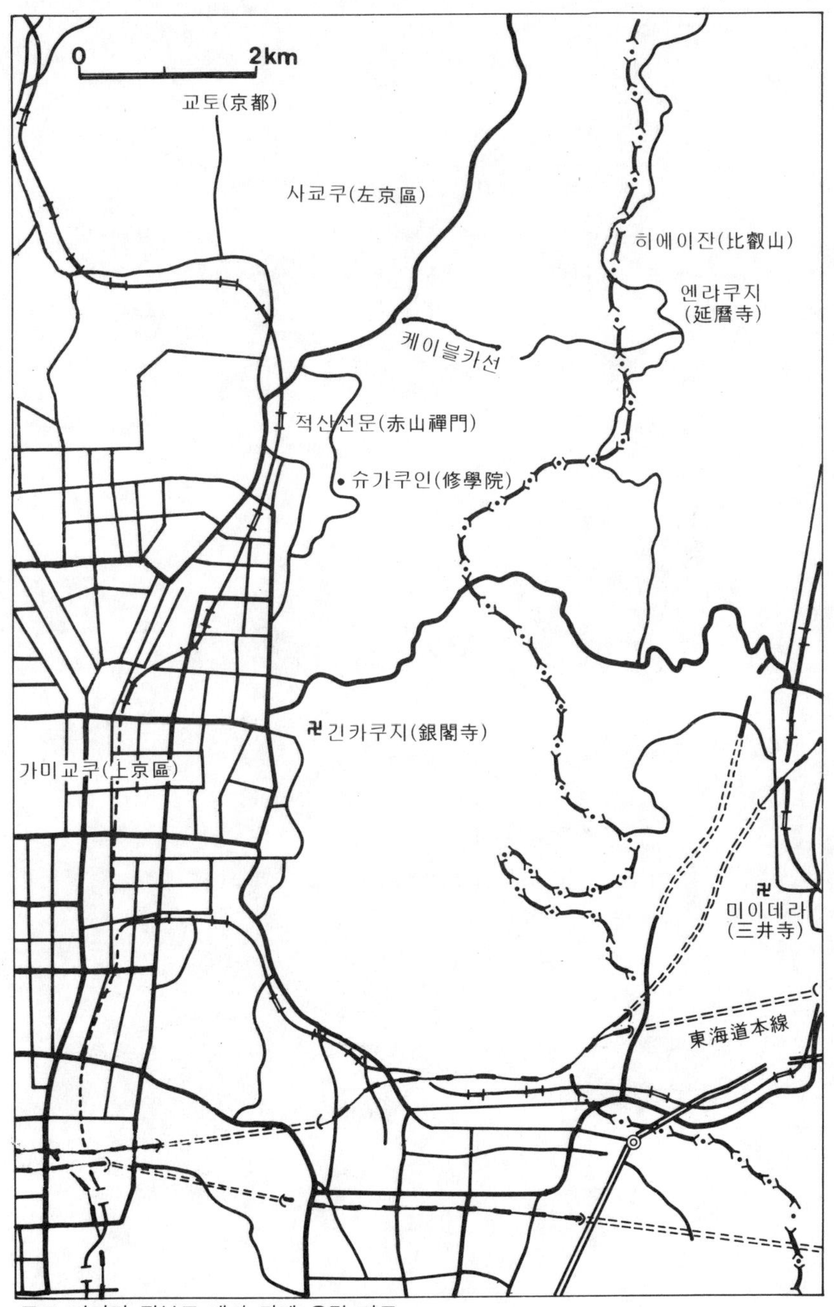

교토 언저리 장보고 대사 관계 유적 지도

9~11세기 신라사람들과 강남

김 문 경

1

신라가 통일 이전에 당은포(唐恩浦)를 이용하여 중국에 이른다는 것은 매우 힘든 일이었다. 비단 백제나 고구려의 방해라는 정치적 이유만이 아니라 서울인 경주(慶州)가 한반도 동남쪽에 위치하여 당(唐)과의 교통이 매우 불편했기 때문이다. 남양만(南陽灣)에 이르러 다시 왕도인 경주까지 가려면 '육로 70리(陸行七百里)'라는 노정에다 험준한 추풍령도 넘어야 하는 고통이 따랐다. 적지않은 '국신물(國信物)'을 지닌 사신은 말할 것도 없거니와 교역을 주업으로 하는 상인들도 험한 육로를 통한 수송에는 적지 않은 부담을 느꼈을 것이다. 이와 같은 나·당(羅·唐) 양국 간의 교통불편을 해결하는 방편으로 해로와 수송능력면에서 월등이 나은 선편이 이용될 수밖에 없었다. 경주에서 가까운 영일만이나 울산만에서 출발하여 남해안을 지나 흑산도 부근에서 서남쪽으로 바다를 건너 양자강구(揚子江口)나 남중국으로 직항

* 숭실대학교 명예교수

하는 해로가 이용되었다. 이 항로의 중국 중심 해항(海港)은 명주(明州)·양주(揚州)·항주(杭州)·천주(泉州)·광주(廣州) 등이며 우리 나라측에서는 무주(武州 : 光州)·나주·전주·강주(康州 : 晋州) 등이 이용되었다.

서긍(徐兢)의 『선화봉사고려도경 宣和奉使高麗圖經』과 『송사 宋史』 고려전에 나오는 노정이 곧 이 해로에 해당된다. 명주 정해현(定海縣)을 출발하여 매잠(梅岑 : 昌國縣)에서 백수양(白水洋 : 浙江沿岸 海中)·황수양(黃水洋 : 長江口의 濁水海)·흑수양(黑水洋 : 黑潮海域)을 지나 협계산(夾界山 : 小黑山島)·배도(排島 : 珍島 동쪽)·흑산(黑山 : 黑山島)에 도착하여 서해안을 따라 북상하여 예성강에서 개경에 이르는 항로를 말한다. 서긍 일행은 5월 28일에 매잠을 출발하여 6월 2일에 '화이(華夷)'의 경계라던 협계산에 도착하였고, 3일 오후에는 흑산도에 이르고 있다. 『속자치통감편 續資治通鑑編』(권339, 元豊 6년 9월 庚戌)에도 고려사행로(高麗使行路)를 설명하고, 명주를 출발하여 4일 만에 흑산도에 이르고 있다. 고려의 양응성(楊應誠) 등의 사행(使行) 길은 5일째 되던 날 명주 정해현에 도착하고 있다(高麗 仁宗 6년, 建炎 2년, 1128). 이와 같이 계절풍을 이용하면 명주에서 불과 4~5일 만에 흑산도에 도달한다.

『당회요 唐會要』(권78, 諸使雜錄上 元和 14년[819] 8월)에는 망해진(望海鎭 : 明州 定海縣)이 일찍부터 신라 원항(遠航) 선박의 중요한 발착항포(發着港浦)였다는 사실을 알려 주고 있다. 뿐만 아니라 『여지기승 輿地紀勝』(권11, 兩浙東路 慶元府 明州 景物下)에는 명주 창국현(昌國縣)의 매잠산은 고려·신라·발해·일본 등의 선박이 바람을 기다리던 곳이라 하고 있다. 『고려도경

高麗圖經』에 나오는 항로 가운데 매잠을 보면 다음과 같이 매우 흥미로운 기사가 실려 있다.

> 麓中有蕭梁所建普陀院 殿有靈感觀音 昔新羅賈人往五台 刻其像欲載歸其國 曁出海遇焦 舟膠不進 及還置像於焦 上院僧宗岳者 迎奉於殿 自後海泊往來 必詣祈福 無不感應 吳越錢氏 移其像於城中開元寺 今梅岑所尊奉 卽後來所作也

내용인즉 이러하다. 산록에는 양무제(梁武帝 : 502~549)가 세운 보타원(普陀院)이 있고 그 원중전각(院中殿閣)에는 영감스런 관음상이 모셔져 있다. 옛날 신라 상인이 오대산에 가서 그 관음상을 조상하여 배에 싣고 신라로 돌아가려 했다. 출항하자 곧 좌초하여 배가 나아가지 못함에 그 관음상을 암초에 안치했다. 상원(上院)의 스님 종악(宗岳)이 관음상을 전각으로 모셨다. 이 뒤로 바다를 왕래하는 사람은 반드시 가서 참배하여 복을 비니 감응하지 않음이 없었다. 오월국(吳越國 : 907~978) 전(錢) 씨는 그 상을 성중(城中)의 개원사(開元寺)에 옮겼다. 지금 매잠에서 존봉되는 상은 그 뒤에 새로 조상된 것이다.

지금 주산시(舟山市) 보타구(普陀區) 보타산(普陀山) 조음동(潮音洞)에 있는 '불긍거관음원(不肯去觀音院)'의 기원을 전해주는 귀중한 사료이다. 중국 4대 불교성지 가운데 하나이며 관음신앙의 본산인 이 곳의 개산조사가 일본승 에가쿠(惠蕚)인양 알고 있다. 종전 일본인들이 장보고가 세운 적산 법화원(산동성 영성시 석도진)을 그들의 구법승 엔닌(円仁)의 원당(願堂)인양 선전한 것과 흡사하다. 에가쿠의 불긍거관음과의 연기는 이러하다.

『고려도경』(북송 선화 6년[1124] 刊)보다 145년이나 뒤져 편찬된 지반(志盤)의 『불조통기 佛祖統紀』(권42, 남송 함순 5년[1269] 刊)에 다음과 같은 글이 실려 있다.

(大中) 12년(858) 일본국 사문 에가쿠(慧鍔 : 惠蕚)는 오대산을 순례하여 관음상을 얻고 사명(四明 : 절강 영파) 길을 거쳐 귀국하려 했다. 배가 보타산(補陀山)을 지날 때, 돌에 걸려 나아가지 못했다. 무리들이 두려워하여 기도하기를 "만약 존상이 해동에 (가는) 인연이 무르익지 않았다면 청컨대 이 산에 머물게 하소서"라 했다. 배는 곧 떠서 움직였다. 에가쿠(鍔)는 슬퍼하여(哀慕) 떠날 수 없었다. 이에 해변에 초려(草廬)를 짓고 관음상을 모셨다(지금 산쪽에 新羅礁가 있다). 은인(鄞人 : 浙江 영파) 사람들이 이를 듣고 청하여 그 상을 개원사에 안치케 했다(지금 사람들은 혹 오대산이라고도 하고 不肯去觀音이라고도 한다). …산은 내해 중에 있고 은성(鄞城)으로부터 동남 물길로 600리나 떨어져 있다. 산명은 보달락가(補怛落迦)이며 관음보살이 거기에 머물며 곧 대비경(大悲經)에서 말하는 보타락가산(補陀落迦山) 관세음궁전이다. ……그 산에 조음동이 있고 바닷물이 밤낮으로 탄토(呑吐)하며 큰 소리를 내고 있다. ……동(洞 : 조음)에서 6~7리 떨어진 곳에 큰 난야(蘭若)가 있고 난야는 해동 여러 나라 (사신)의 조관과 상고의 왕래를 위함이다. 경건함과 정성을 다하여 (기도하면) 건너가지 못함이 없었다.

일본 가마쿠라(鎌倉) 시대의 교토(京都) 도후쿠 사(東福寺) 승려 고칸 시렌(虎關師錬 : 1278~1346)이 저술한 불교사서 『원형석서 元亨釋書』 권16에는 『불조통기』의 내용이 거의 그대로 전재되고 있다. 여기에 등장하는 에가쿠는 839년 신라선에 편승 입당하여 초주(楚州 : 新羅坊)를 거쳐 오대산을 순례하고 다시 천태산까지 왕래한 승려이다. 생존년대는 확실치 않으나 전후 3~4차에 걸쳐 입당한 것으로 추측하고 있다. 일본인들은 보타산 개기전설(開基傳說)이 『불조통기』·『원형석서』 등의 기록을 바탕으로 858년경에 형성되었다고 믿고 있지만 『두타친왕입당략기 頭陀親王入唐略記』 등을 참고하여 함통(咸通) 4년(863)으로 비정하는 학자도 있다(小野勝年, 『入唐求法巡禮行記の研究』, 鈴木學術財團, 1969, 407쪽). 여하튼 보타산 관음신앙의 개기전설의 기원을 에가쿠로 보는 견해에는 다를 바 없다. 그런데 여기에서 우리는 『고려도경』의 내용 가운데 '신라고인(新羅賈人)'을 에가쿠로 바꾸어 보면 바로 『불조통기』의 내용과 거의 같다. 보타산 관음신앙의 개기전설은 이로써 명백해진다.

에가쿠는 당시의 삼국간을 종횡무진 왕래하던 신라인들의 배를 타고 입당하여 그것도 초주 신라방을 거쳐 오대산으로 갔다. 가까운 대주(台州)를 포함하여 명주에서 신라로 가는 항선변(航線邊)에는 뒤에 언급하겠지만 보타산의 '신라초'와 같은 '신라'의 이름을 딴 지명이 허다하다. 이는 곧 이 지역에서 신라인의 활동이 빈번했다는 증거가 된다. 그리고 관음신앙은 항해선원은 물론 이거니와 무역상인들을 중심으로 선재동자(善財童子) 환희용약(歡喜踊躍) 등과 연관지어 그들 사이에서 크게 신봉되었다. 배를 타고 가다 좌초한 그 해암은 지금도 '신라초'로 부르고 있다. '신라고인'이 처음 관음보살을 봉안한 곳이 그들이 좌초한 해암인 '신라초'이다. 전후 사정이 이러하니 보타산 관음신앙은 신라고인이 신라초에 모신 오대산에서 장래(將來)한 그 관음에서 비롯될 수밖에 없다.

명주·대주·천주·광주 등지를 중심으로 한 신라인들의 해상 활동의 발자취는 일일이 매거하기 힘들 정도로 많다. 수년 전 소개한 바 있는(『동아일보』 1990.3.15) 무염원(無染院 : 山東省 文登市 晒字鎭 崑嵛山 下) 중수의 대시주 '김청압아(金淸押衙)'도 기실 은수(鄞水)지역에서 부를 축적한 '계림인(鷄林人)' 곧 신라인이다.

원래 관음신앙은 남인도 해안의 malabal 지방에 있다고 전하는 malaya(摩賴耶) 산중의 potalaka(補陀落迦)에서 비롯된다고 하며 중국에서는 이 보타산 불긍거관음이, 일본에서는 와카야마현(和歌山縣) 나치 산(那智山)을 보타낙산(補陀落山)으로 의정(擬定)하지만 기실 나라(奈良) 호류 사(法隆寺) 몽전(夢殿)의 '백제관음'에서 비롯하여 헤이안(平安) 시대를 거쳐 가마쿠라 시대에 이르러 거의 전국적으로 유포된다. 낙산사(洛山寺)의 '관음'굴이 보타산 조음동의 그것과 어쩌면 그렇게도 같은지 놀라지 않을 수가 없다. 바닷가 수십 미터 낭떠러지에서 동서로 길게 뚫린 암굴을 따라 밀려와 부딪치는 바닷물의 파도소리(潮音)와 그 물안개는 너무도 흡사하다. 의상대사가 찾아 내고 신봉했을지도 모르는 이 '관음'굴은 보타산 관음신앙의 개기년대 추정에 도움이 될지 모를 일이다.

『속일본후기 續日本後紀』(承知 12년[文聖王 7, 845] 12월 5일조)에 보면 신라 상인들이 강주(康州 : 廣州)에 표류한 일본인 50여 명을 일본으로 데리고 왔다는 기록이 있다. 신라 상인들이 남방항로를 따라 남중국에 진출한 좋은 예라 하겠다.

신라 말에 오면 남방항로는 더 많이 이용된다. 그것은 북중국에 거란족이 등장한 데에도 한 원인이 있었겠지만 이 항로를 이용하는 선원들은 이미 계절풍과 해조(海潮)의 흐름을 잘 이용할 줄 알았기 때문이다. 많은 신라승의 입당과 귀국의 기록을 보면 서북풍이 부는 10~2월에 중국으로 가서 서남풍이 부는 3~8월에 귀국하고 있다. 여주(驪州) 고달사(高達寺) 원종대사(元宗大師)도 진성왕 6년(892) 초봄에 상선으로 남중국의 서주(舒州) 동성현(桐城縣 : 安徽 安慶 桐城)에 가서 경명왕(景明王) 5년(921) 7월에 강주(康州 : 晋州) 덕안포(德安浦)로 돌아왔다(『朝鮮金石總覽 上』). 해주 진철대사(眞澈大師 : 利儼, 866~932)의 탑비에는(『朝鮮金石總覽』 上, 海東金石苑 권3) 그가 진성왕 10년(869) 입절사(入浙使) 최예희(崔藝熙)와 함께 '불소수일(不銷數日)'에 은강(鄞江 : 寧波)에 도착하였고 효공왕(孝恭王) 15년(911)에 나주 회진(會津)으로 환국하였다는 소식을 전하고 있다.

개경 봉암사(鳳巖寺)의 정진대사(靜眞大師)도 효공왕 4년(900)에 상선을 타고 강회(江淮)지역에 도착하였고 경명왕 8년(924) 7월에 전주 희안현(喜安縣) 포구로 귀환하였다(『朝鮮金石總覽』 上, 海東金石苑 권4). 광양(光陽) 천용사(天龍寺) 동진대사(同眞大師)는 진성왕 6년(892) 초 봄에 출항하여 경명왕 5년(921) 여름(7월)에 전주 임해군(臨海郡)에 도착하였다(같은 책). 오룡사(五龍寺)의 법경대사(法鏡大師)는 효공왕 12년(908) 7월에, 보리사(菩提寺)의 대경대사(大鏡大師)는 동 13년(909) 7월에 각각 무주(武州 : 光州)와 승평(昇平)에 귀환하고 있다. 많은 승려들이 약속이나 한 듯이 초봄에 중국으로 가서 여름에 무주·전주·강주·나주 방면으로 돌아오고 있다. 물론 남로를 이용한 계절풍과 관계 있는 결과라 생각된다. 후백제 왕 견훤과 오월(吳

越) 등 제국과의 빈번한 왕래는(金庠基, 「羅末地方群雄의 對中通交 - 特히 王逢規를 중심으로 - 」『東方史論叢』, 서울대출판부, 1984) 이 항로의 계속적인 이용을 웅변으로 증명하고 있는 예라 하겠다.

『가정적성지 嘉定赤城志』(권2, 黃岩縣條)에 보면 "新羅坊在縣東一里 舊志云 五代時以新羅國人居此故名"이라는 기록이 나온다. 지금의 황암시(黃岩市) 성내의 백수항(柏樹巷) 일대라고 추정된다(林士民, 『唐·吳越時期浙東與朝鮮半島的通商貿易和文化交流之硏究』, 문화체육부, 1993).

『적성지 赤城志』(권19, 山水門[臨海縣]條)에 보면, '현의 서쪽 30리(縣西三十里)'에 '신라산(新羅山)'이 있었다는 사실과 '현의 동남쪽 30리(縣東南三十里)'에 '신라서(新羅嶼)'가 있어 옛날 신라상인들이 의주(艤舟)했던 곳이라 하고 있다. 외국무역에 종사하던 선원들은 멀리서 이 신라산을 표적으로 삼아 신라서(新羅嶼)로 배를 착안시켰으리라 믿어진다. 신라산의 위치는 지금의 임해시(臨海市) 성교후산(城郊後山)으로 보고 30리는 3리의 오기(誤記)라 하고 있다. 당시 신라 상인들의 취락지는 임해현 성내의 통원방(通遠坊)이며 이 산과는 가까운 거리에 위치한다. 지금 이 산에 옛 무덤이 많아 객사한 신라상인들의 것이라 추정하고 있다(林士民, 앞의 논문).

또한 이 『적성지』(권14, 寺院[黃岩縣]條)에는 전(田) 84무(畝), 지(地) 6무, 산 18무를 소유한 제법 큰 사찰 오공원(悟空院)이 있었다는 소식을 전한다. 이 사원이 신라승원이라는 기록은 어디에서도 찾을 수는 없다. 그런데 『천태전지 天台全誌』(권6, 寺院條)에 보면 천태종의 본산 국청사(國淸寺) 앞에 신라승 오공(悟空)

이 세운 '신라원(新羅園)'이 있었다고 전하고 있다. 필경 이 오공이 국청사에서 구법한 뒤 황암(黃岩)의 신라방(新羅坊)에 이르는 길목에 오공원을 세워 상주한 바로 그 스님이라 믿어 본다. 마치 산동의 적산촌(赤山村)에 신라승원인 법화원(法華院)이 건립된 이치와 같다고 하겠다. 『적성지』(권28, 禪院)에 의하면 오공원은 황암현(黃岩縣) 동진산(東鎭山 : 東南 300里 海中)에 있는 선원(禪院)이다. 후진(後晋) 천복(天福) 6년(941)에 건립되어 송(宋) 영종(英宗) 치평(治平) 3년(1066)에 사액(賜額)된 사찰이다. 이 동진산은 당(唐) 무후(武后) 영창(永昌) 원년(689) 이후 해상교통로의 중요한 길목으로 부각되었던 것 같다. 대주에서 명주를 거쳐 신라·고려로 가는 항선상의 요충지였던 것이다. 『적성지』(권20)에는 '현의 동쪽 240리(縣東二百四十里)'에 위치한다고 되어 있어 앞의 내용과(권28) 다소 차이는 있지만 "山上望海中突出一石 舟之往高麗者 必視以爲準焉"했다고 있다. 오공원과 신라방 그리고 신라·고려에 이르는 항선을 고려한다면 동진산 오공원과 국청사 신라원을 세운 스님은 같은 오공임이 틀림없는 것 같다. 이 밖에 『천태전지』(권7 釋條)에는 당 경복(景福) 원년(892) 천태산(天台山) 평전사(平田寺)에 유석(留錫)한 신라승 도육(道育)에 관한 흥미있는 기사도 남기고 있다.

2

불법을 찾아 중국으로 건너간 승려들의 수는 매우 많다. 진흥왕 10년(549) 신라승 각덕(覺德)이 중국 남조의 양(梁)으로 구법의 길에 나섰고(『海東高僧傳』 권2 ; 『三國史記』 권4) 명관(明觀)

도 동왕 26년 진(陳)에서 구법한 뒤 경론(經論) 1,700여 권을 가지고 귀국하였다(같은 책). 그 뒤 신라가 멸망할 때까지 수·당(隋·唐)에 건너가 구법 활동을 한 승려의 수는 족히 수천에 달했을 것이다. 『삼국유사』에서 원광법사(圓光法師)가 서학귀국(西學歸國)한 뒤 승려들의 발길이 연이어져 끊이지 않았다고 하는 내용에서(권4, 義解 제5, 圓光西學) 그 당시 입당구법승들의 모습을 엿볼 수 있다. 최치원(崔致遠)도 "유자(儒者)이건 불자(佛者)이건 다투어 입당하였다"는 소식을 전하고 있다(崔致遠 選, 「眞鑑國師碑銘并序」 『海東金石苑』 권1).

당나라의 의정(義淨 : 635~713)은 『대당서역구법고승전 大唐西域求法高僧傳』에다 중국에서 인도로 간 구법승들을 58명이나 기록하고 있다. 그 가운데 신라승 9명(失名僧 2)과 고구려승 한 사람도 보인다(『三國遺事』 권4, 義解 제5 歸竺諸師에는 失名僧 2명을 포함 도합 10명). 이들은 대개 신라 통일 이전에 전축(天竺)으로 향발(向發)하였던 승려들이다. 혜초(慧超 : 700?~780?)도 아마 개원(開元) 11년(聖德王 22, 723) 무렵 중국 광주(廣州)에서 선편으로 천축에 간 것이 분명하다. 먼저 입당구법하였다가 다시 천축으로 습법(習法)하러 간 신라승들의 수가 이렇게 많았다는 사실에 놀라지 않을 수 없다.

고병익(高柄翊)은 「지나입학승표(支那入學僧表)」(李能和, 『朝鮮佛教通史』, 新文館, 1918)를 교정 보완하여 「신라승구법입당표(新羅僧求法入唐表)」(「慧超의 往五天竺國傳」 『東亞交涉史의 研究』, 1970)를 작성하여 약 90여 명의 이름을 수록하고 있다. 엄경망(嚴耕望)은 당에 머물며 구법하던 승도들을 종파별로 분류하여 130여 명을 찾아 내고 있다(嚴耕望, 「新羅留學生與僧徒」

『歷史語言硏究所集刊』外編 4, 臺灣, 1961). 그러나 사적(史籍)에 보이는 승려 전부를 빠짐없이 망라하였다 해도 사적에 이름이 남지 않는 허다한 구법승들이 있었다는 사실에 주목해야 할 것이다. 일본 승려 엔닌(円仁)의 『입당구법순례행기 入唐求法巡禮行記』(권2, 開成 5년[840], 정월조)에 보면 적산촌(赤山村 : 山東省 榮成縣 石島鎭)에 건립한 신라승원인 법화원에는 상주승니(常住僧尼)가 27명이 유석(留錫)하고 있었다. 그러나 인근 천문원(天門院)이나 유촌(劉村)의 승원에는 얼마나 많은 신라승이 상주하였는지는 알 길이 없다. 또 그는 무종(武宗 : 841~846)의 불교탄압이 한창일 때 좌신책군(左神策軍) 군용원(軍容院)에 소환된 장안(長安) 동반부의 외국 승려 21명 가운데 10명이 신라승이었음을 밝혀 주고 있다(권3, 會昌 3년[843] 정월 27일). 이 밖에 외국 승려로 사부(祠部)의 첩(牒)이 없어 환속된 자 가운데 신라승이 매우 많았다는 사실(권4, 會昌 5년[845] 4월 15일)은 재당 신라승들의 한 면을 잘 설명해 주고 있다.

송(宋)나라 도원(道原)의 『경덕전등록 景德傳燈錄』에는 과거 7불(七佛)에서 법안문익(法眼文益 : 885~958)에 이르는 선승 1701(嚴은 1600余로 함)의 전등법계(傳燈法系)를 상술하고, 외국 승려 43명도 함께 등재하고 있다. 그 가운데 42명이 신라승이라는 사실에 놀라움을 금할 수 없다. 특히 전등록에 기재된 초기 승려들의 사승(師承)은 사실과 다른 점이 많지만 신라승의 경우는 대부분 당말·오대(唐末·五代)의 일이라 믿을 만하다. 이 중 35~36명이 강남 각지에서 습선(習禪)하였다. 그러므로 신라 선문구산(禪門九山)의 개산조(開山祖)는 단 두 분 즉, 경조(京兆) 장경사(章敬寺) 회운법계(懷惲法系)의 현욱(玄昱 : 鳳林山, 慶南

昌原)과 포주(蒲州) 마곡사(麻谷寺) 보철법계(寶徹法系)의 무염(無染 : 聖住山, 忠南 保寧)을 제외하고는 모두 장강(長江) 유역에서 구법한 승려들에 그 뿌리를 두고 있다. 여기에다 희양산(曦陽山 : 慶北 聞慶 鳳巖寺) 일산(一山)만이 사조(四祖) 도신(道信)의 법계이고 나머지는 모두 조계법계(曹溪法系)이다. 그리고 또 조계법계 팔산(八山) 가운데 수미(須彌 : 黃海道 海州 廣照寺) 일산을 제외한 나머지는 모두 강서마조(江西馬祖)의 법계를 잇고 있다.

선종 조사들의 전기인『조당집 祖堂集』20권의 판본(386枚)이 경남 합천 해인사 장경각에서 장외보판(藏外補板) 15종의 판본과 함께 발견되었다. 이 곳에 탐장(探藏)된 채 근년까지도 광전(廣傳)의 기회를 얻지 못한 이유는 그것이 정장(正藏)이나 속장(續藏) 또는 잡판(雜板)도 아닌 보판의 하나로 처리되어 온 까닭이 아닌가 생각된다(閔泳珪,『祖堂集』, 1965).

『조당집』의 간행은 서기 1231년 구(舊) 고려대장경의 판본이 몽골군의 병화로 소실되자 고려 고종(高宗)이 32년(1245)에 분사대장도감(分司大藏都監)을 두고 다시 조조(雕造)한 것에 연유한다. 원래『조당집』의 편집은 952년 복건성 천주에서 이루어졌다. 이 귀중한 문헌은 당시 중국의 정치적 분쟁이 화근이 되어서인지 편찬된 지 얼마 안 가 중국 땅에서 그 자취를 감추고 말았다. 그 증거로 이보다 52년 뒤에 진표(進表 : 宋 景德 원년[1004])된 도원의『경덕전등록』에도 그 이름을 남기고 있지 않기 때문이다. 실로『조당집』20권은 보림전(寶林傳)의 완본이 전하지 않는 오늘날(전 10권 중 6권이 남아 있다), 이와 같은 등사(燈史) 중 최고(最高)의 지위에 서는 것이라 보아도 좋을 것이다.

『조당집』은 연대론적으로 보아 지거(智炬)의 『보림전 寶林傳』(801), 현위(玄偉)의 『성주집 聖胄集』(898~900), 유경(惟勁)의 『속보림전 續寶林傳』(907~910) 등의 계통본과 『경덕전등록』(1004)과의 사이에 위치한다.

『조당집』의 편자 두 사람은 천주 초경사(招慶寺) 내에 거주한 선승 '정(靜)'과 '균(筠)'이다. 천주는 왕심지(王審知)의 칭왕(稱王 : 907) 이래 연조(延鈞)의 칭제(933)로 세운 민(閩 : 907~945)의 지배를 받는다. 왕씨 일족은 민국(閩國)의 왕위계승을 둘러싸고 치열한 싸움을 전개하지만 불교에 귀의하고 선승과의 교유도 깊었다. 주지사 왕연빈(王延彬)은 일찍이 906년에 초경원(招慶院)을 세운다. 945년 천주는 인국 남당(南唐 : 937~975)의 지배하에 놓이게 되니 『조당집』의 편찬은 남당 치하에서 이루어진 셈이다. 952년 이 등사(燈史)가 편찬될 무렵의 초경사 주지는 문등(文僜 : 일명 淨修)이며 초경사에 상주하기 이전 아마도 당시 장강 하류의 절강·강서를 중심으로 하남 등지를 편력하면서 『조당집』의 자료를 수집하였을 것으로 보고 있다(Paul. Demiéville, 「祖堂集의 世界」 『通報』, 1970). 그러니 조당집의 참저자는 문등(文僜)인 셈이다.

천주를 둘러싼 복잡한 정변이 『조당집』을 중국에서 자취를 감추게 한 하나의 원인이 아니었던가 추측해 본다. 더 큰 원인은 간행된지 3년, 후주(後周)의 불교 대탄압으로 멸법(滅法)의 위기를 맞았기 때문일 것이다. 이 때 중국에 유학하고 있던 신라승에 의하여 한국으로 장래(將來)된 것이 아닌가 싶다. 『조당집』 가운데는 몇 신라승의 전기가 비교적 상세히 등재되어 있는 점으로 보아 편자는 신라 출신 유학승일 가능성이 높다(柳田聖山, 『初期

禪宗史書の硏究』, 1967 ;『祖堂集の資料價値 1』, 1953).

엄경망(嚴耕望, 같은 논문)은 중국에 유학하여 천태교의를 학습한 신라 고승들을 『불조통기』에서 찾아 내어 그들 7명의 사승관계를 밝히고 있다. 그 가운데 놀라운 일은 후진 천복년간(天福年間 : 936~941, 아마 漢周之際西遊天台)에 국청사에 와서 높은 학덕을 닦아 천태 16대의 조사가 된 고려 승려 보운존자(寶雲尊者 : 義通,『佛祖統紀』 권8 ;『天台全誌』 권7, 釋)가 있다는 사실이다. 이국(異國)의 승려로 중국의 천태법통을 계승하였으니 그의 학문의 심오함을 족히 짐작할 수 있겠다.

신라하대 불교의 뿌리를 깊이 생각해 보면 무엇보다도 강남에 유학하여 습선하였던 많은 승려들의 역할에 생각이 미친다. 선문구산의 근원지이며 『조당집』 편찬과도 깊이 연관되어 있는 곳이 바로 이 강남지역이다. 뿐만 아니라 935년 신라가 망한 뒤에도 계속 이 곳에 남아 구법하여 오대(五代) 강남불교의 발전과 신생 고려국가의 불교문화 번창에 이바지한 승려들의 역할과도 연관지어 생각해 볼 만하다.

3

『삼국사기』(권33, 雜志제2) 색복(色服)·차기(車騎)·기용(器用)·옥사(屋舍)조에 보면 외래상품명이 많이 기재되어 있다. 공작미(孔雀尾)·비취모(翡翠毛)·슬슬(瑟瑟)·대창(玳瑁)·자단(紫壇)·침향(沈香)·구수(毬毽 : 求毛毽)·탑등(毾㲪 : 毛答㲪) 등이 그것으로, 이는 대개 인도 동남아(보르네오, 필리핀, 자바, 스마트라), 로만·오리엔트(Roman-orient) 일대와 서역 그리고 중국의 남부지역에서 산출되는 물품들이다(Laufer, *Sino-Iranica*, Chicago, 1919 ; 趙汝适, 『諸蕃志』; 李龍範, 「三國史記에 보이는 이슬람 상인의 貿易品」『이홍직회갑기념한국사학논총』, 1969). 『삼국사기』에는 진골·육두품 신분의 사람들에게 이들 물품의 사용을 금하고 있다. 이로 미루어 보아 귀한 사치품이었음이 분명하다. 이 밖에도 특수 향로의 수입도 적지 않았다. 1966년 경주 불국사 석가탑에서 발견된 유향(Frau kincense, 아랍어 Luban or Kundur, 범어 kunduru)은 아라비아 반도 남단에 위치한 하드라모우드(Hadramaut)나 질리(Gilead) 연안에서 생산된다. 『제번지 諸蕃志』(하)에 의하면 아라비아 상인들에 의하여 스마트라의 파렘방(Palembang)에 집화(集貨)되었다가 중국으로 수출되었다고 한다. 이들 수출품에는 물론 안식향(安息香 : Styrax Senzion) 등 다른 고가 향료도 포함되어 있었다.

각종 유리기구도 고급상품으로 수입되었다. 아라비아(大食) 유리의 특수성을 익히 알고 있었던 신라 귀족들은 이 유리기물을 애용한 흔적을 많이 남기고 있다. 경주의 금관총·서봉총(瑞鳳塚)·천마총·황남동 98호분 등 이미 5~6세기 고분에서 총 18여 점의 유리기구가 발견되었다. 그 재료나 제조기법, 장식 형태와 색깔 등으로 미루어 보아 대체로 후기 로만글래스(비잔틴 유리)계에 속한다고 한다(M. 깐수, 『新羅·西域交流史』, 1992). 뿐만 아니라 통일신라 유리군에 속하는 대표적인 유리공예품에도 페르시아(Sasan 왕조)계의 제품들이 발견되고 있다(M. 깐수, 같은 책). 이와 같이 로마 유리기구가 고신라고분군에서 출토되고 페르시아계 유리공예품이 통일신라의 사탑(寺塔)에서 발견되었다는 사실은 동서문물교류사상 신라문화의 변모 과정이 어떠했던가를 생각하게 한다.

신라 통일을 전후하여 당나라 장안에는 거의 1만에 가까운 서역인이 거주하고 있었다(『唐會要』 권73 ; 『唐語林』 권3). 천보(天寶 : 742~755) 이후에는 급증하여 780년경에는 장안에만도 5만 여에 이르렀다고 한다(沈福偉, 『中西文化交流史』, 上海人民出版社, 1985). 한편 해양교통이 발달함에 따라 아라비아·페르시아 상인들은 인도양을 넘어 자바·스마트라·캄보디아 등 '남해' 일대에까지 상업시장을 넓혀 갔다. 그러면서 8세기 초에는 남중국 무역의 중심지 광주(廣州)로 진출하고 다시 복주·천주·명주·항주로 북상하여 소주·양주에까지 그들의 시장을 확대해 갔다. 이 시기는 앞서 논술한 바와 같이 신라 무역상인들의 해상 진출기와 때를 같이한다. 이들 관계는 당제국이란 '거대한 호수' 특히 강남지역을 통하여 간접적으로 시종한 것만은 아니다. 한국이나 중국측 문헌에서 신라와 이슬람 제국과의 직접무역에 관한 기사는 찾아볼 수 없다. 그러나 이슬람측의 몇몇 문헌(Sulaimán, 『中國과 印度消息』, 851 ; Al-masoúdi, 『黃金草原과 寶石鑛』, 10세기 中葉 ; Ibn Khurdádhibah, 『諸道路 및 諸王國志』, 820~912)에는 아랍·무슬림 상인들의 신라 내왕이나 신라 견문에 관한 기술과 함께 신라로부터 수입한 상품에 관한 기사도 실려 있다(M. 깐수, 앞의 책).

『신당서 新唐書』(권144, 田神功傳)에 보면 상원(上元) 원년(760) 유전(劉展)의 반란군을 공격하던 전신공(田神功)이 양주(揚州)에서 '대식파사고호(大食婆斯賈胡)'를 수천이나 학살한 사실이 있다. 『전당문 全唐文』(권79, 疾愈德音) 태화(太和) 8년(834) 칙문에도 많은 '남해번박(南海蕃舶)'과 '번객(蕃客)'이 영남(嶺南)의 복건과 양주에서 내왕·집거하고 있었던 사실을 알려 주고 있다. 엔닌의 『입당구법순례행기』(권1, 開成 4년[839], 정월 7일)에는 양주 효감사(孝感寺) 서상각(瑞像閣) 수리에 소요되는 금액 중 일부를 파사국(波斯國), 파국(婆國 : 占婆國) 상인들에게 부담시켰던 기록이 있다. 엔닌이 양주부(揚州府)에 체류하던 동안 신라인 무역상 왕정(王靖)의 방문을 받았고(동상 1월 8일조) 회창(會昌) 6년(846)에는 일본 정부가 파견한 '엔닌 수색대'의 한 사람인 승려 쇼카이(性海)의 서신도 역시 양주의 신라상 왕종(王宗)을 통해 접수하였다(동상 권4, 會昌 6년 4월 27일조). 주경현(朱景玄)의 『당조명화록 唐朝名畵錄』에는 정원(貞元) 말(804) 신라 상인이 강회(江淮)에서 "수십 점의 그림을 비싼 가격으로 구입하여 돌아갔다"는 소식을 전하고 있다. 당시 양주에는 장강 하류 유역의 정치·경제·문화의 심장부이기도 하였다. 그러기에 신라인을 비롯하여 서방세계의 여러 나라 상인들도 이 곳에 거류했던 것은 물론이다. 이로써 동서를 대표하는 상인들이 양주에서도 교역했으리라는 짐작은 결코 억측이 아니다.

명주는 앞서 논급한 바와 같이(『唐會要』 권78 ; 『輿地紀勝』 권11) 일찍부터 신라를 비롯하여 '남번(南蕃)' 및 서방 제국 원항 선박의 발착항구였다는 사실은 익히 알고 있는 바다. 『자치통감』(권250, 唐紀 咸通 원년 ; 권252, 乾符 3·4년)에도 당말의 명주가 강남 연안의 군사·교통·무역의 중요한 항구였음을 알려 주고 있다. 뿐만 아니라 명주는 오대(五代)·송 때에 남해 제국은 물론 동북 여러 나라와의 해상무역의 일대 중심항으로 번창하여 '시박사(市舶司)'가 설치되었던 일은 주지의 사실이다. 당시 외국 상인들은 명주의 동도문(東渡門) 안팎을 중심으로 활동하였다.

특히 신라 상인들은 진명령(鎭明岭) 일대에서, 파사인(波斯人)들은 동도문 안에서 많이 거주하여 파사 거리를 형성하기도 했다(林士民, 앞의 논문).

대중(大中) 원년(847) 6월 초 일본 승려 엔닌은 귀국을 서둘러 신라 무역상인 김자백(金子白)·흠량휘(欽良暉)·김진(金珍) 등을 찾아 초주를 방문한다. 그 곳 신라방 총관 유신언(劉愼言)으로부터 김 등의 서신을 전해 받는다. 그 내용인즉, 이들은 이미 5월 21일에 소주의 송강구(松江口)를 출발하여 일본으로 가니 노산(嶗山)으로 오라는 것이다. 그리고 자기들의 배를 타고 갈 일본인 슌타로(春太郎)와 신이치로(神一郎)는 계약을 파기하고 명주의 신라인(唐人) 장우신(張友信)의 배를 타고 일본으로 갔다는 내용과 슌타로의 광주(廣州) 왕래를 기록하고 있다(『入唐求法巡禮行記』 권4). 김 등은 명주·소주를 중심으로 일본을 수삼차 왕래한 국제무역상인일 뿐만 아니라 산동반도 연해안에서 운하변을 따라 남북으로 오르내리면서 연안무역에도 종사한 신라 거상들이다.

『당대화상동정전 唐大和上東征傳』에 보면 당시 "광주에는 『향약(香藥)·진보(珍寶)를 산적한 파라문(婆羅門), 파사(波斯), 곤륜(崑崙) 등의 배가 수없이 많았고 사자국(師子國), 대석국(大石國) 사람들이 왕래 거주하는 자가 매우 많았다"라고 기술하고 있다. 아랍의 역사가 아브 자이드(Abu Zayd : 9~10세기)와 알 마스디(Al-Masudi : 10세기)는 당말 황소의 난(875~884)에 관한 기록을 남기고 있다. 전자는 황소농민군이 복주를 거쳐 광주로 진출하여 이를 함락하고 "이슬람교도·유태교도·기독교도·배화교도 등 이 곳에 살면서 상업에 종사하는 사람들을 실로 12

만 명이나 죽였다"고 하였으며, 후자는 주민들을 포함하여 20만 명을 학살했다고 적고 있다. 수에 과장된 면이 없는 것은 아니지만 광주에 거주하던 대식인·파사인들의 수를 짐작할 수 있을 것 같다. 이와 같이 아랍·페르시아의 거주민만도 십수만을 헤아리게 되니 당 정부는 일찍부터 이들의 거주지를 특수지역으로 지정하여 '번방(蕃坊)'을 설치하였다. 뿐만 아니라 현종(玄宗) 개원(開元) 2년(714)에는 '시박사'를 두고 번방과 무역업무도 관리하게 했다(拙稿, 「張保皐 海上王國의 사람들」 『해양경영사연구』, 1993).

무역거점 번방을 구축하고 무역권을 확대해 가던 이슬람 상인들은 세계 무역사의 새로운 단계에 가담하고 있었던 신라인 무역업자와 재당 '신라방' 사람들과도 자연스런 상거래를 광주에서도 하지 않았을 리가 없다(『續日本後紀』 承和 12년 12월 5일조). "三十五金入宅"으로 표현되던 신라의 특수 부유층들은 사치성 소비재를 제공해 주는 이슬람 상인들의 왕래를 마다할 이유도 없었다. 신라 귀족들이 애용하던 많은 이국(異國) 상품은 신라 무역상과 재당 신라 상인들의 모국을 상대로 한 교역활동에서 장래(將來)될 수 있었을 것이고 한편 상업활동이 왕성하던 이슬람 상인이 직접 반입하였다고 해도 별 무리는 없을 것이다.

장보고(張保皐 : ?~841)의 본영이라고 전해지는 청해진 터(전남 완도군 완도읍 長佐里 將島)는 1989년부터 1993년까지 연차적으로 발굴 조사를 하여 많은 유물을 찾아 냈다. 그 가운데 고려청자의 발생 문제와 관계된 매우 중요한 자기 수편을 발굴했다. 청자해무리굽(輪高台, 蛇目高台) 저부편(底部片), 청자사이(靑磁四耳) 호구연부편(壺口緣部片), 통일신라시대 경질토기편(硬

質土器片) 등이 곧 그것이다(趙由典 등, 「莞島 淸海鎭 유적에 관한 一考」『해양경영사연구』, 1993). 종래 고려청자는 10세기 말 이후 본격적으로 출현했다고 생각해 왔다.

그러나 최근 한국의 연구가들은 도요지 연구를 비롯하여 출토 자기의 상황 그리고 연대적 비교와 당시 한·중·일의 교역관계를 고려하여 청자의 출현연대를 좀더 거슬러 올라가 잡고 있다(吉岡完祐, 「高麗靑瓷의 출현」『해양경영사연구』, 1993).

고려청자는 그 양식에서부터 중국의 월주요(越州窯) 청자의 영향하에 제작되었다고 생각하고 있다. 중국청자의 본격적인 제작은 8세기 중반부터 이루어졌으며, 그 중심지는 절강성 여요현(余姚縣) 상림호반요(上林湖畔窯)라 한다. 지금 당·오대·북송에 이르는 가마터가 230여 곳이나 된다(林士民, 앞의 논문). 중국의 도자학자 임사민(林士民)은 완도에서 출토된 자기의 파편을 바탕으로 옥벽저완(玉璧底碗)·대배저완(大环底碗)·지호(摯壺)·관(罐) 등으로 유별(類別)하면서 월주요의 생산품과 일치한다고 했다. 뿐만 아니라 그릇의 조형은 물론이고 유약의 색, 굽는 방법에 있어서 완전히 일치한다고 설명했다(1993년 11월 완도심포지움). 중국에서의 옥벽저완 등의 생산시기는 대략 정원(貞元 : 785~805)에서 대중(大中 : 847~859) 연간에 이르는 기간이라고 한다. 이 시기는 장보고 활동기의 유적지에서 출토된 청자기 연대와도 때를 같이한다.

월주요 청자의 중요한 적출항(積出港)은 인근의 명주이다. 이에 따라 당시 동북아시아의 해상교역을 독점하고 있던 장보고 선단의 3국간의 교역을 주목해 보아야 할 것이다(金庠基, 「古代의 貿易形態와 羅末의 海上發展에 就하여」『震檀學報』 1, 1935 ;

E.O. Reischauer, *Ennin's Travels in T'ang China*, New York, 1955 ; 拙稿, 「東亞史上의 張保皐와 그 海上王國의 사람들」『人文科學』23, 1993 ; 「唐・日에 비친 張保皐」『東洋史硏究』50, 1995). 청자제품의 수입은 물론, 도공들의 초청으로 도자기 제작기법의 습득도 이루어진 것으로 짐작된다. 강진군 대구면(大口面) 일원의 청자도요지는 청해진과는 지척의 거리임을 상기할 필요가 있을 것이다. 장보고는 청해진과 적산촌・명주・광주(廣州) 그리고 일본 규슈(九州) 후쿠오카(福岡 : 博多)를 근거로 하여 신라・당・일본의 3국무역은 물론 서방세계와의 중계무역도 독점하여 명실공히 동아무역의 패권을 장악하였다. 후쿠오카 시에 있는 옛 홍려관(鴻臚館)의 유구확인 조사 때 대략 3천여 월주요 청자파편이 발굴되었다. 이도 청해진에서 찾아 낸 월주요 청자와 연관지어 생각해 볼 만하다.

4

당 중기 이후 북중국의 불안정과 강남지역의 눈부신 발전, 그리고 항로・조선술의 발달로 남방해로가 많이 이용되어, 수많은 사람과 물화가 오고 간다. 더욱이 아라비아・페르시아 상인의 중국 진출 시기는 신라인들의 해상활동기와 거의 때를 같이하여 동과 서를 대표하는 상인들이 강남을 중심으로 활발한 교역을 하게 된다.

특히 대주 황암현의 '신라방', 임해현의 '신라산'・'신라서' 그리고 명주 보타산의 '신라초' 등의 이름을 남긴 신라 선원들과 천주・광주・양주 등지에서 활동한 재당 신라인과 국제 무역상인들이 그 중심이 될 수밖에 없다.

신라하대 불교의 근원을 깊이 생각해 보면 무엇보다도 강남에서 습선하였던 승려들의 역할에 생각이 미친다. 신라 선문구산의 근원지이며 『조당집』 편찬과도 깊이 연관되어 있는 곳이 바로 이 강남지역이다. 뿐만 아니라 935년 신라가 망한 뒤에도 계속 이곳에 남아 구법하여 오대불교의 발전과 신생 고려국의 불교문화 번창에 이바지한 승려들의 역할과도 연관지어 생각해야 한다. 황암현 오공원과 천태종 대본산의 국청사 신라원에도 신라승의 발자취를 찾아볼 수 있다. 오공이 바로 그 승려이다. 특히 천태종 16대 조종(祖宗)이 된 도의는 한국과 강남 불교와의 관계의 깊이를 새삼 느끼게 한다.

신라청자의 출현은 월주요 청자와 깊은 관계가 있다. 장보고의 해상활동기에 조성된 유적지에는 당말 월주요에서 생산된 청자 상품과 모양이나 색깔, 심지어는 제작기법까지도 일치하는 청자 파편이 출토된다. 이런 점에서 장보고 선단의 나·당·일 3국간 교역을 주목해 보아야 한다. 장보고는 청자제품의 수입은 물론, 도공들의 초청으로 도자기 제작법도 습득하여 강진군 대구면에서 상품으로도 생산했을 가능성이 높다.

미래사 시각에서 본 장보고 해양경영
-동북아지역 경제협력의 한 모델-

김 성 훈

Ⅰ. 장보고 연구의 진전

한국사학계의 태두 김상기(金庠基) 교수가 1934~35년 청해진 대사(淸海鎭大使) 장보고에 대한 본격적인 연구논문을 발표한 이래 국내외의 선구적 학자들, 예컨대 라이샤워, 김문경, 이영택, 가모 교코(蒲生京子), 손태현, 그리고 이기동·김광수·김재근 등의 『장보고의 신연구』, 이어 김덕수, 최재석 등[1]에 의하여 장

* 중앙대 교수, 한국동북아연구원 대표

1) 제1세대에 해당하는 장보고 연구 성과는 대략 다음과 같다. 金庠基, 「古代의 무역 형태와 羅末의 海上發展에 就하여」 『진단학보』 1~2, 1934~35 ; Edwin O. Reischauer, *Ennin's Travels in Tang China*, New York : The Ronald Press Company, 1955 ; 金文經,

보고 대사의 진면목이 밝혀지기 시작했다.

당대(唐代) 두목(杜牧)의 『번천문집 樊川文集』과 『신당서 新唐書』의 장보고 관련 기사, 그리고 우리 나라 『삼국사기』(김부식), 『삼국유사』(일연), 나아가 일본 엔닌(円仁)의 『입당구법순례행기 入唐求法巡禮行記』, 『속일본후기 續日本後紀』 등이 장보고와 재당·재일 신라인들에 대한 원자료 성격의 기록[2])이라고 한다면, 앞서 소개한 연구 논문 및 저서들은 이들 원자료에 충실한 제1세대 연구라 말할 수 있다. 그 때까지는 정치외교상의 단절로 인하여 한국인 학자들의 현지답사라든지 발굴조사 등 문자 그대로 실증적인 연구는 불가능하였다.

그럼에도 이들의 연구 결과, 장보고 대사는 '해상왕국의 건설자'(김상기), '해양 상업제국의 무역왕자(The Trade Prince of the Maritime Commercial Empire)'(라이샤워), '해외 조계지

「在唐 신라인의 集落과 그 構造」『이홍직박사회갑기념논문집』, 신구문화사, 1969 ; 『唐 고구려 유민과 신라 僑民』, 일신사, 1986 ; 李永澤, 「장보고 海上勢力에 관한 고찰」 『논문집』 14, 한국해양대학, 1979 ; 蒲生京子, 「新羅末期張保皐擡頭と叛亂」 『朝鮮史硏究會論文集』 16, 東京, 1979 ; 孫兌鉉, 「古代에 있어서의 海上交通」 『논문집』 14, 한국해양대학, 1979 ; 孫兌鉉, 『한국해운사』, 아성출판사, 1983 ; 金光洙·金在瑾·李基東 등, 『張保皐의 新硏究』, 완도문화원, 1985 ; 金德洙, 「장보고의 국제해상무역에 관한 일고찰」 『해운학회지』 7, 1988.11 ; 崔在錫, 「19세기의 在唐 신라 租界의 존재와 신라 조계의 일본·일본인 보호」 『동방학지』 75, 1992 ; 劉永智 등, 『山東威海新羅坊 세미나』, 山東省, 1992.8.

2) 물론 『東國通鑑』 권2, 興德王條와 『東史綱目』 제5상에도 장보고에 대한 기록이 실려 있으나 거의 대부분이 한·중 정사의 기록에 의존한 것들이다.

(Colony)를 지배한 총독(Commissioner)'(라이샤워)으로 기리어졌다. 그리고 당시 신라인들의 조선술(造船術)과 항해술(航海術)이 동양 3국에서 가장 뛰어났으며 중국의 산동반도 및 강소성(江蘇省) 일대에 신라인들의 집단거주지인 신라방과 신라소가 중요 교통(水運) 요충지에 자리잡았고 주로 상업과 무역에 종사하면서 행정적으로 상당한 자치권을 누렸다는 사실들이 밝혀졌다.

그러나 연구방법이 한정된 고문헌에 의존하다 보니 기록에 나타난 지극히 부분적인 장보고 대사 일대기와 주로 산동반도에서의 활약상 그리고 정치적 비운에 의해 살해당한 점 등이 크게 부각된 반면, 장 대사의 해양경영 활동상과 그 전후 배경 등이 제대로 구명되지 못했다. 그리고 경제사적으로 일부 아전인수식 연구 또는 모순된 연구결과도 나타났다. 심지어 일부 중·일 학자 중에는 부정확한 사료에 근거하여 장보고 대사를 가리켜 해적이었다느니(劉永智) 또는 노예상이었다(蒲生京子)고까지 왜곡 비하하는 주장도 발표되었다. 이 같은 자기모순적인 연구 결과는 중국의 경우 장보고 대사 연구가 지극히 일천하여 단편적인 고문헌 기록과 일부 사시적(斜視的) 일본인 사학자의 연구 경향에 맹목적으로 기생한 데 기인한다.[3] 한국과 일본의 경우는 오랜 기간 죽의 장막에 갇혀 중국 현지를 답사 확인할 기회가 전무했고 이렇다 할 발굴 성과도 없었다.

---

3) 중국측의 장보고 관련 연구는 공산정권과 문화혁명의 영향 때문인지 필자를 포함 '장보고해양경영사연구회'가 중국 현지를 답사한 1988~91년까지 단 한 편의 실증적인 학술논문도 발표된 바 없었고, 1992년 8월에야 山東省에서 중국학자들이 모여 '威海新羅坊세미나'를 개최하였다. 이 때 吉林省 社會科學院 朝鮮研究所 劉永智는 장보고 등 신라인들이 해적이었다는 주장을 폈다.

특히 한·중 수교가 늦어짐에 따라 1988년 2월까지는 실질적으로 한국 국적을 가진 학자들이 중국을 방문할 수 없었고, 그러한 외교공백기를 틈타 장보고 대사와 신라인들의 본거지인 산동성 적산(赤山) 법화원(法華院 : 장보고 대사가 건립한 新羅院의 별칭)에서는 일부 국수주의적인 일본인 사학자와 언론인들에 의해 엄청난 역사 왜곡이 시도되기도 했다.

당시 UN/FAO 자문관 명의로 중국의 왕래가 자유로웠던 필자가 1988년과 1989년 두 차례에 걸쳐 처음엔 무등일보(편집국장 金井昊), 다음엔 이맹기(李孟基), 박종규(朴鍾圭), 양재원(梁在元) 씨 등 선주협회(船主協會) 회장단의 개인적인 지원하에 산동성 신라소 유적지 적산을 찾았을 때 이 절의 주인(장보고 대사)이 바꿔치기당한 사실을 발견한 것이다. 필자보다 1년 앞선 1987년 1월 일본의 적산법화원연구회(대표 千田捻 : 奈良女大 교수)가 오사카아사히 신문(大阪朝日新聞)과 스미토모 생명노조(住友生命勞組)의 후원으로 이 곳을 방문, 영성현(榮成縣)에 '중수적산법화원위원회(重修赤山法華院委員會)'를 발족케 하고, 그 이듬해 재차 방문하여 법화원 복원을 지원하면서 그 경내에 16개의 비석을 세워 놓은 것이 그것이다. 그 중 두번째로 큰 비석에 다카스 미쓰유키(高須光之)의 명의로 "배나무 밭 시원한 그늘 아래 엔닌의 옛 절 터(梨田凉下円仁精舍跡)"라고 버젓이 새겨 놓았다. 장보고가 세운 신라원이 그의 식객이었던 일본인 승려 엔닌의 절 터로 바뀐 것이다. 천 백여 년 전 장보고 대사의 도움 없이는 당나라에서의 구법은커녕 생명을 부지할 수 없었고 귀국마저 불가능했던 엔닌의 후손들이 그 은혜를 역사왜곡으로 갚고 있었던 것이다. 그리고 집채 만한 자연석을 깎아 세운 기념비에 장보고 대사와 신라원의 내력은 한 마디도 언급하지 않고 단지 엔닌의 위대함만을 높이 치켜 세운 다음, 밑도 끝도 없이 한·중·일 3국의 우호의 원류(源流)라고 새겨 놓았다.

필자는 이 사실을 카메라와 비디오 테잎에 담아 제남(濟南)의 산동성 정부를 찾았다. 당시 부성장(副省長)이며 대외담당인 상공회의소 이유(李楡) 회장과 산동성 사회과학원 조해성(趙海成), 종성(鍾誠) 두 부원장 등에게 『신당서』, 『삼국사기』, 엔닌 일기(円仁日記) 등 역사기록을 보이며, 어떻게 중국 땅 안에서 이와 같은 역사왜곡 행위가 공공연히 자행될 수 있느냐고 엄중 항의하였다. 하루 밤을 기다린 끝에 산동성 정부로부터 이것은 지방관원의 무지로 인해 생긴 일로서 반드시 시정하겠으니, 그 시정방안을 말해 달라는 명쾌한 해답을 받아 냈다. 그 대안으로 ① 일본인들의 비석을 전부 절경 내에서 끌어내고 ② 이를 시정하는 뜻에서 중국측이 이 곳이 장 대사의 본원사찰임을 밝히는 자체 비석을 세우며 ③ 비록 외교관계가 없지만 한국측에게도 장보고 적산법화원 기념비를 세우도록 허용해 달라고 요구했다. 산동성 정부는 이 세 가지 제안을 모두 받아들였다. 그 결과 1990년 5월 1일, 손보기 교수를 단장으로 하는 30여 명의 한국측 대표단이 적산 법화원 중건식에 참가했을 때는 이미 일본인들이 세운 비석들이 모두 절 밖으로 나와 있었고, 그 앞줄에 우리가 마련한 '장보고대사 적산법화원 기념비'(동년 2월 3일자)가 세워졌다. 중국측도 신라인 장보고 대사가 건립한 절이라는 증거 비석을 세워 놓았다. 우리가 세운 기념비(전면 한글 424자, 후면 한문 280자)의 비문은 장보고해양경영사연구회와 중앙대 중국연구소가 지었고, 글씨는 장전(長田) 하남호 선생이, 소요자금은 한국선주협회가 지원한 연구비의 일부로 충당하였다. 이것은 모두 한·중 외교관계가 이루어지기 전에 얻어 낸 성과였다. 그 날 비석 제막식 때에는 완도군 문화원 김희문(金熙文) 부원장과 박열기(朴烈技) 옹, 최우주(崔宇周) 교장 등 완도군민 대표들이 함께 참가하여 완도에서 가져간 청해진 해안의 청석(靑石)을 함께 봉안하였다.[4)]

이 같은 중국 현지에서의 일본인에 의한 역사왜곡 사실과 그 시정조치는 국내 언론에 대대적으로 보도되었다. 그렇지만 우리 연구회는 유사한 역사왜곡 행위가 다른 유적지에 되풀이해 일어날 것을 염려하여 사전에 예방하기 위한 조치로서 그 해 산동성과 강소성 해당 지방정부의 동의를 얻어 당시로는 한·중 간에 외교관계가 없기 때문에 제남 국제여행사 이름을 함께 넣는다는 조건으로 산동성 문등현의 유산포(乳山浦)와 강소성 연운항(連雲港)의 숙성촌(宿城村) 두 곳에 추가로 장보고 당시의 신라인 유적지임을 기념하는 석비를 세울 수 있었다. 이것이 두번째 쾌거였다고 할 수 있다. 그리고 동년 10월 8일에는 장씨 총종친회(회장 張忠植)를 앞세워 월전(月田) 장우성(張遇聖) 화백이 그린 실물 크기의 장보고 대사 영정을 새로 중건한 적산 법화원에 봉안했다. 그보다 앞서 일본인들이 먼저 안치한 엔닌 화상 그림 자리에 그 원주인인 장보고 대사 영정을 모신 것이다. 이 세 가지 조그만 역사는 한·중 사이에 전혀 외교관계가 없었던 때 '장보고연구회'가 현지에서 연구 조사를 수행하면서 교섭하여 이룩한 순전히 민간외교 차원의 성과라고 말할 수 있다.

---

4) 이에 대한 자세한 기록은 金成勳, 「장보고대사행양경영사연구회 설립 경위 및 연구조사시행」 『장보고 해양경영사 연구』, 1993, 163~367쪽에 실려 있다.

이는 장보고해양경영사연구회가 실사구시적 연구를 목적으로 공식으로 발족한 1989년 11월 11일 이후 1년 만에 이뤄 낸 업적이다. 당시 해운산업연구원장이던 송희연(宋熙季) 박사의 주선으로 한국선주협회(회장 李孟基, 후원회장 梁在元)로부터 연구비를 지원받은 것이 큰 힘이 됐다. 그리하여 1989~92년 사이에 도합 아홉 차례(한국 2회, 중국 6회, 일본 1회)에 걸쳐 한·중·일 3국의 장보고 및 구 신라인 유적지를 찾아 실증조사를 마쳤다.[5] 이는 장보고 사후 천 백오십 년 만에 처음 있는 조직적인 실증연구였다고 말할 수 있다. 그 결과를 집대성하여 1992년 11월 19~20일 제1회 장보고 대사 해양경영사 국제심포지움(후원 : 전라남도, 완도군)을 청해진 본거지 완도군청에서 개최하였다. 장보고 연구에 관한 그리고 군(郡) 단위에서 '국제회의'를 개최하기로는 이것도 처음인 연구발표회였다.

역사적인 이 심포지움에는 중국, 미국, 일본, 러시아 등 외국인 학자 7명과 국내 역사학자 30여 명, 그리고 국내의 동호인 300여 명이 참가하였다 이 회의를 더욱 빛낸 것은 문화부 문화재연구소

---

5) 한·중·일의 장보고 유적지 조사 일정과 발견 성과는 金成勳, 위의 글에 요약, 기록되었으며 그와 함께 14편의 연구논문이 수록되어 있다. 그보다 앞서 현지조사 중간보고 형식으로 동아일보와 무등일보 등에 조사내용을 기행문 형식으로 연재했고, KBS TV에 두 차례, MBC TV에 세 차례 방영된 바 있다. 현지조사에는 아래에 소개한 분들이 전 조사과정 또는 일부 지역조사에 그룹별로 참여하였다. 孫寶基, 金文經, 尹乃鉉, 金井昊, 金聖昊, 金成勳, 孫兌鉉, 李俊秀, 宋熙季, 鄭泰辰, 金熙文, 崔宇周, 朴烈技, 鄭完實, 朴萬才, 河南鎬, 金平允, 是夢 스님, 鄭淸柱, 曺基正, 김황경, 張基弘, 張容圭, 故崔光男 등.

가 완도 청해진 관련 유적지에서 1989년부터 1992년까지 연차적으로 발굴한 청자기와 등 실증적인 결과물을 제1회 국제회의 개최에 맞춰 동시에 공개 전시하고 연구성과를 이 회의에서 발표(趙由典, 金聖範)한 사실이다. 이로 인해 그 동안 베일에 싸여 있던 장보고 대사의 국내외 활동상이 차츰 실증적인 현존의 사실로 부상하기 시작한 것이다.

Ⅱ. 장보고 대사의 복권과 국제화 · 세계화의 국정지표

동연구회가 수행한 한 · 중 · 일 현지답사 연구 결과와 문화재연구소의 발굴조사 결과, 그리고 제1회 국제심포지움 발표 내용을 종합하여 요약하면 대략 다음과 같다.

○ 완도 청해진 터 장도(將島)는 실재하였다. 역사서에 기록된 대로 청해진은 범선시대에 한 · 중 · 일 항로를 장악하고 방어함에 있어 천혜의 요새였다. 당시 청해진은 넓은 의미로 오늘날의 홍콩과 싱가폴 같은 독립적인 국제무역 및 서비스의 중계(中繼)기지이며 자유항이었다(현재 완도항은 중앙정부 통제하의 국제항구이다).

○ 완도의 배후지로서 14킬로미터 떨어진 강진(康津) 대구면(大口面)의 청자도요지는 고려청자의 발생지역일 뿐만 아니라, 이미 신라말 장보고 시대 중국 절강성 영파 · 항주 근방의 월주요(越州窯)의 해무리굽 청자에 영향을 받은 신라청자의 시원지이기도 하다. 따라서 고려청자 10세기 기원설은 최소 1세기 이

상을 앞당겨야 한다.

○ 완도 상황봉 법화사(法華寺), 제주도 하원동의 법화사(法華寺), 중국 산동반도 적산의 법화원(新羅院), 절강성 천태산의 국청사(國淸寺) 신라원(新羅院) 그리고 일본 교토(京都)의 적산선원(赤山禪院) 등은 종교적으로 또는 정신문화사적으로 모두 직간접으로 장보고 대사의 활동과 관련이 크다.

○ 장보고가 활약할 당시의 중국의 신라방(新羅坊), 신라소(新羅所), 신라인촌(新羅人村)은 산동성 적산포(赤山浦)뿐만이 아니라, 적어도 문등현 유산포(乳山浦), 청도 팔수하촌(八水河村), 연운항의 숙성촌(宿城村), 강소성의 회안(楚州), 연수향, 사주, 양주, 소주 그리고 절강성의 영파(明州), 천태현(天台縣) 신라촌 등 확인된 곳만도 10여 곳에 달했다. 산동성, 강소성, 절강성, 복건성에 산재해 있는 김 씨 집성촌의 존재라든지, 그 외 현존의 지명 또는 문헌기록에 따르면 신라인 집단거주지가 최소한 20여 곳이 더 있었던 것으로 추정된다. 그 지역적 분포를 보면 산동반도(황해 횡단항로)와 강소성(京杭 대운하), 절강성 복건성(남중국항로) 등 중국의 해운 및 수운(水運) 요충지 및 상업도시에 분포되어 있다.

○ 이 같은 신라인들의 집단거주지는 장보고 대사가 활약한 시대에 앞서 이미 어떤 형태로든 존재해 있었다고 보아야 한다. 예컨대 황하 중하류와 회수(淮水) 및 양자강(揚子江) 하류 남부지역에는 일찍이 동이족(東夷族)이 활약했던 지역이었으며, 신라말 특히 해상민족이었던 백제계의 요서 및 양자강 하류지역

진출은 중국역사서들에 명백히 기록되어 있다. 장보고 시대 바로 이전에는 이미 고구려·백제 유(망)민이 진출해 있었다. 예컨대 고구려 유망민이었던 이정기(李正己) 일가 4대는 장보고에 앞서 55년 간이나 황하 중하류와 회수 일대를 장악하고 있었으며, 장보고와 정년(鄭年) 장군이 속한 서주무령군(徐州武寧軍)은 이정기 일가의 진압에 주력부대의 역할을 담당하였다.

○ 당시의 중요 항로는 한반도와 산동반도를 잇는 북중국항로로서 여기에는 노철산(老鐵山) 수로와 황해 횡단항로가 포함된다. 그리고 한반도 서남부와 절강성 영파 및 강소성의 양주를 잇는 남중국항로(일명, 동중국해 사단항로)가 있다. 황해 횡단항로와 남중국항로가 장보고 시대에 가장 많이 이용됐을 것으로 추정된다. 이 항로들은 이미 장보고 시대 이전부터 한반도 주민들에 의해 개발되어 이용되어 온 것으로 보인다.

○ 북경과 항주를 잇는 경항(京杭) 대운하가 수 양제 이후 개통됨에 따라 북중국과 남중국의 교통이 연결되어 당시 중국으로서는 경제 및 국민통합에 대단히 편리한 수단이 되었다. 이는 동시에 중국에 진출해 있던 재당 신라인들의 북·남중국 지역의 이동이 비교적 자유로웠음을 뜻한다. 따라서 장보고 상단(商團)이 동양 3국의 무역왕자로 부상할 수 있었던 배경에는 그보다도 일찍 중국의 중요 수운교통 요지에 진출해 있던 넓은 의미의 재당 신라인들의 존재 때문에 크게 힘을 입었을 것으로 보인다. 장보고 상단의 동양 3국 해로 및 수운 장악은 이들 재당 신라인들에 의한 이방(異邦)에서의 민족적 단결과 상적(商的) 연대성의 결과라고 추정된다.

○ 장보고의 청해진 조직은 병부(兵部 : 군사체제), 민부(民部 : 무역체제), 재당·재일의 신라인 집단거주지의 자치체제 등 세 개의 조직체로 구성된 것으로 보인다. 이는 오늘날의 이른바 '군산복합체(軍産複合體) 종합상사'의 성격이 농후하다. 청해진이 신라 중앙정부로부터는 일정한 독립적인 행정 및 경영 체제를 유지하였고, 다른 한편, 재당 신라방 및 신라소는 당(唐) 중앙정부로부터 상당한 자치권을 부여받고 있는 것으로 보아, 장보고의 재당 영향력과 백제계 신라인들의 탁월한 조선술과 항해술, 그리고 재당 신라인들의 연대감이 그의 탁월한 영도력하에 결집된 결과이다. 장보고와 재당 신라인들은 오늘날의 다국적기업의 효시라고 말할 수 있다.

○ 장보고 당시의 청해진 세력은 단순히 한·중·일을 연결하는 국제 삼각무역에 그치지 않고, 중국 내의 남북무역을 담당하고 나아가서 절강성, 복건성 및 양자강 일대에 진출해 있던 페르시아 및 동남아시아 상인들과의 상거래도 주도한 것으로 보인다.

○ 장보고 상단(商團 : 종합상사)의 국제통상 지식과 정보력은 당시로는 상상을 뛰어넘는 우수한 수준이었다. 그리고 단순히 무역업무에만 종사한 것이 아니라 정부 무역대행, 3국 정부 공식사절 안내, 여객 운송, 선박 건조와 수리, 한·중·일 통역 및 선원 제공, 종교·문화 지원 등 각종 서비스 및 문화사업까지 겸하여 수행했던 것으로 확인된다.

그러나 이상의 연구 결과만으로는 천 백오십여 년 전의 장보고

대사와 국내외 신라인들의 실상 그리고 그의 해양경영사가 온전하게 밝혀졌다고 말하기는 아직 이르다. 그 동안 연구들의 상당 부분이 엔닌 일기에 기초하여 현지조사연구가 전개된 점이라든지 또는 오직 완도 청해진에서만 발굴조사가 이루어진 사실 등이 스스로의 제약성을 말해 준다.

물론 그 동안의 현지조사 과정에서는 이 때까지 문헌에 나타나지 않던 귀중한 사료 등을 참으로 많이 수집할 수 있었으나 그것을 종합하여 실제의 사실로 복원해 내기에는 아직 불충분하다. 특히 재당 신라인의 성격과 활동상 그리고 동양 3국과 그 밖의 세계와의 관련성 등은 더욱 공고히 연구되고 증명되어야 한다. 특히, 신라말 장보고 시대의 그 많던 선박 중 단 한 척도 한·중·일 어느 나라에서 아직 발견하지 못하고 있는 점이라든지, 연구자금 사정도 사정이려니와 중국의 문물발굴법에 묶여 외국인이라는 신분 때문에 중국 내의 구신라인 유적지 중 그 어느 한 곳도 발굴해 볼 수 없는 사정이 그러하다.[6)]

게다가 당말 이후 전개된 중국의 외국인 배척정책과 수차례의 정변, 그리고 현대에 들어서 1960~70년대는 문화혁명의 여파로 그나마 좀 남아 있던 한국 관련 유적지와 신라인 유적지마저 철저히 파괴되었다. 문헌에 기록되어 있거나 전승돼 오던 대부분의 장보고 관련 유물은 대부분 없어진 지 오래이다. 최근에는 중국

6) 산동성 영성시 '重修赤山法華院委員會'는 1988년 일본 자금의 지원을 받아 적산 법화원의 복원에 앞서 현 절 터에 대하여 간이발굴을 시도한 바 있으나, 우리 학자들은 관람마저 불가능했다. 손보기, 김문경 교수 등에 의하면 복원된 절 터 위치가 잘못 택해진 것으로 판단되나 이 역시 거론, 증명할 길이 없었다.

과 수교를 먼저 한 일본측의 영향으로 그나마 일부 전해져 온 한국 관련 문헌기록과 유적지에 대한 해석이 고의로 왜곡 또는 조작되고 있는 경향마저 나타나고 있다.[7)]

이 같은 제약에도 불구하고 '장보고해양경영사연구회'의 현지 실증조사와 문화재연구소의 청해진 발굴은 장보고 연구에 있어 분명 한 단계를 올려 놓은 커다란 진전이며 우리 나라의 실증사학에 명실공히 서광을 비춰 주었다고 평가된다. 이러한 성과에 고무된 '제1회 장보고해양경영사 국제심포지움' 참가자들은 만장일치로 우리 정부(문화부)에 '장보고의 달' 지정을 건의하기에 이르렀다. 문화부는 초기 장보고 연구 지원에 기여가 컸던 정태진(鄭泰辰) 당시 문화부 총괄과장을 즉시 중국에 파견하여 이 건의의 타당성을 확인 조사하였다.[8)] 그리고 문화부는 공식으로 1993년 3월을 '장보고의 달'로 선포하였다.

---

7) '장보고연구회'가 중국 현지 조사를 수행하는 과정에서 역사를 바로잡은 적산 법화원의 사례가 그 전형이다. 이외에도 揚州박물관, 寧波박물관 그리고 중국 사학자들의 증언에 의하면, 중국으로부터 한반도를 경유, 일본에 종교·문화·학술·문물을 교류한 사실(예, 벼[쌀]와 직조기술 등의 이동경로)에 대하여 일본측 스폰서들은 되도록이면 한국 경유 부분을 생략 또는 변조해 달라는 부탁을 하고 있다고 한다. 西安의 장회태자묘 벽화에 그려져 있는 한반도 使臣圖가 일본인으로 조작 발표되기 시작한 것이 그 한 예이다. 마찬가지로 일부 친일계 중국 사학자들에 의해 최근 광개토대왕비문의 조작사실이 공개적으로 부정되고 있고, 최근 장보고 대사에 대한 비하 움직임마저 목격된다.

8) 鄭泰辰 과장은 1992년 12월 18~28일 사이에 金井昊 씨의 안내로 산동성, 강소성, 절강성, 복건성 일대의 중요 유적지를 직접 방문 조사한 바 있다(金成勳, 앞의 글).

'장보고의 달' 행사로서 정부는 장보고에 관한 소책자와 포스터를 각 2만 부씩 전국 초중고교에 배부했고, 장보고해양경영사연구회는 이에 맞추어 『장보고 해양경영사 연구』를 출간하였다. 그리고 '장보고의 달' 기념순회강연회와 공개강좌를 개최하였다. 이와는 별도로 장보고 대사 유적지 순례 및 해양문예작품 공모, 장보고 뮤지컬 공연, 국악공연, 풍물패 시연, 궁술대회, 노젓기 대회, 청해제(淸海祭) 개최 등 다양한 행사가 펼쳐졌다.

이는 장보고 사후(A.D. 841) 만 1152년 만에 장보고 대사가 공식으로 우리 나라 중앙정부로부터 복권됐음을 뜻한다.

그리고 우리 정부는 드디어 1994년 11월 장보고의 기본정신이라 할 수 있는 '국제화 · 세계화'를 국정목표로 제시하기에 이르렀다.

Ⅲ. 청해진 무역의 정치 · 경제사적 해석

잠시 깊은 숨을 몰아쉬고 '타임머신'을 타고 9세기 중엽으로 돌아가 보자.

"당시 인구가 겨우 백오십여 만을 헤아리는 한반도 신라국의 서남해안 최남단, 청해진에는 이른 새벽부터 수백수천의 뱃군들과 현지인들이 부산을 떨며 동양 세계 각국으로 떠나고 들어오는 떠들썩한 소리가 왁자지껄하다. 서라벌의 감포(甘浦), 일본 규슈의 하카다(博多), 중국 당나라 수도 장안을 비롯 산동성의 적산포, 유산포 및 밀주(密州), 강소성의 연운항(宿城村), 회안(楚州), 연수향(漣水鄉), 양주(揚州), 소주(蘇州), 그리고 절강성의 영파(明州), 항주(杭州), 복건성의 천주(泉州) 및 복주(福州), 나아가

광동성의 광주(廣州) 등으로부터 온 신라인, 일본인, 중국인, 심지어 중동 페르시아인들이 한창 어우러져 홍정과, 환영과 석별을 교환한다." 이 같은 남·북중국, 신라, 일본, 동남아시아와 중동을 연결하는 고대 국제 해상무역행로와 족적은 단순히 헛된 상상의 산물이 아니었다.

범선 항해시대의 청해진 완도 해역은 나·당·일 3국 항로의 요충지였다. 완도 앞바다는 이 곳을 통과해야만 당나라와 일본에 갈 수 있는 항해의 길목이었다. 여기에서 미국 어시누스 대학의 클라크(Hugh R. Clark) 교수가 말한 바 장보고 대사의 '천재성'이 빛난다. 청해진 앞바다는 완도군에 속하는 2백여 개의 다도해 암초, 밀물과 썰물의 변화, 흑조대(黑潮帶), 그리고 계절에 따라 방향을 바꾸는 해류, 해풍 등으로 변화가 무궁한 곳이다. 그럼에도 완도 앞바다가 앞서 말한 3개의 극동항로(노찰신수로, 황해횡단항로, 남중국항로)의 중심부가 된 것은 그 이유가 아주 명백하다. 안전항해가 자연적 변수에 의해 좌우되었던 범선시대에는 육지나 섬에 가능한 한 접근하여 항해할 수밖에 없었기 때문이다. 지금도 완도항에서 출항한 대형 여객선이 제주도로 갈 때는 추자도 앞바다로 둘러 간다. 그 이유를 여객선원들에게 물으면 황천(荒天) 항해시 대피하기에 유리하기 때문이라고 한다.

당시 또 하나의 국제항로는 페르시아, 인도, 동남아시아와 중국 동남부를 연결하는 이른바 남양항로였다. 이 항로에 의해 광동성(廣州), 복건성(福州와 泉州), 절강성(寧波와 杭州), 그리고 강소성의 양주가 남방무역권의 접촉지역이 되었다. 금세기의 세계무역항로가 미국을 향한 태평양항로와 대서양항로라고 한다면 장보고 시대를 전후한 7~10세기 세계 주력 항로는 앞에 든 극동

항로와 남양항로였다. 이 두 항로가 9세기에 이르러 장보고 상단에 의하여 서로 연결돼 비로소 남북무역망의 결정적인 통합고리를 형성하였다.[9)]

이로써 완도 청해진은 단순히 극동항로의 중심부일 뿐만 아니라, 남양항로와 한반도, 일본을 연결하는 또 하나의 고리였던 것이다. 이는 당시의 나·당·일 문헌기록이 공동으로 인정하는 (백제계) 신라인들의 탁월한 조선술과 항해술 그리고 장보고 상단의 조직력에 크게 기인한다.

황해는 5~6월에 완도 앞바다에 범선을 띄우면 저절로 황해도 해역으로 북상한다. 또 서북풍이 부는 계절에는 뱃머리를 중국 양자강쪽으로 향해 놓으면 그야말로 순풍에 돛을 단듯 '자동 항해'한다. 반면 요즘도 8~10월이면 중국 강남지역으로부터 벼멸구떼가 한반도로 날아와 호남지역의 벼농사에 비상을 걸곤 한다. 해마다 이들은 해풍에 무임승차해서 대장정에 오르고 있는 셈이다.

바람뿐만 아니라 해류도 특이한 바다가 바로 황해와 한반도 남해안이다.[10)] 지금도 완도 앞바다를 벗어나면 바로 검은 띠의 해류를 만나는데, 이것이 바로 흑조대(黑潮帶)이다. 이 흑조는 필리핀 동쪽 해역에서 형성되어 대만을 감싸고 돌며 북상한다. 이 해류는 폭이 30해리, 그 두께가 200~400미터, 중심유속도 3~5

9) Hugh R. Clark, 「8~10세기 한반도와 남중국 간의 무역과 국가관계」『장보고 해양경영사 연구』, 269~284쪽.

10) 남양항로라는 당시 중요한 세계항로를 개척한 페르시아 상인들도 황해의 변화무쌍한 해풍, 조류, 해류에는 어쩔 수 없어 극동항로만은 사실상 신라인들에게 맡기다시피하여 직접 진출을 기피한 것으로 보인다.

노트에 달한다.

북상한 흑조가 동중국해로 들어서면 여러 갈래로 분리된다. 즉, 흑조는 중국대륙의 대륙붕과 연안수의 저항을 받아 황해에 진입하지 못하는 대신 시속 0.3노트로 진행하는 분류를 만든다. 분류 중 한 가닥은 양자강 입구에서 도도한 강물과 부딪쳐 소멸하고, 또 한 가닥은 황해의 중간에서 한반도 서남부쪽으로 쏠리면서 황해도 옹진반도 연안까지 북상하다가 산동반도 쪽으로 우회, 자취를 감춘다. 흑조의 또 다른 한 가닥은 한반도의 남해안을 거쳐 일본의 규슈와 혼슈의 남단에까지 진출한다. 이 해류의 존재는 지금도 규슈 앞 고도 열도(五島列島) 등지의 해변에 한국 남해안에서 흘러간 라면봉지, 비닐병 등 생활쓰레기가 수북이 쌓여 그 곳 주민들이 골머리를 앓고 있다는 점 하나로도 확인된다.

황해는 조류도 매우 복잡한 바다다. 한반도 주변해역에는 동해에 무조점(無潮点)이 하나인 반면, 황해에는 네 개의 무조점이 있다. 조류는 대마도(對馬島) 북쪽 동해 입구에 있는 무조점을 중심으로 동해 방향과 동지나해 방향으로 각각 12시간 흘렀다가 되돌아온다. 이렇게 바다는 지구의 자전과 달의 공전 등의 영향을 받아 오묘한 운동을 하고 있다. 남해에서는 조류가 동·서로, 황해에서는 서북·동남으로 흐른다. 이 조류는 해안에 가까워지면 들물과 썰물로 나타난다. 조류의 속도는 1.5~2.5노트지만, 연안수로에 이르면 5~6노트, 해남군 울돌목 등지의 해역에선 10노트를 웃돌기도 한다.

완도해역은 특히 조류가 복잡한 곳이다. '한국수로국'에서 펴낸 완도항 일대의 조류도(潮流圖)에 따르면 장보고 유적지 장도에서 완도항에 이르는 유향(流向)은 부근 해역과도 정반대다. 대마 난류(對馬暖流)에 휩싸이고 있는데다 완도군에 속한 202개의 크고 작은 섬으로 얽힌 물목의 영향을 받고 있기 때문이다.[11] 장보고는 바로 이런 해풍·해류·조류·다도해 등의 자연조건을 1백% 살려 완도에다 청해진을 설치, 동양 3국의 바다를 호령하면서 황해무역을 독점할 수 있었다. 장보고의 천재성은 바로 이 대목에서 번득인다.

동양 3국의 항로를 장악한 청해진 종합상사의 취급품목 또한 다양하게 나타난다.[12] 장보고 시절 신라의 수출 대종상품은 견직물·마포·금·은·인삼·약재·마피·모피류·공예품이고, 당의 주요 수출품은 주단·약재·공예품·도자기·서적 등이었다. 여기에 페르시아 상인들이 가져온 각종 향료와 악기·상아·보석류·카펫·유리제품 등이 추가된다. 그리고 동남아시아산인 자단·심향·비취모·대모·공작미 등이 있다.

특히 장보고 상단이 일본에 싣고 간 '박래품'의 인기는 대단했다. 일본에서는 박래품에 대한 값을 비단·금·소뿔 등으로 결제했는데, 요즘말로 하면 부등가 교환으로 인한 무역 역조현상이 뚜렷했던 듯하다. 일본 조정은 귀족사회의 사치풍조에 대해 수차 제동을 걸었으나 청해진 상단이 제공한 부증품(附贈品 : 일종의 사례금)에 의해 치부를 한 다자이후(大宰府) 관헌들이 적극적 단속을 기피, 큰 효과는 없었던 것 같다(『續日本後紀』 권9, 承和 8년[841] 2월 무진조). 신라 흥덕왕도 서방세계의 사치품·전래품 등에 대해서는 한 때 수입금지 조치를 단행한 기록이 있다(『삼국

11) 金井昊, 「해류와 한·중 항로」 『장보고 해양경영사 연구』, 151~170쪽.

12) 金德洙, 앞의 글, 78~82쪽.

사기』 권33, 잡지색복조 흥덕왕 9년[834]).

청해진과 재당 신라소의 설립은 해당 정부의 승인 아래 취해진 조치이지만 실제 경영에 있어서는 독자적이었다는 점에서 보기 드문 독특한 모델을 제시하고 있다. 경영상의 의사결정은 신라 왕권 및 당조로부터 다분히 독자적으로 행하였고, 무역행위 등이 대부분 나·당·일 정부의 묵인 내지 비호 아래 전개되었다는 점(예, 공무역을 대신한 사무역을 경영)이 특징이다. 그러면서도 해당 정부의 공무를 대행하거나 대신하는 경우는 역시 적지아니 목격된다.

또한 장보고 대사의 성품과 처신은 아주 인도주의적·민족적이지만 그 지향은 언제나 국제적이었고 그 활동범위는 세계를 무대로 하였다. 오늘날의 다국적 기업인의 원형이었다. 따뜻한 인간애와 정의감, 그리고 동포 사랑과 국제화 정신은 중국 각지에 흩어져 있던 고구려, 백제, 신라계 동포들을 하나로 통일시킬 수 있는 원동력이었음에 틀림이 없다. 한편, 당나라가 당시 비록 정치적으로 혼란한 시기였다고는 해도 무령군 중소장직에 이어 대사(大使)[13]라는 직명을 부여했을 만큼 중국에도 큰 공을 세운 듯

13) 이제까지 우리 학계는 장보고가 청해진을 설립한 무렵 당시 신라직제에 없던 大使직을 보유하고 있었다는 사실에 대하여 미처 그 근원을 캐보지 않은 채 총독(라이샤워)이라든지 大人(일본학자), 小將(국내학자)직을 뜻하는 것으로 해석해 왔다. 아직까지 이에 대한 정설은 없다. 다만 『삼국사기』 권8, 신라본기 聖德王 33년(734) 정월조에 의하면 당나라가 발해의 침략을 막는 데 협력한 공로로 신라왕 興光(성덕왕)에게 '寧海軍大使'직을 제수한 기록이 발견된다. 李謹行도 '安東鎭撫大使'직을 받은 바 있다. 이로 미루어 大使직은 흔히 변방을 지키는 특별한 위치의 節度使를 지칭한 것이 아닌가

하고, 영향력도 막강했던 것으로 판단된다. 다른 한편, 신라 본국으로부터 대번에 군사 1만 명을 거느리도록 허락받은 사실[14]이라든지 감의군사(感義軍使), 진해장군(鎭海將軍)을 제수받고 식읍(食邑 : 봉토) 2천 호를 하사받은 배경, 그리고 두 나라에서 공

여겨진다(金德洙, 앞의 글, 74쪽). 아마 이 같은 근거로 라이샤워 교수도 청해진대사를 Colonies(변방조계지)를 관장하는 Commissioner(총독=변방절도사)로 번역한 것 같다. 그렇게 해석할 경우 장보고는 무령군중소장 재직시 李正己 일가를 토벌하는 데 큰 공을 세워 그 공로로 唐朝로부터 중국 내 신라인 조계지들을 관장하도록 대사직을 부여받지 않았나 하는 추론이 가능하다. 그러나 아직 이에 대한 중국측의 공식기록은 아직 보이지 않는다. 다만 이 때 완도 땅 청해진도 당시 신라의 종주국 행세를 하던 당측 입장에서 조계지의 범주에 포함한 것인지 여부도 여전히 의문으로 남는다.

14) 흥덕왕이 장보고에게 군사 1만 명을 주었다는 이 記事(삼국사기 권10, 신라본기 흥덕왕 3년 4월조 ; 권44, 열전 장보고 정년조)에 대해 청해진의 설치 경위와 군사 규모 및 성격 그리고 兵權을 허용한 배경 등과 관련 여러 가지 의문이 제기된다. 우선 청해진은 다른 軍鎭들과는 달리 장보고의 요청에 의해 설립됐다는 점이 특이하고, 그 설치 목적 또한 노예상 해적의 소탕이라는 점이다. 그러나 해적이 소탕된 뒤에도 청해진은 文聖王 13년(851)까지 장보고 사후 10년간이나 존립하였다는 점에 비추어 그 목적이 참 이유였는지 의문이 인다. 오히려 그 記事대로 청해진이 '해로상 중요한 요충지'로서 당시의 국제무역 및 해운의 신장을 위해 그 설치가 더 긴요했고, 다만 대의명분상 해적소탕을 전면에 내세웠다고 보아야 한다. 이는 청해진 설치 이후의 장보고 商團의 활동이 여실히 증명한다. 이는 장보고의 요청에 의해 청해진이 설치됐고 군사 병권마저 허용된 것은 그 규모(실제 만 명이나 될지)나 성격(병졸에는 민간인 신분의 국내외 해운 및 무역종사자 등 민간인까지 포함했는지 여부)에 관계없이 장보고가 그만큼 이미 막강한 힘(power)과 지위·배경을 가지고 있었음을 의미한다고 보아야 할 것이다.

히 행정상 자치권을 누렸다는 사실은 오늘날로 말하면 장보고 대사가 두 나라 국적을 초월하여 영향력을 행사할 만큼 치외법권을 부여받고 활동하였음을 뜻한다.

또 하나 장보고 지휘하의 청해진 그리고 재당 신라인들은 대부분 상공업과 해운·무역업에 종사하면서 나·당·일의 경제이익에 공히 기여함으로써 실제 공무역(交關使)과 그를 대신한 사무역(廻易使) 행위를 전적으로 주관하였다는 점에 주목해야 한다. 이는 오늘날 다국적 종합상사나 초국경기업(Multi-national, Trans-nation Corporation)도 감히 행하기 어려운 거래 형태이다. 정경일체의 극치라 할 수 있는 이 같은 거래 행태는 당시 나·당 또는 나·일의 정치경제 관계가 불편했을 때, 또는 조공무역이 종종 형평성을 결여하여 어느 한 쪽의 불평의 대상이 되었을 때나 가능하다. 이럴 경우 관련국 서로에게 편리한 반관반민의 무역 형식, 즉 장보고 상단에 의한 견당매물사(遣唐賣物使)와 대당매물사(大唐賣物使) 방식이 성행한 것이 아닌가 짐작된다. 왜냐하면 예나 지금이나 정치적으로 껄끄럽고 재정수지마저 불균등할 경우 정부간 또는 국가간 공식거래보다는 실제 수요와 공급 그리고 거래가격을 반영하는 민간무역이 서로에게 더 효율적이기 때문이다(예, 수교 이전의 한·중 거래 및 현재의 남북한 교역). 따라서 장보고 때 이미 근대 무역양식에 가까운 민간 주도의 거래 형태가 이미 나타난 것으로 보아야 한다. 게다가 장보고가 청해진을 거점으로 나·당·일에 국제적인 해양경영을 펼쳐 나갈 당시의 나·당의 중앙통제력은 잦은 정변으로 대단히 약화되어 공무역보다는 사무역이 활발할 수밖에 없었다.

또 하나 주목되는 점은 장보고 상단의 해상무역 독점을 가능케

한 직접적인 요인이다. 다만 이 때까지 국내외 해상에 난립 출몰해 오던 군소무역자(이들이 나·당·일의 기록에는 종종 해적으로 기록돼 있다. 예, 『續日本後紀』 권22)들과 이른바 노예상 해적들이 장보고의 등장 후 잠잠해졌다는 기록으로 미루어 볼 때, 일단 이들이 장보고 조직에 흡수 통합된 것으로 보인다. 공무역 및 사무역을 방해하던 해적의 소탕은 나·당·일 3국의 해상무역 및 대남방 무역에 있어 청해진 세력의 독점적 세력 확보를 의미한다. 장보고 대사가 흥덕왕을 배견하고 청해진 설치 목적으로서 노예상 해적의 소탕을 표면에 내세운 배경에는 이렇듯 후일 '해양상업제국의 무역왕자'로의 길을 튼튼히 다지기 위한 원대한 포석이었다고 해석된다.

아무튼 장보고 대사가 당시 중국 정사의 하나인 『신당서 新唐書』에는 물론 한·일 정사에 그의 전기 또는 기사가 특별히 기록될 만큼 높은 평가와 벼슬을 받은 배경은 앞으로 더 깊은 연구대상이다. 다만 당시의 나·당의 정치적 혼미와 쇠약, 그리고 신라통일 후 오랫동안 불편한 관계에 놓여 있던 나·일 관계 등을 고려할 때, 청해진대사 재임 13년 동안에 민간 종합무역상사 겸 해운업자로서 그리고 거대한 군산복합체로서 장보고 상단의 급부상은 요즈음의 정경유착구조 역학에 비추어 보더라도 그리 이상할 것이 없다. 특히 그 배경에 막강한 재당 신라인들의 조직과 재일 신라인들(九州 鎭西 일대) 한교(韓僑)망의 튼튼한 재력, 정보력 그리고 뛰어난 조선술과 항해술이 뒷받침하고 있음에 이르러서야 더 말할 나위가 없다.

요약컨대, 장보고와 청해진 주민 그리고 백제·고구려계 재당 신라인들이 이른바 신라의 한반도(백제 부분) 통일로 정치적 유망민이 되어 '정치'에서 잃은 것을 '경제'에서 찾고, 저항적 에너지를 한 차원 높여 바다경영과 세계사 개척이라는 창조적 에너지로 내연시킨 결과가 역사상 유례 없는 해양상업제국을 건설케 한 것임은 틀림이 없다. 그러나 그 동기야 어디에 있든 장보고 상단이 정치·군사적으로 신라내정에 대해 간섭한 것이 마침내 화근이 되어 청해진과 그 종합상사가 하루 아침에 초토화의 비극을 맞이한 것은 역사의 아이러니라 아니할 수 없다.

Ⅳ. 한민족의 해양경영 : 고대에서 현대까지

역사는 우리에게 '과거'만 묻는 것이 아니라 '현재'와 '미래'를 아울러 가리킨다.

여기서 잠시 우리 나라 지형과 지세를 높다란 곳에서 새롭게 내려다 보자. 소리개의 눈을 빌린 조감도이건 요즈음 보편화된 인공위성 사진이건, 하늘에서 내려다 본 한반도는 시베리아 및 만주 대륙이 태평양으로 돌출하다 형성한, 단순히 3면이 바다로 둘러싸인 반도국가 이상의 심오한 지리학적 의미를 내비치고 있다. 옛적, 아득히 먼 옛적, 언제인가 우리 한반도는 중국의 동해안과 일본 열도의 중간에 끼어 한 땅덩어리로 서로 맞닿아 있던 형상을 여실히 보여 주고 있다. 퍼즐 조각 맞추기식으로 현재 한·중·일 3국의 지도를 맞대어 보면 중국의 요동반도와 산동반도 등의 요철(凹凸) 형상이 우리 나라 서남해안의 리아스식 형상과 맞물려 엉켜들고, 마찬가지로 일본 서북해안의 굴곡이 우리 나라 동해안과 기이하게 꼭 맞아 붙는다.[15] 아무튼 한반도는 숙명적으로 황해와 동해 바다를 건너 중국, 일본과 교류하고 협력하며 경쟁하도록 자리잡고 있다.

지금이나 옛적 황해, 그것은 바다라기보다 차라리 내해(內海)라고 말해야 옳다. 산동반도, 요동반도, 한반도에 둘러싸인 3면이 육지인 큰 호수가 바로 황해이기 때문이다. 게다가 옛날엔 지금보다 수심이 훨씬 더 낮은 천해(淺海) 호수였다. 다만 동지나해와 남지나해에서 올라온 조수가 육지 돌출부에 부딪치고 되돌아오는 반사작용으로 곳곳에 해류의 흐름이 끊기고 흐트러져 초행자들은 황해의 물길을 제대로 가늠하지 못하는 경우가 많다. 심청전에 등장하는 인당수 근방이 그 대표적인 곳으로서 물살이 험하고 거칠다. 그러나 황해의 특성을 파악한 사람들에게 황해는 예나 지금이나 화평스러운 내해이다. 그러하니 황해를 사이에 둔 중국과 한반도와의 교류역사는 아득하고 그윽하다.

마찬가지로 한반도와 일본열도 사이의 동해는 일의대수(一衣帶水)의 관계로서 고대 일본국의 성립에 한민족이 결정적인 역할을 했을 정도로 한일교류사는 더욱 끈끈하고 은근하다. 두만강 하구와 일본의 서북지방, 또는 한반도와 규슈(九州) 섬이 지척간이고 현해탄은 문자 그대로 개울물과 강물과 같은 존재였다. 고대인에게 있어 바다는 인위적인 국경도 경계선도 아닌 다만 순응하고 도전해야 할 지평의 연장일 뿐이었다. 일본열도 역시 한민족의 연장된 또 하나의 삶터에 불과했다. 바다는 사람들의 교통을 간편히 해 주는 편리와 편익의 자애로움 바로 그것이었다. 바다가 있음으로써 교환과 왕래, 이동과 정착이 가능하였다. 한반도는 이렇듯 바다에 둘러싸인 축복받은 땅이다.

지금의 중국 절강성 영파(寧波) 근교에는 하모도(河姆渡) 벼

15) 졸고, 「바다경영의 시작과 끝」『최정호회갑논문집』, 나남, 1994.

문화유적지가 있다. 지금으로부터 7천여 년 전 이 곳 들녘에서 인류가 최초로 벼농사를 시작한 흔적과 유물이 연달아 발견되어 이제 세계적인 명소가 되었다. 영파박물관에는 그 유물들이 전시되어 있는데 볍씨의 이동경로를 표시하는 그림설명을 보면 동지나해를 가로질러 한반도에 이르고 다시 일본 규슈로 흘러간 표시가 선명하다. 일찍이 우리 나라 서해안 해주, 남해안 영산강 유역, 경기도 여주에서 발견된 탄화미(炭化米)는 3~4천년 전 것으로 기록됐었다. 그런데 최근(1992년) 한강 하류 지금의 일산개발지구에서 손보기 교수팀은 200여 개의 탄화미를 발굴했다.[16] 미국 베타연구소에 방사선 조사를 의뢰한 결과 앞서의 기록을 갱신하는 5천 5백여 년 전의 볍씨로 판명되었다. 당시 누가 어떻게 이들 볍씨를 한강 들녘까지 가져왔을까. 이는 물론 선사시대에 일어난 사건이기 때문에 문헌적인 기록은 찾을 수 없다. 다른 한편 중국에서는 유독 산동성에서만 발견되는 3천여 년 전의 독특한 옹관묘 묘제양식이 한반도 남방 전라도 일대의 고대무덤에서 무수히 발굴되고 있다. 필자와 만난 산동대학(山東大學) 역사교수들은 지금도 이 사실이 무엇을 뜻하는지 진지하게 규명하고 있다.

황해로 돌출해 있는 산동반도의 동북쪽 연대(煙臺) 지방 옛 신라관(新羅館)이 있던 지역에는 봉래(蓬萊)라는 아름다운 해변지역이 있다. 그 예전엔 이 곳을, 사람들이 바다로부터 뭍으로 오르는 땅이라 하여 등주(登州)라 불렀다. 그런데 '봉래'라는 이름은 중국에 문자기록이 시작된 이래 줄곧 전설 속의 이상향을 의미해

---

16) 손보기, 『일산 신도시개발지역 발굴조사 보고서』, 선사문화연구소, 1992.

왔다. '황해 건너의 바다 가운데 있는 이상향(유토피아)'을 지칭한 것이다. 그리하여 유토피아 '봉래'를 찾아 많은 사람들이 황해를 건너갔다. 특히 지금으로부터 2천 백여 년 전 진시황(秦始皇)의 폭정과 만리장성의 대역사에 시달린 수많은 사람들이 '봉래'를 찾아 한반도를 향해 황해를 건넜다. 그 중 중국 경향 각지에서 고명(高名)을 날리던 여덟 신선(八仙)이 집단으로 '봉래'를 찾아 떠난 것은 전설적인 사실(史實)로 구전되어 오고 있다. 그들이 바다를 건넌 곳에는 지금도 팔선과해당(八仙過海堂)[17]이란 사당을 세워 이를 기념하고 있다. 진(秦)을 멸하고 다시 중국을 통일한 한(漢) 무제(武帝)는 유토피아를 찾아 끊임없이 떠나는 이 곳의 이민행렬을 멈추기 위해 '지금부터선 이 곳이 봉래다'라고 선언한다. 아예 지명도 봉래라 고쳐 불렀다. 중국 산동반도 등주 땅에 봉래라는 새 지명이 생긴 것은 이런 연유 때문이다.

한 무제는 이에 그치지 않고 연나라 사람 위만(衛滿)이 한때 점령하고 있던 고조선 땅에 수륙 양군을 내어 침공했다. 그 땅 위에 한사군의 일부를 설치했는데 그 때의 주요 교통로는 산동반도와 요동반도 그리고 한반도를 잇는 이른바 노철산수로(老鐵山水路)였다. 그에 앞서 위만이란 사람이 대부대를 이끌고 고조선을 침공함에 고조선의 준왕(準王)은 배를 타고 남쪽으로 달아나 한왕(韓王)이 되었다는 기록이 있다. 항해가 가장 안전한 노철산수로는 고대의 주요항로였다. 이상의 고대 기록에서 유추할 수 있는 사실은 첫째, 언제나 바다가 주요 교통항로였다는 점이다.

고조선을 이은 고구려는 주몽(朱蒙)의 아들 비류(沸流)와 온조(溫祚)가 "백가(百家)를 거느리고 강과 바다를 건너(濟海)" 바

17) 『蓬萊八仙閣觀光案內書』, 山東省 登州市, 1990.

닷가 미추홀(지금의 충남 아산군 인주면)에 다달아 각기 비류백제와 온조백제라는 나라를 세웠다. '백가가 제해'하여 나라를 세웠다는 뜻으로 그 줄인 말인 '백제(百濟)'를 국명으로 썼다. 애시당초엔 아우 온조가 충청도 직산의 위례성에 십제(十濟)라는 나라를, 그리고 형 비류는 미추홀 바닷가에 백제(百濟)라는 나라를 세웠다. 김성호 씨에 의하면 고대 그리스 민족이 도시해양국가를 건설하면서 해외로 진출했듯 큰 활을 쓰던 이들 동이족 무리들은 서해안, 남해안으로 진출하면서 크게 바다를 다스리기 시작했다. 특히 비류계와 온조계가 일찍이 동이강국(東夷强國)으로 성장했는데 이들은 바닷길(海道)에 눈을 떴기 때문이다. 비류백제계는 나중에 온조백제계에 통합되었으나 훗날 광개토대왕에 밀린 일부 세력이 일본으로 건너가 오늘날 일본국가의 기원을 형성하였다.[18] 그것은 물론 바닷길을 뜻대로 이용할 줄 알았기 때문이다.

한동안 백제인들은 강성한 국력(해상세력)을 발판으로 하여 황해 건너 중국 요서(遼西) 땅에 진출한다. 고구려의 후방을 교란하고, 나아가서 산동반도를 경략하며 양자강(揚子江) 하구지방까지 진출하여 문자 그대로 동북아시아의 해상권을 장악한다. 황해 건너에 거대한 해상왕국을 경영한 것이다. 김상기(金庠基) 박사는 중국『진서 晋書』기사를 인용하여 340년께 백제가 요서(현 북경지방)를 경략했음을 고증하고 있다. 이를 뒷받침하는 기록으로서는『송서 宋書』,『양서 梁書』,『남사 南史』,『통전 通典』의 백제전이 있다. 한결같이 이들 사서들은 백제가 진(晋 : 317~420) 무렵 요령(遼寧) 홍현과 북경 사이에 백제군(百濟郡)을 설치하고 다스렸음을 밝히고 있다. 다시 그 세력이 남쪽으로 산동

18) 金聖昊,『沸流百濟와 日本국가의 起源』, 知文社, 1982.

성, 강소성을 거쳐 양자강 하류지방 절강성까지 진출하였다.[19] 그리하여 660년 백제 본국이 멸망할 때까지 무려 3백 년 이상을 동이족의 원래 번성지였던 요서, 하북, 하남, 산동반도, 양자강 하류 등 중국 동해안 지방을 경영한 것이다. 이른바 권토중래(捲土重來)한 것이다.

백제 본국이 망하자 당시 최후의 요서 백제군(百濟郡) 태수였던 왕족 부여숭(夫餘崇)과 잔류 백제민들은 의지할 나라를 잃고 우왕좌왕하다가 돌궐 말갈족에 갈갈이 찢겨났다. 그 유민들은 황해 바다에 그 원혼을 묻거나, 일부 잔류 백제인들은 훗날 고구려 유민 이정기(李正己), 이사도(李師道) 집단에 흡수돼 55년을 다시 하북, 산동 지방을 지배하는 데 밑거름이 되었다. 이들이 장차 해상왕 장보고 상단의 기초가 되어 중국 현지 30여 곳이 넘는 요충지에 신라방 또는 신라소의 정착 기반을 제공한다.[20] 최치원(崔致遠)의 기록[21]이나 『구당서』, 『신당서』 기록을 종합하면 백제 전성기의 강역은 동북으로는 신라, 서쪽으로는 바다 건너 월주(越州 : 양자강 남부), 남쪽으로는 바다 건너 일본열도의 왜, 그리고 북쪽으로는 바다 건너 고구려 요서(지금의 요동)에 이르렀다. 아무튼 백가제해(百家濟海)의 해상왕조 백제는 고대 아랍 민

19) 尹乃鉉, 「중국 동부해안지역과 한반도」 『장보고 해양경영사 연구』, 78쪽.

20) 위의 글, 79~82쪽.

21) 『삼국사기』 崔致遠傳에 의하면 그가 지은 「上太師侍中狀」에 다음과 같이 적혀 있다. "고구려와 백제는 전성했을 때 군사가 1백만이어서 남쪽으로는 吳와 越을 침공하고 북으로는 幽, 燕, 濟, 魯 등을 흔들어 중국의 두통거리였으며 隋 황제가 세력을 잃은 것은 요서(지금의 요동)를 정벌했기 때문이다."

족이나 노르망디 민족처럼 기마민족이면서도 해상활동을 전개하여 기마를 배에 싣고 중국대륙과 일본을 경략할 정도로 뛰어난 조선술과 항해술을 갖추고 있었다. 국운과 국력이 바다의 경영으로부터 시작되고 끝남을 여실히 증명해 주는 대목이다.

그러면 북방대륙으로부터 남하한 백제계가 유독 신라계나 고구려계에 앞서 해양입국(海洋立國)에 성공할 수 있었던 비결은 무엇인가. 그것은 앞서도 잠깐 언급한 바와 같이 바다는 이들 백제인들, 특히 다도해 연안 사람들의 삶의 터요 생존생활의 수단이었다. 개척과 발전의 프론티어였다. 바다는 이들에게 신천지를 열어 주는 길이었으며, 자기 성장과 발전의 유일한 출로(出路)였다.

그러나 장보고 사후 역대 왕조가 바다로의 진출을 막음으로써 우리 나라 국력은 크게 쇠퇴하였다. 본시 예성강의 대객주였던 고려 왕건(王建)이 등장한 이후 한때 국내 조운용(漕運用)으로의 바다경영은 상당히 발전하였으나 대양경영의 주도권은 송나라 등 중국에 빼앗겼다. 조선조 때는 아예 해양경영을 포기한 것이나 다름없는 정책과 사조가 풍미하였다. 바다로의 진출은 나라를 배신하는 행위로 인식되고, 천한 백성들이나 마지못해 바다에 나가 생업을 유지하는 것으로 믿게 되었다. 구한말 프랑스, 미국, 일본 군함들이 수교와 통상을 요구하며 강화도와 평양, 부산, 목포로 쳐들어 오기까지 우리 나라 국운은 쇠약할 대로 쇠약해진 것이다.

삼면이 바다로 둘러싸인 우리 나라가 바닷길이 막히고 해양 진출이 부진할 때 국운은 날로 쇠퇴하였다. 한반도 역사 4천여 년 동안 적극적인 의미로 바다를 경략하고 대외진출을 도모한 것은 백제에 의한 요서 및 양자강 지방 경략, 그리고 그 후 3백 년이 지난 다음 장보고 대사의 동양 3국 해상무역의 장악에 불과하다. 장보고의 죽음과 동시에 청해진이 쑥대밭이 되고 그 이후 역대 왕조가 줄곧 당, 송, 일본 등에 의존하는 바다경영체제로 바뀌지면서 조선조에 이르러 마침내 몰락의 길을 재촉하였다. 김상기 교수의 말처럼 동서고금의 역사는 바다를 장악하는 자 세계사를 제패함을 보여 준다.

이제 다시 세계 제1의 조선국 및 7~8위의 해운국(海運國)[22] 그리고 세계 13대 무역국으로 뻗어나는 우리 나라는 국제경제의 확장기를 맞이하고 있다. 지금이야말로 황해와 중국해, 동해바다에 국적 없이 떠돌지 모를 선인들의 영혼을 달랠, 새 전기를 모색할 때이다. 바다가 우리를 부르고 있다. 그 너머 새로운 '업'의 세계가 우리를 손짓하고 있다. '백가제해'의 혼을 이어받아 험한 파도, 거친 바다를 거뜬히 경영하는 동이족의 '본능'이 꿈틀대야 할 때이다. 라이샤워 교수가 말한 세계 역사상 가장 찬란했던 '해양상업제국의 무역왕자', 장보고의 혼과 피와 본능이 아직 우리 몸속에 살아 숨쉬는가 모두들 겸허히 물어 보자.

Ⅴ. 떠오르는 동북아경제권

오늘날 세계는 문자 그대로 열린 사회로 치닫고 있다. 치열했

22) 1994년 말 현재 한국의 무역액은 2,512억 달러로서 세계 13위, 商船隊의 선복량은 980만 톤으로 세계 7위, 造船 실적은 1995년에 다시 日本을 누르고 세계 1위에 랭크되었다. 1995년 국내총생산(GDP) 규모는 4,560억 달러로 세계 제11위이다.

던 이데올로기 대립시대에서 국리민복(國利民福 : National Interest and People's Happiness)을 앞세우는 '경제주의'와 국제화·세계화의 시대로 접어들었다. 중국이 다시 열렸고 러시아와 구공산권이 개방되었다. 아시아 태평양 시대가 논의되는가 하면, 동북아경제권, 황해경제권,[23] 그리고 BESETO 라인(Beijing-Seoul-Tokyo를 잇는 3국 수도권의 협의체제)이 주창되고 있다. 세계는 적어도 경제, 문화교류면에서는 하나의 세계로 변화되어 가고 있는 것이다.

6공 이후 의욕적으로 추진돼 온 우리 나라의 북방정책은 한반도의 특수한 상황을 반영하여 '정치·안보가 주가 되고 경제는 종이 되는' 기조를 유지해 왔다. 그 결과, 탈이데올로기의 해빙무드를 맞아 구소련, 몽골, 동구국가 및 중국과의 수교를 이루었다. 이를 계기로 삼아 동북아지역의 다자간 안보체제가 제기되었고, 북핵 문제가 세계적인 문제로 등장하였다.

그러나 국제 정세는 전후 50년을 지배해 오던 냉전체제의 붕괴와 더불어 미국, EU 등이 다투어 국리민복을 앞세운 경제주의와 지역주의(경제블럭화)를 추구하는 과정에서 동북아 지역에도 동북아경제권 구상이 떠오르고 그 구체적인 다자간 협력사업으로 두만강 하구 삼각주 개발사업계획이 활발하게 논의되기에 이르렀다. 다만 그 속도가 늦고 정치안보적 고려가 더 크게 다루어

---

23) 동북아경제권 개념은 중국·러시아·몽골·일본·남북한을 포용하며 이는 東南亞(아세안 등)경제권에 대칭되는 지역개념이다. 이 둘을 합쳐 東아시아권이라고 부른다. 황해경제권은 동북아경제권 내에서 황해를 둘러싸고 마주하고 있는 중국·남북한·일본을 말한다.

지고 있는 점이 특징이다. 한반도와 동북아지역에는 아직도 정치적·군사적 잇슈가 경제적 잇슈보다 더 크게 고려되는 가운데 다자간 경제협력문제가 논의되고 있는 현상이다.

지금으로서는 황해와 동해 연안의 6국 6지방(남북한, 중국, 러시아, 몽골, 일본)을 한데 묶는 '동북아경제권' 구도는 비록 그 실현에 있어 많은 시간과 공력이 소요될 미래의 요원한 꿈일런지 모른다. 그러나 확실한 것은 21세기 태평양시대를 맞아 지정학적으로 우리 나라가 그 중심으로 떠오르고 그로 인해 오래 막혔던 남북한 간의 교류와 협력이 촉진되어 통일의 기반을 새로이 다질 수 있는 계기가 차츰 긍정적으로 형성되고 있음이 분명하다. 이렇듯 현재와 미래의 동북아경영에 있어 가장 민감하고 중요한 지역이 바로 한반도이다.

<표 1>에서 보듯, 인구면에서, 영토 면적면에서, 그리고 경제적으로 교류와 진출의 가능성과 전망이 가장 큰 곳이 바로 이 동북아 대륙이다. 이들 지역은 우리 선조들의 얼과 혼이 깃든 옛 땅

<표 1> 동북아 국가의 인구 및 국내총생산(GDP)

구분 / 국가	인구(백만 명)		GDP(백만 불)		1인당 소득(불)	
	1990	2010	1990	2010	1990	2010
중 국	1,134	1,425	2,210,715	9,238,848	1,950	6,484
러시아	289	313	1,999,998	4,143,183	6,930	13,255
몽 골	2.1	3.3	1,454	4,340	693	1,325
북 한	21.3	27.3	21,100	51,736	991	1,895
남 한	42.8	49.7	307,732	861,570	7,190	17,336
일 본	123.5	128.5	2,093,325	3,569,117	16,950	27,768

* GDP는 1990년 가격 구매력 평가방법에 의하여 추정된 것임
* 자료 : 세계은행, *World Development Report*, 1991

우리 강역이었다. 세계 각국의 영토가 확정된 오늘날 조상들의 옛터전을 물리적으로 되찾겠다는 것은 지나친 국수주의로서 오히려 더 큰 분쟁을 초래할지 모른다. 따라서 경제적·문화적 측면에서 교류·협력을 강화하여 실리를 극대화하는 진출이 바람직하다. 이는 다름 아닌 국경을 초월한 다자간 경제협력 강화이다.

과거 수천여 년의 한·중·일 관계사를 거슬러 보면 중국대륙의 정치·사회 변화가 한반도와 동북아의 명운에 직·간접으로 크게 영향을 미쳤고 때로는 평화관계, 때로는 적대관계를 되풀이하였다. 그런데 우리가 과거 역사에서 배워야 할 확실한 교훈은 우리 이웃나라들의 국력이 강성했을 때는 우리 민족은 언제나 고통을 받았다는 사실이다. 일본이 세계 제2의 경제강국으로 떠오른 것도 우리를 기쁘게 하기보다는 더욱 불안하게 한다. 그리고 세계적인 탈이데올로기 추세에 따라 잠을 깬 중국이라는 사자의 급성장이 아울러 위협적이다. 우리 나라의 다시 만남이 장차 '잠자는 백설공주와의 만남'이 될지 또는 '판도라의 상자'를 잘못 여는 것일지 앞으로의 협력관계 여하에 달려 있다.

오늘날 세계 문명발달사는 한 나라의 발전이 천연자원의 부존 여하에 의해서만 좌우된다기보다 인적(두뇌) 자원의 활용(資產化) 여하에 크게 달려 있음을 여실히 증거하고 있다. 우리 한(韓) 민족에 내재해 온 지혜와 용기, 그리고 문화와 저력이 그 어느 때보다도 견실히 융합하고 민족주체성을 확고히 할 때이다. 그것은 외세의 무조건적인 배격이 아니라, 오히려 변화하는 국제환경에 능동적으로 적응, 활용하는 방향이 되어야 할 것이다. 지금 우리 주변의 국제정세는 자국의 이익을 위하여는 수단과 방법을 가리지 않는 무한경쟁의 풍토가 팽배해 있다. 미국, 일본, EU 그 어느 나라도 우리의 영원한 협력자만은 아니다. 동시에 경쟁자이다. 다른 한편, 자국의 국리민복을 위해서는 자본주의적 개발원리마저 도입하는 것을 주저하지 않는 중국 정권이 이제 이 지역에서 적절히 주도권을 행사하기 시작했다. 급격히 부상하는 일본의 경제적 패권주의 또한 무서운 세력으로 다가오고 있다. 그 완충제로서 한국의 존재는 필수불가결하다. 중국은 우리 나라의 자본과 경제기술수준이 행여 일본에 비견되어서가 아니라, 중국의 현단계 수준에서 일본의 독주를 견제하고 미국 등 서방세계와의 관계를 돈독히 함에 있어 부수적으로 한국의 발전경험과 한국 수준의 기업 및 기술이전을 필요로 하고 있다.[24)]

중국이 수교가 안 됐을 때에도 UNDP의 두만강 개발계획에 한국정부를 적극 끌어들이고, 삼강(三江) 평원 개발, 요동반도, 산동성, 천진(天津) 및 상해 포동(浦東) 지구 경제개발에 다투어 우리 나라 기업을 초치하는 까닭도 모두 이 때문이다. 마치 장보고 시대의 재현을 보는 듯하다. 동북아경제권 형성이 21세기의 장기 과제라고 전망할 때 우선 그 실천단위로서 산동성과 상해 포동지구 등 황해경제권 협력프로젝트, 그리고 UNDP 두만강 삼각지구 개발계획이 20세기가 가기 전에 성취할 수 있는, 아니 당장에 남북한과 중국의 협력이 절실히 필요한 공동과제임을 여실히 보여 주고 있는 사례이다.

---

24) 김성훈 · 유재현, 『동북아시대의 한민족』, 비봉출판사, 1994.

Ⅵ. 겨레의 새 일터－장보고 모델의 부활

그리고 중국과 북한, 러시아가 1990년대 초부터 개방한 훈춘(防川), 선봉(웅기), 핫산에서는 문자 그대로 '일망삼국(一望三國)'의 협력프로젝트가 가시화되고 있다. 이 곳이 바로 발해시대의 용원부(龍原府) 터전이며 그 중심은 발해 5경(京)의 하나였던 훈춘이다. 훈춘과 맞닿아 있는 연해주의 크라스키노는 옛날 발해가 신라 및 일본과 교역하던 염주성(鹽州城)으로서 모두 한 땅덩어리였다. 필자가 부단장으로 참가한 대륙연구소의 '러시아 연해주 발해 유적발굴단'(단장 金貞培 교수)이 1993년 여름 발해고분을 발굴하기 위해 이 곳에 머물렀을 때 폐허가 되어 텅 빈 염주성 주변에는 2백 여기의 발해고분이 즐비했고 푸른 들판에는 야생벼가 자라고 있었다. 1937년 스탈린에 의해 중앙아시아로 강제 이주당하기까지 우리 독립운동가들과 조상(초기 이민)들이 개척해 놓은 곳이 바로 이 곳 연해주 핫산 - 크라스키노 - 포시에트 지방이었다. 주인은 끌려갔어도 그 벼가 50여 년이 지난 지금도 홀로 피고 지고 하는 야생초로 남아 있었던 것이다.

서기 698년에서 926년까지 228년 간 우리의 선조들이 고조선과 고구려의 맥을 이어 일으켜 세운 발해국은 사방 5천여 리에 5경(京) 15부(府) 62주(州)의 해동성국(海東盛國)을 이룩했었다. 지금 이 곳에서 UNDP의 깃발 아래 다시 한국, 북한, 중국, 러시아, 일본, 몽골이 협력의 장을 열고 있는 것이다. 기록에 의하면 장보고 대사와 신라인들은 산동반도에서도 발해인들을 만났고 교류했을 것이라는 추측이 가능하다. 말하자면 조선조 후기 실학자들이 주장했던 남북국(南北國 : 발해～신라) 시대의 현대판 재현이 황해 산동반도와 동해 두만강 하구에서 다시 보이기 시작했다. 이제 옛 장보고의 활동무대와 발해의 활동무대가 21세기 환태평양시대를 바라보며 한편으로는 '황해연안 협력사업'으로, 다른 한편에서는 시베리아 개발, 삼강평원 개발, 그리고 UNDP '두만강 개발사업'으로 지금 되살아나고 있다.

지난 천여 년 동안 한국사에 온전히 편입되지 못하고 허공을 맴돌며 방황하던 장보고와 발해인들의 혼령들이 이제 그 후손들에 의해 바야흐로 제자리를 찾을 것인지 아니면 또다시 이민족들의 패권의 경쟁장으로 전락하여 무한정한 방황을 계속할 것인지는 오로지 그 후손인 우리 남북한 주민의 예지와 결의 여하에 달려 있는 무거운 과제이다.

주지하다시피 지금 중국에 200여만의 동포가 있고 연해주 등 러시아와 구 소련에 50여만 명, 일본, 미국 등에 250여만 명, 그리고 남북한에 6,700만 명, 도합 7,200만 명의 우리 민족이 주로 동북아지역에 밀집해 있다.[25] 9세기 장보고 시대의 고구려, 백제 유망민과 신라인들이 중국대륙 곳곳에 퍼져 있던 양상과 다를 바 없다. 이 같은 인적 자원을 어떻게 장보고 대사처럼 동북아경영의 소중한 자산으로 활용할 것인가는 우리의 또 하나의 과제이다.[26]

동북아경제권 구상은 이렇듯 과거의 역사를 묻는 것에 그치지 않고 겨레와 조국의 미래를 개척하는 위대한 우리 당대의 과업인 것이다. 구체적으로 장차 동북아 경제협력이라는 원대한 구상을

25) 김태홍·김시중, 『한중경제협력과 재중국동포의 역할』, KIEP, 1994.

26) 최상철, 『21세기 동북아경제권과 국가경영』, 미래학회, 1995.

실현함에 있어 우리의 자본력과 기술수준이 어떻게 주도적으로 제몫을 감당해 낼 수 있을 것이며 민족적 단결을 이루어 낼 것인지가 바로 우리 당대의 과제인 것이다. 5천여 년의 대륙과 해양 경영사에 있어 모처럼 맞이한 우리 민족의 이나마의 우월적인 지위를 얼마 만큼 오래 지탱하면서 그 에너지를 어떻게 한민족이 주도하는 동북아 개척에 활용할 수 있을 것인지는 오직 우리 민족 내부의 역량과 결집력의 문제이다. 따라서 오늘날 일본의 경제적 · 군사적 패권주의 부활에 못지 않게, 급격하게 신장하는 중국의 국력상승의 틈바구니에서 지정학적으로 대륙과 대양을 잇고 있는 한반도 특유의 교량역할을 남북한 두 정부가 어떻게 국리민복에 최대한 유리하게 활용할 것인가는 범상히 지나칠 문제가 아니다.

현재 한반도의 지경학적(地經學的) 우월성은 환(環)황해권과 환동해권을 양쪽에 거느리는 동북아경제권의 교통, 지리, 경제상의 중심에 자리잡고 대륙과 해양을 연결하고 있다. 장차 한반도에 거꾸로 쓴 '용자형(用字型)' 교통망이 형성되면 한반도가 문자 그대로 대륙과 해양의 교두보로 큰 역할을 담당할 지경학적 요소가 빛을 발휘할 모멘트가 날로 현실화되고 있다.[27]

이 같은 엄청난 과제를 풀어 나감에 있어 그 원형을 장보고의 '대륙 및 해양 경영 모델'에서와 같이 먼저 민족적 역량의 결집에서부터 찾을 수밖에 없다. 남과 북이 따로 있고, 과거와 미래가 따로 노는 해법으로는 도저히 감당할 수 없다. 그리고 정치적 · 군사적 긴장을 완화시키는 적극적인 사고방식과 대책이 필요하다.[28] 정치적 한과 경제적 실리를 혼동해서도 아니 된다. 그 동안

---

27) 김성훈 · 유재현, 앞의 책, 25~30쪽.

의 정치체제 대결과 군사적 갈등 때문에 경제협력에서도 중앙정부가 주도적인 역할을 수행해 왔으나 이 역시 장보고 모델에서 보듯 민간 주도체제와 관련 지방간 협력체제부터 먼저 구축하는 것이 신뢰형성과 실리확대에 바람직하다. 분단 50년을 돌이켜 볼 때 그 동안 치열한 남북 대결과 상쟁으로 인해 한민족의 동질성에 얼마나 많은 훼손을 감수하였으며, 북녘땅 너머 고토(故土)의 같은 민족에게 얼마나 오래도록 소홀했는가부터 반성하고 탈정치적인 접근방법으로 민족의 실리를 최우선시한 장보고형 해외경영철학을 되새김으로써만이 대망의 동북아경영을 기대할 수 있다.

참고문헌

金光洙, 「장보고의 정치사적 위치」『장보고의 신연구』, 완도문화원, 1985.

金德洙, 「장보고의 해상무역에 관한 일고찰」『한국해운학회지』 17, 1988.11.

金文經, 『당 고구려 유민과 신라교민』, 일신사, 1986.

金庠基, 「古代의 무역형태와 羅末의 海上 발전에 就하여」『진단학보』 1~2, 1934~35.

金聖昊, 『沸流百濟와 日本의 國家起源』, 知文社, 1982.

김성훈 · 유재현, 『동북아 시대의 한민족』, 비봉출판사, 1994.

金在瑾, 「장보고 시대의 무역선과 그 항로」『장보고의 신연구』, 완도문화원, 1985.

28) 이창재, 『21세기 동북아경제협력을 위한 추진전략』, KIEP, 1994.

金井昊, 「海流와 韓中항로」『장보고 해양경영사 연구』, 이진출판사, 1993.
김태홍 · 김시중, 『韓中經濟協力과 在中國 동포의 역할』, KIEP, 1994.
孫慶基 外, 『山東省地理』, 山東教育出版社, 1987.
손보기, 『일산신도시 개발지역 발굴조사보고서』, 선사문화연구소, 1992.
申福龍, 『円仁의 入唐求法巡禮行記』, 정신세계사, 1991.
尹乃鉉, 「중국 동부해안지역과 한반도」『장보고 해양경영사 연구』, 이진출판사, 1993.
이기동, 「장보고와 그 해상왕국」『장보고 신연구』, 완도문화원, 1985.12.
李昌在, 『21세기 東北亞경제협력을 위한 추진전략』, KIEP, 1994.
林士民, 「唐代 東方海上 活動과 明州港」『장보고 해양경영사 연구』, 이진출판사, 1993.
趙由典 · 金聖範, 『장보고 내사 관련 遺蹟에 관한 一考』, 문화재연구소, 1992.
朱 江, 「唐과 新羅의 海上交通」『장보고 해양경영사 연구』, 이진출판사, 1993.
崔光男, 「중국의 造船術 연구」『한국상고사학보』 2, 1989.
崔相哲, 「21C 東北亞경제권과 국가경영」『21C 한국사회의 조망』, 미래학회, 1995.
동북아경제연구회 · 북방경제학회, 『黃海시대의 서남권 개발전략』, 목포상공회의소, 1995.
Hugh R. Clark, 「韓半島와 南中國 간의 무역과 국가 관계」『장보고 해양경영사 연구』, 이진출판사, 1993.
E. O. Reischauer, *Ennin's Travels in Tang China*, New York : The Ronald Press Co., 1995.

통일신라시대 해외교통 술요(術要)

쥬 장(朱江)

머리말

삼국시대의 백제와 고구려가 당(唐) 고종(高宗) 용삭(龍朔) 3년(663), 건봉(乾封) 3년(668)의 잇따른 나당연합군에 의해 멸망하면서 결국 신라가 한반도 지역의 대부분의 지역을 통일하고 통일신라를 건립하였다. 나아가 신라는 국내를 정비하고 대외적으로 친선을 도모하여 한반도 역사상 유례 없는 전성기를 맞이하였다. 이에 따라 해외무역이 빠르게 발전하여 신라와 당, 일본과의 무역이 최고조에 달하였다. 그 중 당과의 '조공무역'과 '민간무역'은 신라 무역의 최대의 동반자 관계를 형성하였으며, 거대한 상품통상은 나·당 간의 상업경제발전 촉진에 커다란 작용을 하였다.

---

* 중국 揚州大學 교수

Ⅰ. 신라의 해상항로

신라는 한반도를 통일한 이후 왕도를 경주에 정하고, 한산주(漢山州 : 지금의 충청북도 충주)에 중원소경을, 수약주(首若州 : 지금의 강원도 원주)에 북원소경을, 삽량주(歃良州 : 현재 경상남도 김해)에 금관소경을, 웅천주(熊川州 : 지금의 충청북도 청주)에 서원소경을, 완산주(完山州 : 현재의 전라북도 남원)에 남원소경을 설치하는 등 5소경을 설치하였다. 이후 다시 왕조통치를 강화하고, 해상교통의 관활을 강화하기 위하여 지금의 전라남도 완도(莞島)에 청해진을 설립하였다. 경상남도 부산 북쪽 낙동강의 바다 입구에 위치한 금관소경의 경우 일본으로 가는 해상항로의 출발항임과 동시에 귀항항이었다. 또한 제주도와 바다를 사이에 두고 바라보는 쪽에 있었던 청해진은 신라와 당, 일본 간의 해상교통의 요충지로 바다와 바닷길 장악에 중요한 역할을 하였다.

신라의 대당(對唐) 해상교통로는 주요한 노선이 두 개가 있었다. 하나는 한반도의 서쪽 해안의 한강 입구에서부터 시작하여 황해의 약 2500여 해리를 가로질러 중국의 등주(登州) 문등현(文登縣)의 성산두(成山頭)에 도착하는 길로, 이후에 산동반도(山東半島)의 밀주(密州)와 강소(江蘇) 동부의 해주(海州)를 따라 내려가 초주(楚州)까지 이어진다. 또 한 길은 한반도의 서남쪽 영암군의 바다 입구에서 흑산도를 거쳐, 황해의 약 570해리를 건너, 중국의 밀주의 대주산(大珠山)에 도착하는 길로, 이후에 남쪽으로 내려가 해주, 초주 등의 근해지역을 운항하거나, 혹은 양주(揚州)로부터 회남(淮南) 운하를 통과하거나, 혹은 명주(明州)로부터 방향을 바꾸어 강남운하를 타고, 회남운하로 들어가 회수(淮水), 사수(泗水)를 따라가서 변수(卞水)로 들어가 동도(東都)인 낙양에 도착하거나 장안(長安)으로 가는 방법이 있다.

그러나 신라왕조 268년(668~935) 전 기간 동안 신라 견당사선(遣唐使船)과 상선(商船)은 대부분 한반도 서해안의 한강이나 금강 입구의 바다 입구로부터 황해를 건너 중국의 등주에 도착하였다. 이후에 밀주, 해주 해안을 따라가서 초주 산양현(山陽縣)에 도착하거나 혹은 강 하나 사이의 사주 연수현(漣水縣)에 도착한다. 다시 남북 대운하를 따라가거나 혹은 북쪽 경기지역으로 올라가 조공을 하거나 혹은 남쪽 양주로 내려가 무역을 하였으며, 많지는 않지만 어떤 경우는 바다를 건너와 직접 중국의 명주까지 항해하기도 하였다.『구당서 舊唐書』신라전에 당 원화(元和) 11년(816) "신라에 기근이 발생하여, 그 나라 백성 약 170인이 바다를 건너와 절강(浙江) 동부에서 식량을 구했다"라고 기재되어 있다.

신라의 서해안 한강이나 금강의 입구로부터 황해를 건너 중국의 하남도(河南道)의 등주와 밀주, 해주로부터 회남도(淮南道)의 초주나 양주로 항해하는 경우는 중국의 당조(唐朝) 사료에 많은 기록이 있다. 예를 들면『구당서』신라전의 회남절도사(淮南節度使) 이용첩(李鄘牒)의 조정에 대한 보고에 의하면 원화 11년 신라왕자 김사신(金士信)이 당의 회남 초주지역에 항해하여 왔다고 기록되어 있다. 이와 같은 종류의 당조 사료상 보이는 신라 견당사의 왕래는 당 고조(高祖) 무덕(無德) 4년(621)에 시작하여 희종(僖宗) 중화(中和) 4년에 그치는데, 이것을 양당서(兩唐書) 신라전에서는 "이후로부터 조공이 끊이지 않았다"라고 묘사하고 있다.

신라로부터 당에 이르는 이 해상노선은 신라와 당의 상선들이 왕래하던 노선이기도 하였다. 예를 들어 일본 청익승(請益僧) 엔닌(円仁)이 쓴 『입당구법순례행기 入唐求法巡禮行記』에 의하면, 당 개성(開成) 4년(834) 3월 29일, (엔닌이) 초주에서 출해할 때 신라의 상선과 마주쳤는데, "배에는 목탄이 실려 있었고, 밀주로부터 출발하여 초주를 향해 가고 있었으며", 배 안에는 신라인 수십 명이 있었다고 기재되어 있다. 이와 같은 종류의 기재는 『입당구법순례행기』 등의 책에도 많이 나타나는데 이것은 모두 해상로의 번영을 설명해 주는 것으로 볼 수 있다.

신라의 대일 해상교역 노선 중 주요한 것은 두 가지가 있다. 하나는 지금의 전라남도 진도로부터 바다를 건너 제주도(옛 탐라국)에 가서 일본의 대마도로 항해하는 것으로, 일기도(壹岐島)를 거쳐, 지구젠 국(筑前國)에 도착하여, 다자이후(太宰府)에 들어가는 길이다. 다른 하나는 지금의 경상남도 동래 혹은 김해에서 출발하여 일본의 대마도, 일기를 거쳐 마쓰라(末盧)에 도착하여 육지에 오르거나 혹은 이토(伊都)로부터 육지에 올라 다자이후에 도착하는 길이다. 『일본서기 日本書紀』와 『속일본기 續日本紀』의 여러 가지 기록에 의하면, 일본과 신라 양국은 모두 일찍이 당(唐) 무후(武后) 성력(聖曆) 원년(698), 장안(長安) 3년(703)부터, 선종(宣宗) 대중년간(大中年間 : 847~859)과 의종(懿宗) 함통년간(咸通年間 : 860~874)까지 사절단을 파견하여 통상을 전개하였고, 신라는 일찍이 '회역사(回易使)'까지 파견하여 통상을 전개하였다. 그러나 일본이 신라의 동해연안을 침범하는 사건이 발생하곤 하여 양국은 정상적인 교역을 중단하기도 하였지만 그럼에도 불구하고 양국의 민간의 해상교통은 항상 서로 왕래가 있었다.

결론적으로 볼 때 만약 신라의 대당·대일본의 해상무역 경로를 연결시켜 본다면 이것은 곧 한·중·일 삼국의 중세기의 해상교통의 통로가 된다고 볼 수 있다.

Ⅱ. 신라의 해상운수

통일신라시대의 해운 사업은 대내적으로 내하(內河)의 수상운수뿐만 아니라 동·남·서 삼해의 해상운수도 왕성하게 발전하였다. 대외 운수 방면은 서해의 당조(唐朝)와의 해운 이외에, 동해에서 일본과 상품교역을 진행하였다. 『일본서기』와 『속일본기』를 인용한 『조신통사』에 의하면 "일본의 이와 같은 지방에서 신라 상인들은 신라에서 생산된 진귀한 사치품이나 각종 일용품, 혹은 일부의 당조 물품을 이용하여 왜국의 잠사(蠶絲)와 교환하여 돌아갔다"고 기재되어 있다. 그 규모의 크기는 일찍이 일본의 쇼토쿠(稱德) 천황 진고케이운(神護景云) 2년에 대신이 명을 받고 7,500톤의 잠사를 신라와 교역하였다는 데서 알 수 있다. 이것은 상당히 대규모의 해상운수 사업으로, 상당한 규모의 조선업과 운수업의 도움이 반드시 필요한 것이었다. 따라서 통일신라시대는 상당히 많은 민간조선업뿐만 아니라 상당히 거대한 국가가 경영하는 조선장이 있었으며, "위는 띠로 덮고, 아래는 문과 창을 만들고, 주위는 철망을 만들어 횡목으로 서로 연결하여 밖으로 내보내 목책(木柵)으로 삼고, 그 면은 넓어서 끝까지 닿으며, 판책(板簀 : 널빤지로 된 平床살)을 쓰지 않고 다만 전목(全木)을 바로잡거나 휘어 굽혀 서로 비교하여 못질을 한다. 앞에는 정륜(碇輪 : 닻의 바퀴)이 있고, 위에 큰 담장(칸막이)을 두고 돛 20여 폭을 갖춘" 정도의 견당사절관선(遣唐使節官船)은 항로가 이웃의 당과 일본의 동방해상사로(東方海上絲路)를 운행하였다.

화물과 여객을 동시에 실을 수 있는 운수선도 있었다. 일본견당사가 이러한 신라 해상운수선을 빌려 썼을 뿐만 아니라, 더욱 많은 일본 상인, 혹은 일본 입당(入唐) 혹은 입신라(入新羅)의 유학생, 학문승 등이 신라 해상운수선에 탑승했다. 일본 학자 기미야 야스히코(木宮泰彦)의 통계에 의하면, 당(唐) 문종(文宗) 개성(開成) 4년, 즉 일본 닌묘(仁明) 천황 조와(承和) 6년(839)에 일본 제18차 견당대사(遣唐大使) 후지와라노 쓰네쓰구(藤原常嗣)가 당조의 회남도 초주로부터 일본으로 돌아갈 때, 일차적으로 신라 해선 9척을 빌렸고, 해로에 익숙한 신라의 선원 60여 인을 고용하였다. 이와 같은 예를 통해 볼 때, 당시 신라의 해상운수업이 얼마 만큼 발달했는가를 알 수 있다.

한편 당시 중국 양주에는 6개의 커다란 국가가 경영하는 조선장이 있고, 초주의 바다 입구에 대규모 해선이 집중되어 있었다. 여기서 만들어진 해선은 『구당서 舊唐書』 최융전(崔融傳)에 의하면,

> 천하의 여러 진은 주선(舟船)이 모이는 곳이다. 옆으로는 파촉(巴蜀)과 통하며 앞으로 가는 (배는) 민월(閩越)을 향한다. 일곱 연못과 열 늪, 세 강과 다섯 호수가 황하와 낙수(洛水) 유역을 견제하고, 회수(淮水)와 바다를 포괄하면서 (교역한다). 가함(舸艦)과 같은 큰 배가 천축(千舳)[1] 만소(萬艘)[2]나 된다. 교역을

하고 (배가) 나가고 들어오는 것이 동틀 무렵의 아침부터 하루 종일 이어진다.

그러나, 이와 같이 당의 수운과 조선으로 유명한 당시의 회남도의 초주와 하남도(河南道)의 등주 지역까지도 결코 신라의 해외항운업을 대치하지는 못하였다. 그 곳들도 신라의 해상운수선대 만큼 배를 보유하지 못했을 뿐만 아니라 신라인이 만든 배의 선장(船場)은 당의 동남연해항운을 형성하였기 때문에 당의 대한반도와 대일본의 해상교통의 중요한 보완적 역할을 하여 통일신라가 해상교통 사업 발달의 거대한 역사적 업적을 달성할 수 있게 되었다.

Ⅲ. 신라의 해상선원

통일신라시대 해상운수업에 종사하던 신라 선원은 한・중・일 삼국의 중세기 역사서의 기록에 의하면 이미 거의 모든 신라의 동남서해안과 당의 하남도의 등주, 회남도의 초주와 강남도(江南道)의 명주(明州), 그리고 일본의 대마도, 히젠(肥前)의 가시마(鹿島), 마쓰우라(松浦)와 지쿠젠(築前)의 하카다 진(博多津) 등 통상항구에 퍼져 있었다. 『일본서기』와 『속일본기』, 그리고 『입당구법순례행기』 등의 기록에 의하면 일본 사이메이(齊明) 천황 4년(658) 학문승 지쓰(智通) 일행이 신라 해선을 타고 당에 들어가 구법을 한 것을 시작으로 하여, 청익승(請益僧) 엔닌 등 14명

1) 배의 크기를 나타내는 단위.

2) 배를 세는 단위.

이 신라배를 타고 일본으로 귀국하는 닌묘(仁明) 천황 조와(承和) 14년(846)에 이르기까지의 180여 년 간 사이에 신라 선원이 신라선을 운행하여 바다를 건넌 기록이 자주 등장한다. 신라 해상 선원에 대한 비교적 상세한 기록은 엔닌이 쓴 네 권으로 된 『입당구법순례행기』에서 찾아볼 수 있다. 이 책 제1권의 당조 개성(開成) 4년(839, 일본 承和 6) 3월 17일 기사에 의하면,

> 9척의 배(艘船)를 [遣唐] 관인(官人)에게 분배하고, 각 뱃머리에서 명령을 하도록 하였다. 본국의 선원 이외에 해로에 익숙한 신라인 16여 인을 고용하여, 매척의 배마다 7인, 혹은 6인, 혹은 5인을 분배하여 항해를 이끌도록 했다.

라고 하고 있다. 또한 3월 25일 기사에는

> 첫번째 배의 신라 선원과 조타수가 하선하였다가 돌아오지 않아 이로 인해 모든 선박이 묶여 출발할 수가 없었다.

라고 기록되어 있다. 또한 4월 1일 기사에는,

> 신라 선원이 말하기를 "지금부터 하루를 북행하면 밀주 관내에 도착하고, 그 동안(東岸)에는 대주산(大珠山)이 있다. 지금 남풍을 타면, 그 산에 도착하여 배를 수리할 수 있고, 그 곳으로부터 바다를 건너면 충분히 무사히 [신라 국경에 도착할 수 있다]."

라고 기록되어 있다. 엔닌 화상은 또한 일찍이 당조 개성 3년(838, 일본 承和 5) 6월 28일 기사에서,

견당대사(遣唐大使)가 바다빛이 옅은 녹색으로 변한 것을 매우 괴이하게 여겼다. 신라의 통역사 김정남(金正南)이 말하기를 "양주 굴항(堀港) 해역은 통과하기 어렵다고 들었는데, 지금 바다빛이 점점 묽어지니, 이미 굴항을 지나지 않았는가 생각한다."

라고 기록하고 있다. 이상의 항해 일기를 종합해 보면 아래 세 가지 사항을 알 수 있다. 첫째로, 신라의 선원들은 당의 회남의 초주로부터 일본의 북로(北路) 지쿠젠 하카다 진에 이르는 뱃길에 익숙하였으며, 일본의 지쿠시(築紫)의 시가 섬(志賀島)으로부터 동해를 건너 당의 양주 굴항에 도착하는 남로항로에도 익숙하며, 심지어 연해지역의 바다물 색깔의 변화까지도 식별할 정도였다.

둘째는 신라의 조타수는 쉽게 말하여 배 위에서 배를 장악하고 있는 선원이었다. 중국의 『사해 辭海』에서뿐만 아니라 일본의 『왜명초 倭名抄』에서도 '초공(梢公)'은 '타(舵), 즉 배를 운행하는 기술'로, 뱃사람을 부르는 협초(挾杪)는 타사(舵師)의 뜻으로 즉 항해의 방향을 파악하고 항로에 익숙한 사람이다. 따라서 초공이 배를 내리지 않으면 배는 항해할 수가 없게 된다.

세번째는 신라의 선주들은 대규모의 조타수들과 노젓는 사람, 상앗대질을 잘 하는 사람 등 항해기술을 지닌 선원을 고용하고 있었을 뿐만 아니라 선박을 정착시킬 수 있는 정해진 부두와 선박을 고칠 수 있는 장소, 그리고 당연히 그에 부수되는 선박을 수리하고 제조하는 기술자를 고용하고 있었다.

이상의 분석을 통해 볼 때, 통일신라시대의 항해술의 발달은 대규모의 항해선원의 고용과 불가분의 관계에 있다. 신라의 대규모 조선기술자와 항해선원의 고용은 바다와 장기간 결합된 한국인의 생활과 뗄 수 없는 것으로, 중국의 『후한서 後漢書』 동이전에 아래와 같은 두 가지 기록이 있다.

① 읍루인(挹婁人)은 배를 타고 노략질하기를 좋아한다. 북옥저인은 그것을 두려워하여 매 여름에는 번번이 석굴 속에 숨어 생활한다. 겨울이 되면 뱃길이 통하지 않기 때문에 석굴에서 내려와 읍락에 거주한다. 북옥저는 고구려 주변의 소국으로, 즉 지금의 함경북도이며 동쪽은 동해와 접해 있었다.

② 마한의 섬들 중에 주호국(州胡國)이 있는데, 그 곳 사람들은 우시(牛豕) 기르기를 좋아하고, 배를 타고 왕래하며, 재화를 십힌 가운데시 교환힌다. 화시(貨市)는 그 경계가 서쪽으로 황해에 접해 바다 가운데 있어 배가 없이는 왕래할 수 없다.

이외에도 삼한과 고구려, 백제, 신라국 등의 전기(傳記) 중에는 자주 해운과 해전(海戰)에 대해 언급하고 있다. 이것을 통해 볼 때, 한국인의 생활은 이미 바다와는 불가분의 관계에 있으며, 따라서 통일신라시대의 해운업이 융성할 수 있었다.

Ⅳ. 장보고의 바다경영

장보고는 신라 무주(無州 : 지금의 광주) 완도 사람으로, 건운왕(乾運王) 11년(777)[3)]에 태어나 30세(중흥왕 9)에 정년과 함께 신라에서 바다를 건너 당의 하남도 밀주에서 내려 해주(海州)에서 육로로 서주에 도착했다.

『신당서』 신라전에 의하면,

> (신라) 장보고와 정년은 모두 싸움을 잘 하고, 창 쓰는 법에 익숙하다. 정년은 또 능히 바다 속으로 잠수해 들어가 걸어서 50리를 가도 숨이 막히지 않았다. 그 용감하고 건장함을 비교하자면 장보고는 정년에 미치지 못하였다. 그러나 정년은 장보고를 형이라 칭하였다. 왜냐하면 장보고는 연령이 많고(정년보다 10세), 정년은 기예가 보고보다 우위라, 두 사람은 늘 막상막하여서 서로 지기 싫어하였으며, 모두 자기 나라로부터 서주(徐州)로 와서 모두 무녕군(武寧軍) 소장(小將)이 되었다.

당시 무녕군 관할에는 서(徐)·호(濠)·사(泗) 3주가 있었다. 사주(泗州)의 연수술(連水戌)과 회남절도사 관할의 초주 산양현(山陽縣)은 회남·북으로 간격을 두고 위치하여, 회주(淮州)를 다스리는 위치와 바다의 길목을 장악하고 있어 신라와 일본과 교통의 중요한 항구가 되었다.

장보고는 대략 당 문종 대화(大和) 2년(828) 이전에 신라로 돌아가서 오래지 않아 빠른 출세를 하게 된다. 그러나 정년은 연수술에 남는다. 그가 술주(戌主) 풍원규(馮元規)에게 "신라로 돌아가 장보고에게 걸식하고 싶다"고 말하자 그는 "만약 네가 보고와 비교해 볼 때 맡을 직책이 어떠하겠느냐? 어찌하여 장보고의 수중에서 죽으려 하느냐?"고 (계속 머물기를) 권유하자, 정년은

3) 이 연대는 중국 문헌에서 본 바 있으나 추후에 밝히고자 한다.

"여기서 기아·추위로 죽는 것은 병사로서 죽는 것만 못하고, 하물며 또한 고향에서 죽는다면야!"라고 대답한다. 정년은 당 문종 개성(開成) 3년(838)에 회남에서 바다로 북로를 따라 신라로 돌아가 청해진수대사(淸海鎭守大使) 장보고에게 투신한다. 장보고는 그에게 병사를 이끌고 반란을 평정할 것을 명령하였고, 왕은 즉각 보답하여 "장보고를 승상으로 삼고, 정년에게 청해를 대신 지키게 하고 관직으로서 대사를 주어" 요직에 이르게 된다.

『중국통사』 당조여사방제국(唐朝與四方諸國)에 의하면,

> 장보고는 귀국 후 국왕에게 "중국 전역에는 신라 노비가 있으니, 나로 하여금 청해를 수비하게 하여, 사람을 노략질해 가는 도적들이 출국을 하지 못하도록 해 달라"고 간청했다. 신라국왕(景徵王)은 1만을 주어 청해를 지키도록 하였으며, 이것으로 당소 대화(827~835) 이후 해상의 인신매매가 사라지게 되었다.
>
> 장보고와 정년은 신라의 민중을 보호하기 위하여, 사사로운 원한을 버리고 힘을 합쳐 사람의 매매를 금지시키고, (해로의 안정을 보존함으로써), 부끄럽지 않은 신라의 영웅이 되었다.

그러나 당조 중서사인(中書舍人) 두목(杜牧)이 장보고와 정년이 전향한 의도는 오히려 장보고가 정년이 궁핍하여 투항해 왔을 때 사사로운 원한을 고려하지 않고, 그를 정성으로 대하고 환영한 것에 있었다고 보고 있다. 아울러, "정년에게 (병사) 5천을 주고" 반란을 평정하게 하고, "우징(祐徵)의 즉위 즉 신무왕을 만드는" 치적을 세우기도 하였다. 이로 인해, 북송 한림학사 구양수(歐陽修)는

> 아! 원한을 서로 쌓지 않고 먼저 국가를 걱정한 것은, 진에는 기해(祁奚)가 있고, 당(唐)에는 분양이 있으며, (신라에는) 장보고가 있는데, 누가 동이(東夷)에는 인재가 없다고 말할 수 있겠는가? 보고와 분양의 현명함이 서로 같다는 것을 알겠다.

라고 찬양하고 있다. 그러나 장보고의 위업은 이에 그치지 않는다. 『조선통사』 통일신라 부분에 의하면,

> 신라 봉건정부는 대외무역의 한 걸음 더 나아간 발전과 상인의 안전(과 해로소통)을 위하여, 마침내 828년(언승왕 17)에 청해진(현재의 전라남도 완도)을 설치하고, 장보고를 청해진대사로 임명하였다. 장보고는 본래 청해진의 평민 출신으로, 대내외무역에 종사한 이후 더 나아가 해상무역의 대권을 장악하였다. 동시에 정치상으로도 커다란 권력을 장악하여, 청해진에 해상무역의 중심을 설치하고, 아울러 강대한 무장력을 확보하였다. 이로써 청해진은 당과 일본과의 무역에 있어 매우 큰 역할을 하였다.

이것을 통해 볼 때, 장보고는 통일신라시대 해양경영사상 주목할 만한 성과와 결코 소멸되지 않을 공적을 세웠다.

Ⅴ. 신라의 해외무역

통일신라시대의 해외무역은 기본적으로 두 가지 방식으로 추론해 볼 수 있다. 하나는 조공형식으로 나타난 호시(互市)로 조

공을 온 사람은 '방물(方物)'을 헌납하고, 조공을 받은 쪽은 예물을 준다. '방물'은 토산으로 중국의 『서경 書經』 여오편(旅獒篇)에 이미 "먼 곳, 가까운 곳 할 것 없이 모두 그들 고장의 산물을 헌납했다"고 기재되어 있다.

신라의 대당 조공토산물은 『구당서』 신라전 당 고조 무덕(武德) 4년(621)조의 기재에 의하면, 신라 진평왕이 "사절을 보내 조공"하였는데, 이에 고조 이연(李淵)은 사절을 보내 보답하고 "새서(璽書)와 화병풍, 그리고 면사(綿絲) 3백 단을 하사했다." 비록 신라가 어떤 종류의 '토산물'을 보냈는지 기록은 없지만 대종(代宗) 대력(大歷) 8년(773)조의 기재에 의하면 신라 건운왕(乾運王)은 "사절을 보내 조공하고, 아울러 금·은·우황과 어아주(魚牙紬)·조하주(朝霞紬) 등의 물품을 헌납했다"고 되어 있다.

『신당서』 신라전 당 현종(玄宗) 개원년간(開元年間)의 기재에 의하면 신라 홍광왕(興光王)은 사신을 보내 "수차례 입조하고, 과하마(果下馬)·조하주·어아주(魚牙紬)·바다표범가죽 등을 헌납하고" 또한 "이구마(異狗馬)·황금·미체(美髢) 등의 물건"을 헌납했다. 현종 이융기(李隆器)는 이에 "서문금(瑞文錦)·오색라(五色羅)·자수문포(紫綉紋袍)·금은으로 정제된 기명(器皿)을 하사했다."

신라는 당조에 방물을 조공하는 것 이외에 계집아이를 바쳤다. 『구당서』 신라전 태종(太宗) 정관(貞觀) 5년조에 의하면,

> 당 정관 5년에 신라 진평왕은 사신을 보내 여락(女樂) 두 명을 바쳤는데 모두 머리결이 검고 아름다웠다. 태종이 시신(侍臣)에게 말하기를 "짐은 음악과 여색의 즐거움은 훌륭한 덕보다는

못하다고 들었다. 또한 산천이 멀리 떨어져 있으면 고향을 그리워한다는 것을 알 수 있으니, 근일 임읍국(林邑國)에서 헌상한 흰앵무새조차도 고향 생각을 풀고자 귀국을 하소연하고 있다. 짐승마저 이러한데 하물며 사람의 마음이야 오죽하랴? 짐은 그들이 먼 곳으로부터 와서 틀림없이 친척을 그리워할 것을 불쌍히 여기니, 마땅히 신라 사신에게 맡겨 그들을 귀가시켜 주고자 한다."

이 일은 이렇게 마무리되었지만 계집아이를 바치는 일은 이후에도 그치지 않았다. 당 현종 개원년간에 신라 홍강왕은 "다시 두 여자를 바쳤다." 현종은 "(이들) 여자는 모두 왕고(王姑)[4]의 자매라 본래 풍속에 위배됨이 있고 멀리 친한 바가 따로 있으니 짐은 차마 남겨 두지 못한다"고 한 것에 느끼는 바가 있어 이에 신라로 "후사하여 돌려보냈다."

이상을 통해 볼 때, 관방의 조공 중에는 진귀한 동물, 이수(異獸), 진귀한 보석, 향약, 비단, 금은, 화폐, 그리고 심지어 계집아이와 기술자 등 희귀하고 귀하여 가치를 계산할 수 없는 것들이었다. 『조선통사』(연변판)에서 말하듯 신라 사절은 매번 당에 올 때마다 많은 예품을 가져왔고, 이에 당에서는 '사물(賜物)'을 함으로써 예를 다하였다. 당의 사절이 신라에 갈 때에도 역시 예물을 교환하였다.

이러한 예물은 실제로는 상품이다. 예품의 교환은 실제상은 양국 국정과 정부 간에 진행된 국가무역이었다. 『통일신라동당조적관계 統一新羅同唐朝的官階』에서는 『삼국사기』와 기타 일부 문

---

4) 祖父의 자매.

건을 근거로 신라와 당의 조공무역의 예품을 다음과 같이 열거하고 있다.

① 신라가 당에 수출한 물품은 조하주·조하면··어아면·어아주·30승의 저사(紵絲 : 모시사)·단(緞 : 비단)·용초(龍稍)·포(布) 등의 직물과 금·은·동 등 금속, 그리고 금채두(金釵頭 : 금 비녀머리)·응금쇄족(鷹金鏁鏃 : 매 모양의 금을 녹여 만든 화살촉)·금화은침통(金花銀針筒)·금은불상(金銀佛像) 등 공예품, 뿐만 아니라 인삼·우황·복령 등 약재가 있었다. 이 밖에도 말·소 등 희생용 가축과 호랑이·해구 등의 모피가 있었다.

② 당이 신라에 수출한 물품은 면채·능채(綾彩)·오색능채(五色綾彩)·능라(綾羅)와 서문금(瑞文錦)·견·백(帛) 등의 직물과 금포(錦袍)·자포(紫袍)·자라수포(紫羅綉袍 : 자주빛 비단의 수놓은 웃옷)·압금선수라군의(押金線綉羅裙衣 : 금선을 눌러박은 수라로 된 치마)와 금대(金帶) 등의 복장, 그리고 금기·은기·동경과 금은세기 등 공예품이 있었다. 이 밖에도 불경·효경·역법 등 각종 서적과 자기·차·화폐 등의 물건이 있었다.

비록 이와 같은 대등하지 못한 조공호시(朝貢互市)식의 무역이 즉각적으로 민생에는 보탬이 되지 못하였지만 장기적인 안목으로 볼 때는 이 같은 관방의 조공이 물질적인 교환뿐만 아니라 문화의 교류, 그리고 쌍방의 정치적 진보, 경제발전과 문화적 번영에 말할 수 없이 커다란 장기적인 효과를 지닌 것이었다. 이로 인해 옛부터 조공무역은 쇠퇴하지 않고 발달하였다.

당연히 관방의 조공무역의 배후에는 늘 대규모 조공 사절단의 사적인 호시 무역활동이 전개되었다. 엔닌이 『입당구법순례행기』에 일본 견당사절단이 양주에서 체류할 때 청익승과 학문생 등이 진행한 이면적인 무역에 대해서 기술해 놓고 있다.

① 개성(開成) 3년(838) 10월 14일에 사금(砂金) 대2냥(大二兩)을 양주의 시두(市頭)에서 교역하도록 하니 시두에서 1대냥 7전(一大兩七錢)으로 쳐 주었다. 7전은 대2분 반(大二分半)에 해당하고, 총 9400문에 해당한다. 또 흰비단 2필을 사고 이관(2000문)을 지불했다.

② 개성 4년(839) 2월 8일, 장관 시라토리 세이레이(白鳥淸嶺)·조레이(長嶺)가 유학생 4인과 함께 향약 등의 물건을 사기 위하여 배에서 내려 시장으로 갔다.

③ 개성 4년 2월 21일, 대사 아와타 이에쓰구(粟田家繼)가 전날에 물건을 사기 위해 배에서 내려 시(市)로 가서 잡혀 포승에 묶이게 되었다.

이를 종합하여 일본학자 기미야 야스히코는 그가 편찬한 『견당사무역 遣唐使貿易』에서 "견당사 일행이 당에서 사서 가져간 물품은 결코 적지 않았다"고 말하고 있다. 아울러 사절단원은 "귀국을 할 때 심지어 당의 국법을 위배해 가면서까지 당의 물건을 구매해 갔다. 따라서 견당사는 매번 귀국할 때 많은 물건을 가지고 돌아왔다." 아울러 일본의 『속일본후기 續日本後紀』 조와(承和) 6년(839) 8월 갑술(甲戌)과 10월 계유조(癸酉條)에 의하면 "견당대사 후지와라(藤原)가 히젠 국(肥前國) 이쿠쓰키 섬(生屬島)으로 돌아올 때, 일본 조정은 특별히 검교사(檢校使)를 파견하여 육로로부터 예물과 약품 등의 물건을 받아 운송한 후 건예문(建禮門) 앞에서 세 개의 장봉(帳篷 : 휘장과 수레 따위를 덮는 덮개)을 걸어 세워 궁시(宮市)라고 칭하고 신하들에게 당의 잡화를 입찰해서 팔았다." 이와 같은 조공무역은 신라와 당, 신라와 일본, 그리고 일본과 당, 일본과 신라, 뿐만 아니라 당과 신라, 일본의 사절단 왕래에서 명백히 존재하였던 관방무역으로 서로 간의 문화교류와 발전에 직·간접적으로 커다란 작용을 하였다.

조공무역 외에 또 한 종류의 무역은 민간의 호시(互市)무역이다. 통일신라시기와 당의 민간무역에 있어서 당과 신라의 해상교통의 주요한 항구는 하남도 등주의 문등현(文登縣), 회남도 초주의 산양현과 같이 특히 신라인들이 집중적으로 거주하고 있는 항구로, 신라와 당의 민간무역이 집중적으로 이 도시들에서 일어났다. 가장 큰 상품의 교역지 중의 하나는 당의 동남 최대의 상업도시 양주로, 동서양 국제무역의 도시라고 볼 수 있으며, 진귀한 보물과 향료, 약초와 비단, 도자기, 차, 동기, 복장, 심지어 선박에 이르기까지 매매되었다. 또한 이 곳은 대식(大食), 파사(波斯), 신라인들이 가장 집중되어 있었던 시장으로, 집중거주지인 '파사장(波斯莊)'과 '신라방', 화물집하장인 '저(邸)' 등을 집중적으로 설치하고, 화물판매장소인 '점(店)'을 열었을 뿐만 아니라 '십리장가(十里長街)'라는 야시 거리까지 설치하였다. 근년의 고고발굴 중에 이미 아랍의 유리그릇, 파사인의 녹유(綠釉)도기, 신라에서 만들어진 청자기, 일본의 수우각료(水牛角料) 등이 발굴되었다.

또한 엔닌의 『입당구법순례행기』에 신라인이 배를 이용하여 목탄을 밀주로부터 운반하여 와서 초주에서 판매한 기록이 있다. 비록 이러한 기록이 다소 가볍게 쓰여졌다고 볼 수 있지만, 그러나 실제적으로도 사람을 놀라게 하는 점이 있는 것 또한 사실이다. 신라인이 만들고 운반하여 판매한 목탄은 당의 동부 연해지역과 심지어 양경(兩京)의 시장까지 점거하였다. 왜냐하면 목탄은 잘 타고 연기가 없어, 부자집의 찻물이나 연회음식을 만드는 데 최고로 좋은 연료였을 뿐만 아니라 겨울에 난방용으로 제일 좋은 연료였기 때문이다. 근대까지 회남·북 중심의 회양(淮陽)은 목탄의 집산지인데 이는 신라 목탄시장이 계승되어 온 것으로 밖에 볼 수 없다. 당대 어떤 해 겨울, 추위가 극심하였으나 궁중의 난방용 목탄은 화력이 좋지 않아 신라인이 운반해 온 목탄으로 해결한 경우까지도 나타나게 된다.

목탄은 『사해 辭海』 목부(木部)의 해석에 의하면 "강한 열을 얻기 위하여 목재를 밀폐하여 만든 무정형의 탄이다. 이런 종류의 탄은 목재의 산수소 성분이 빠져 나옴으로 해서 생긴 작은 구멍이 많고 기체를 흡수하는 힘이 매우 강하여, 물 속에 포함되어 있는 유기물을 흡수할 수 있다. 연료로 사용하는 것 이외에 공기와 물을 정화하는 데 사용할 수 있다"고 되어 있다. 그러나 중세기에는 연료로서 주로 사용하였다. 상등품은 나무의 몸체를 태워 만들며 큰 크기로 자르는데, 두드리면 금속성이 나서 강탄이라고 부른다. 또한 대나무 바구니에 담아 배에 싣고 운반하여 정량씩 판매한다. 목탄의 찌꺼기는 압력을 가해 눌러 둥근 모양으로 만든다. 겨울에 오래 쓸 수 있는 난로의 연료로 사용하는 것 이외에 요리를 하는 데 사용하였다.

이것을 통해 볼 때 엔닌 화상이 『입당구법순례행기』에 기재한 신라탄선은 결코 초주에 한정되어 활동한 것이 아니라 내륙의 수운을 이용하여 경기로 북상하거나 양주로 남하하여 판매를 하였으며, 이것은 이와 같은 연료시장과 판매량이 컸음을 설명한다.

양주의 당대 문화 유적에서 비록 단지 신라의 청자파편만 출토되지만 그 출토의 의의는 매우 크다. 왜냐하면 지금까지 '고려청자'는 알고 있었지만 '신라청자'는 알지 못하였기 때문이다. 북경(北京)의 『문적보 文摘報』 제765기에 발췌 인용된 당성황(唐星皇)이 쓴 『중국도자기예대조선요업적중대영향 中國陶瓷技藝對朝鮮窯業的重大影響』에서는 "신라통일 시기 신라는 당의 당삼채(唐三彩)와 성월요청자(城越窯靑瓷)를 원본으로 삼아 신라삼채와 신라소(新羅燒)를 만들었는데 이것은 이후의 조선 도자업의 발전의 심후한 기초를 닦았다"라고 하고 있다. 뿐만 아니라 통일신라시대의 도요는 전라남도 강진과 그 부근에 있었다. '신라소' 청자조각이 양주의 당대 문화유적에서 출토된 것 이외에도 보유장경병(保釉長頸甁)이 일본 도쿄(東京) 국립박물관에도 소장되어 있다.

'신라소' 청자의 특징은 "밝은 담청색 윤기를 지니고 있으며(유약을 바른 것), 문양과 제법상 신라 제도소(制陶所) 도자기 공예와 중국 남북조 도자기 간의 깊은 관계"를 보여 주며 "특히 남조와의 관계는 더욱 밀접하다"는 사실을 드러낸다. 아울러 신라의 고도 경주의 고분에서 출토된 도자기도 모두 "중국 강소(江蘇) 남경(南京)과 산서(山西) 대동(大同)에서 출토된 출토물과 매우 비슷하다." 비록 전기신라시대와 통일신라시대 도자기가 연도 구분이 불명확하기는 하지만 통일신라시대에도 확실히 청자가 존재하였고, 해외에까지도 전해졌음을 알 수 있다. 이것은 조선반도의 도자기사 연구와 해외무역사 연구에 있어서 하나의 중요한 사실이다.

신라와 당의 해상 호시무역의 물품에 대해서는 신라 한림학사 최치원이 당 광계(光啓) 2년(885) 정월에 편찬한 『계원필경집 桂

苑筆耕集』에 적지 않은 기록이 있다. 권18의 물상(物狀) 제3에,

① 해동의 사람 모양의 인삼 1구(軀), 은으로 장식한 감자성(龕子盛)[5)]

② 해동의 실심금(實心琴) 1장(張), 자릉대성(紫綾袋盛 : 자주색 비단으로 된 자루)

이 기재되어 있다. 여기서 말하는 '해동'은 '큰 바다의 동쪽'으로, 조선과 일본인들은 자주 이렇게 스스로를 일컬었다. 그러나 여기서는 신라를 가리킨다. 물상 제9에, "앞의 약물(인삼 세 근)은 해가 뜨는 곳에서 천야(즉 唐朝)로 건너왔는데, 비록 자질구레한 삼아오협(三椏五叶)으로 불리고 특이함도 없지만, 만수천산의 험준함을 거쳤으니 귀중함의 여향(餘香)[6)]이 있다"라는 기술이 있는데 이것은 구체적으로 무역품을 알 수 있는 근거 중의 하나다.

당시 회남도의 수부(首府) 양주는 산물과 상품이 풍부하여 산처럼 쌓여 있었고 그 정교함은 비할 것이 없었다. 최치원은 위의 책 제10권에 아래와 같이 기재하고 있다.

① 연옥배방요대(碾玉排方腰帶)[7)] 1개와 금어대(金魚袋) 1, 금화은합성(金花銀合盛)의 가치는 160냥에 달한다

② 은결조등롱(銀結條燈籠) 1매, 목갑성(木匣盛), 금동쇄유(金

5) 사당 안에 신주를 모셔 두는 龕室에 두는 주발.

6) 멀리서부터 찾아오는 희미한 향기.

7) 간 옥으로 장식된 허리띠.

銅鏁鑰) 등 전부

③ 금화평탈은장연대(金花平脫銀裝硯臺 : 벼루대) 1구(具 : 木匣盛, 金銅全具)

④ 금화평탈은장연갑(金花平脫銀裝硯匣 : 벼루곽)과 연기(硯幾) 1구(銀硯水甁과 함께 硯幾는 1번에 포함되어 있다)

⑤ 금화요은자리합(金花舀銀柘里合) 크고 작은 것 3구

⑥ 은접두홍아시근(銀接頭紅牙匙筋) 10쌍

⑦ 대합내성(大合內盛) 위의 [角]탁자(托子) 4개와 중합내성(中合內盛) 위에 은장채완(銀裝菜碗) 4개

⑧ 서설자(犀[角]碟子) 20개와 소합내성금화은각라배(小合內盛金花銀脚螺杯) 1개

⑨ 직성홍금격벽(織成紅錦繳壁) 2줄과 난자금(暖子錦) 3필

⑩ 피금(被錦) 2필과 서천라유협힐(西川羅維夾纈) 20필

⑪ 진홍지견협힐(眞紅地絹夾纈) 80필

뿐만 아니라 당조 건부(乾符) 6년(879)에 회남 지방에서 조정으로 '칠그릇 15,935개를 진상'하였고, 중화(中和) 4년에 어의(御衣) '직조(織造) 9678단'과 아울러 "능(綾)·견(絹)·금(錦)·은기(銀綺) 등 10만 필단을 바쳤다." 이것만 통해 보더라도 회남지역의 재화의 풍부함은 사람을 놀라게 하는 정도에 이른다는 사실을 알 수 있다. 최치원과 신라국에 들어온 회남의 사신, 검교창부원외랑(檢校倉部員外郎) 수한림랑(守翰林郎) 김인규(金仁圭) 등 일행이 초주를 출발하여 회남의 제도행영병마도통해함(諸道行營兵馬都通海艦)을 타고 신라로 돌아올 때 근고병(僅高騈)이 최치원에게 준 '행장전(行裝錢)'은 200관(貫)에 달했으며, 또한 '신라국입회해사록사(新羅國入淮海使錄事)'로서의 최치원에게 준

예금(禮金)은 30관이 넘었다. 당대는 1,000전이 1관에 해당하므로 10관은 10,000전이다. 두 가지를 합해 볼 때 230관으로, 이것은 개원통보(開元通寶) 동전 230,000개에 달할 정도로 그 액수의 크기가 놀랍다. 이것은 모두 해상 북로를 통하여 신라로 싣고 돌아갔다.

맺음말

신라의 당과 일본 주변국가의 해상무역은 이전에 볼 수 없었던 번영을 이루었으며, 통일신라에 이르면 국력은 『삼국사기』 신라본기에서 말하는 "집안은 먹고 살기가 충분했고, 민간의 거처는 편안했으며, 성내에는 근심걱정이 없었고, 곳간에는 (곡식이) 산과 구릉처럼 쌓여 있는" 상황이 출현할 정도가 된다. 통일신라시대인은 바다와 해외교통, 해상무역과 밀접한 생활을 영위하여, 국부민강(國富民强)의 상태에 이르렀으며, 문명의 성대함을 널리 떨쳤다고 볼 수 있다.

(역 김희교)

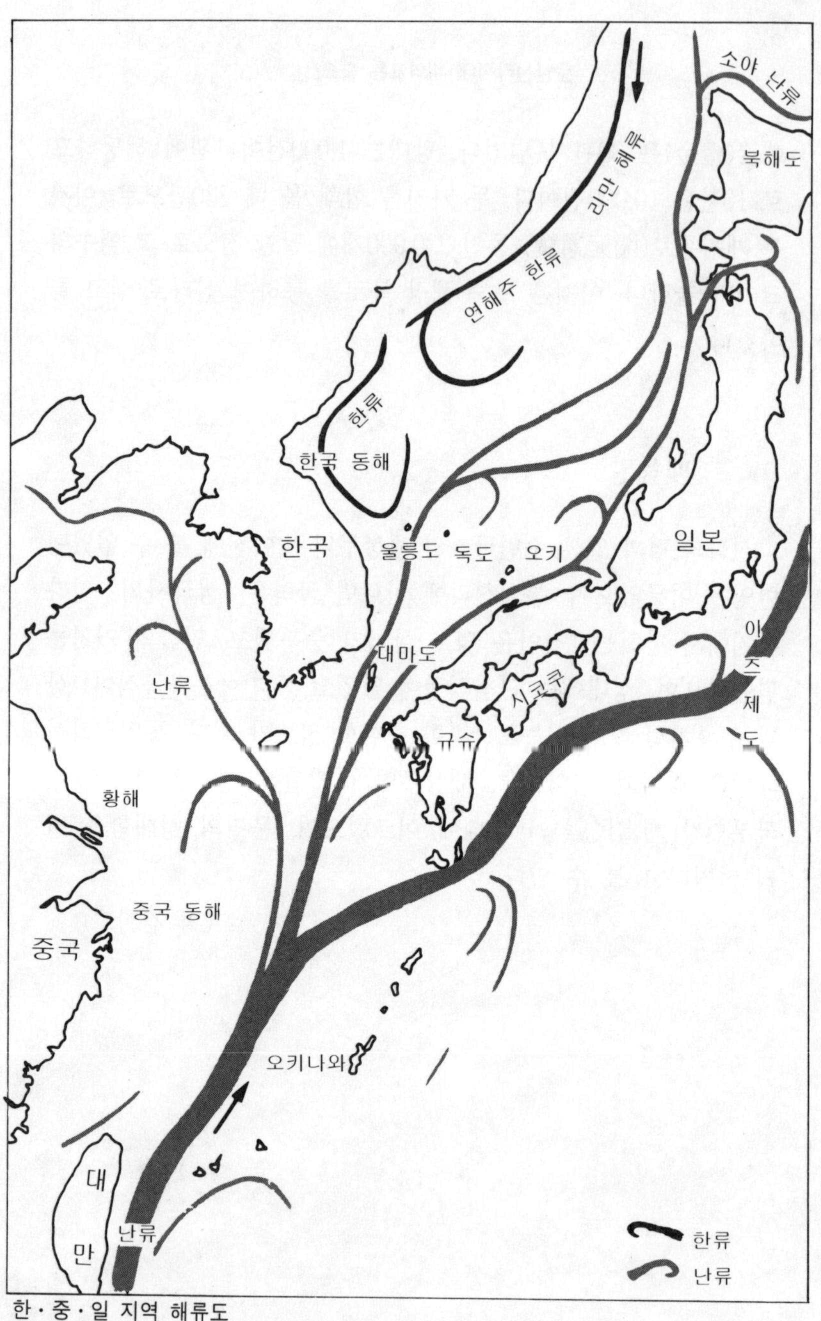
소야 난류
북해도
리만 해류
연해주 한류
한류
한국 동해
한국
울릉도
독도
오키
일본
이
즈
제
도
대마도
시코쿠
난류
규슈
황해
중국 동해
중국
오키나와
대
만
난류
한류
난류

한·중·일 지역 해류도

신라시대 한·중항로

김 정 호

Ⅰ. 선박의 발전

문화는 물결을 타고 전파되었다. 인류의 역사를 눈여겨 보면 중세 이전 서양문화는 주로 말에 실려 전파되었지만 지중해를 중심으로 살펴보면 배에 실려 전파되었음을 알 수 있다. 특히 추운 지방의 문화는 말에 실려 전파되는 경우가 많았지만 더운 지방일수록 그 문화는 배에 실려 전파된 흔적이 많다.

모든 생물은 환경에 적응해 생명을 연속시켜 왔으며 그 중에서도 인간은 역시 영장류답게 스스로 환경을 극복하기 위해 바꾸려고 노력하거나 보다 살기 좋은 환경을 찾아 이동을 거듭해 왔다. 이 과정에서 문화는 발전해 왔고 약육강식이 거듭되면서 역사가 이뤄졌던 것 같다. 특히 역사적으로 환경이 좋은 지대의 사람들보다 환경이 나쁜 지대의 사람들이 보다 나은 환경개선 의지를

---

* 전라남도 농업박물관장

자극받아, 살기 좋은 지대를 향한 침략을 계속해 왔다. 이 과정에서 인류는 전쟁을 피해 흩어지기도 하고 이동중에 뜻하지 않은 곳에 표류하여 새로운 문화를 이루어 내기도 했다.

중세 이후에는 기마(騎馬)에 의해 대륙을 중심으로 문화가 주도된 감이 있지만 어느 시대에나 문화의 교류는 물을 이용한 배에 의해 주도되어 왔고 그 역할은 미래에도 당분간 계속될 것이라 믿는다. 특히 바다로 둘러싸인 한반도는 배와 밀접하게 관련된 지정학적 운명을 지니고 있다.

인간이 최초로 물 위를 여행한 것은 뗏목(筏舟)이었을 것이고 나무를 손질할 수 있는 기술이 개발되면서 통나무배(獨木舟)가 등장했을 것이다. 좀더 기술이 발전하면서 나무판이 연구되고 이에 따라 나무판을 이용한 목판선(木板船)이 개발되었을 것이다. 이 같은 배는 이미 7천 년 전 신석기유적인 절강성(浙江省) 하모도(河姆渡) 유적에서 발굴되었다.

이 배들은 전진하는 기구로 노가 필요했을 것이고 닻이 연구되었을 것이며 키가 발명되었을 것이다.

강변을 중심으로 쓰이던 천주(川舟)가 장대(獎木) 수준을 넘어 도(棹)가 되면서 유선(流船)이 되고 바닷가 사람들은 섬과 섬을 건너기 위해서는 노만으로 해류와 바람을 이겨낼 수 없었으므로 범(帆)과 노(櫓)와 정박을 위한 닻을 연구했다. 이 같은 장비를 갖춘 해선(海船)을 박(舶)이라 하고 선박의 시초를 이뤘다. 이 배들이 전쟁에 이용되고 기선화하면서 지휘를 맡는 함(艦)과 이 배의 지휘를 받는 정(艇)으로 나뉘고 함정이라는 낱말이 태어난다.

1. 지금까지도 쓰이고 있는 흑룡강 하류의 통나무배.

2. 중국 근해에서 쓰이는 대나무 뗏목배.

3. 한(漢)나라 때의 껴묻걸이 질흙배.

4. 한(漢)나라 때의 다락배.

5. 옛 다락배(樓船).

6. 석도항(石島港)의 상선 - 네모난 뱃머리에 갑판은 평평하다. 뱃전은 붉은칠에 흰 줄을 그었고 부(府)자를 썼다. 양옆은 파랑색, 흘수선 아래는 회색이나 검은색 칠을 하였다.

7. 주산(舟山) 고깃배(寧波船)－돛이 3개로 깊은 물에서 고기잡이할 수 있다.

8. 항해하는 명나라때의 영파선.

Ⅱ. 나·당기(羅·唐期) 선박

중국의 배는 황하와 장강(양자강)을 중심으로 한 강선(江船) 또는 사선(沙船)과 절강(浙江)을 중심으로 한 그 이남의 해선(海船)으로 구분한다. 연안선을 겸한 강선은 얕은 곳까지 진행이 가능한 평저선(平底船)을 기본구조로 하고 있으며 절강 이남의 해선들은 깊은 바다와 거센 파도를 이겨 낼 수 있는 첨저선(尖底船)을 기본으로 발전해 왔다. 이 박선(舶船)은 만이(蠻夷)들의 해주(海舟)라는 기록도 있다(集韻).

절민(浙閩)지역의 해선은 이미 춘추전국시대(春秋戰國時代)에 시작되었다고 보고 있으며 돛대(帆)를 쓰기 시작한 것은 동한시대(東漢時代 : A.D. 25~221)로 보고 있다. 물론 이 때 스쿠류 기능을 하는 한국식 노도 개발되었다.

근래 김성호(金聖昊) 씨는 『중국진출 백제인의 해상활동 천오백년』이란 책에서 이 노는 백제유민으로 절강성 주산군도(舟山群島)에 살던 왜가 개발한 것이라는 주장을 편 바 있다. 그는 송대에 중국에서 쓰인 나침판마저 백제 유민들의 발명품이라고 주장하고 있다.

중국 남북조시대 위서(魏書)를 보면 430년 2천 곡(斛)짜리 양선(糧船) 200척의 기록이 있고 배 중에 큰 것은 길이가 20장(丈)으로 6~7백을 실을 수 있다고 하고 있으므로 이미 이 때 270톤급 선박이 있었던 것으로 추정된다.

수(隋)를 거쳐 당(唐 : 618~907), 송(宋 : 960~1279)에 이르면 조선기술이나 항해능력이 절정에 달해 객주(客舟)의 경우 길이가 12.5장 3창(三艙) 120톤급이 일반화되고 신주(神舟)는 그

크기가 3배에 달해서 만석해선(萬石海船)이란 칭호를 얻었다.

진(秦 : B.C. 249~B.C. 207) 때 이미 중국은 오늘날의 광주(廣州)인 번우(番禺)를 개항했고 서복(徐福)을 해외에 파견했으므로 동지나해 및 한반도와 일본에까지 해선의 운항이 시작되었다고 볼 수 있다.

서복은 B.C. 201년 오곡씨앗과 백공(百工) 및 3천 사람을 이끌고 삼신산(三神山)을 향해 출발했다고 전해 온다. 삼신산이 발해 중에 있다는 전설에 따라 한반도에서는 금강산과 지리산 한라산을 삼신산이라 했지만 주로 일본 학자들의 영향을 받은 중국에서는 일본을 삼도(三島) 또는 삼산(三山)이라고 주장하면서 일본으로 건너갔다고 하는 터이다.

일본 학자들은 일본에서 중국 연(燕)나라의 명도전(明刀錢)이 나오는 것이나 B.C. 2세기 이후 일본에 금속공구와 농경을 중심으로 한 야요이(彌生) 문화가 시작된 것은 서복 등 진나라 사람들이 건너온 증거라고 주장한다.

그러나 중국 남부에서는 진시황(秦始皇)이 항주(杭州)와 소흥(紹興) 등 절강성을 순시한 기록과 『삼국지 三國志』 손권전(孫權傳)에 단주(亶州)와 이주(夷州)를 치려 했으며 단주는 서복 일행이 정착한 곳이고 이 곳 사람들이 소흥에 피륙을 사고 팔러 다닌다는 기록을 들어 주산군도 중의 대산도(岱山島)에 서복이 도착해 살았으므로 이 섬을 봉래산(蓬萊山)이라 한다고 주장한다.

서복이 산동의 등주(登州)에서 출발한 것인지 진시황이 남행 중이던 절강 연안에서 출발한 것인지는 정확히 알 수 없는 일이지만 진시황 5차 순유 때 낭야(琅耶)에서 출발한 것으로 보는 것이 통설이며 한반도에 서복에 대한 전설지명이 집중해 있다.

제주 서귀포에 서복이 지나갔다는 암각문이 있으며 전남 연안의 나로도(羅老島)도 서복이 왔다는 전설에 따라 봉래도(蓬來島)라 한다. 경안 남해도(南海島) 금산(錦山)에도 서복이 지리산에 들어가기 위해 지나갔다는 암각글씨가 있으며 전남 구례(求禮)에는 서복이 지리산으로 선약을 캐러 건너간 내라 하여 서시천(徐市川, 혹은 西施川)이라 한다.

Ⅲ. 신라 때 대중항로

옛 기록이 적은 한국의 고대교류사는 주로 중국의 사서나 일본의『고사기 古事記』,『일본서기 日本書紀』등을 원용하고 있다. 뿐만 아니라 일찍이 서양 학문의 영향을 받은 일본이 중심이 되어 진행된 서양식 동양사학은 중·일 관게사나 교류사는 중국과의 국교가 정상화된 1990년대에 접어들어 본격화되고 있다고 할 수 있다. 그 동안 문헌 중심으로 진행된 양국 관계의 연구는 현장과 현지향토사 및 유물유적, 민속, 언어 등 여러 분야에 걸쳐서 검증을 받을 필요가 있다. 뿐만 아니라 한·중 교류사는 해양기상학이나 조류학(潮流學) 등 자연과학의 검증을 받아야 한다.

특히 중국의 사서들이 황하 중심사관으로 쓰여져 온 탓으로 절강 이남을 구이(九夷)에 포함시키거나 만인(蠻人)으로 취급해 해양을 통한 한반도 교류연구에 장애가 되어 왔다. 이 때문에 한·중 고대항로는 발해만 중심의 노철산수도(老鐵山水道)라 하거나 산동(山東)-옹진 직항로를 상정하고 절민(浙閩)지역 교류는 남송기(南宋期)에 시작된 것이라는 설이 통설처럼 여겨져 왔다.

이 같은 항로 설정은 자연과학을 무시한 사서항로(史書航路)

일 뿐이다. 한·중·일 사서들이 왕정사(王政史) 중심의 기록들이므로 사서기록 중심의 교류사는 왕정(王政) 간의 교류사일 수는 있어도 민간을 포함한 실제의 문화교류사와는 차이가 있다고 보아야 한다.

이미 필자는 93년 장보고해양경영사연구회가 중심이 되어 펴낸『장보고 해양경영사 연구』에서 시도한 바 있지만 사서에 기록되어 있지 않은 향토사와 표류기록의 단편, 그리고 해류의 이동 등을 통해 항해기술이 발달하지 않은 고대로 갈수록 한반도의 중국교류는 북부 발해만 해역보다 중국 남부와의 교류가 앞섰을 가능성을 제시한 바 있다.

돛이나 노, 키 등 항해 선박도구와 장치가 개발되지 않았던 시절의 문화는 표류문화(漂流文化)라고 생각할 수 있다. 표류는 해류와 기상에 따라 결정된다. 범선 항해기술이 발달해 역풍항해를 하면서 사람들이 목표한 지점에 도달할 수 있었던 15세기 이전에는 자연현상이라 할 수 있는 표류항법(漂流航法)을 기초로 인위적인 키에 의한 방향조정, 노와 돛에 의한 보조적 가속이 응용되었다고 생각한다.

재미난 현상은 선박과 항해술이 발달한 곳은 모두 연안에 많은 섬을 거느렸다는 공통성을 보이고 있다는 것이다. 발해만의 등주(登州) - 노철산(老鐵山) 간의 고대항로도 이 곳에 널려 있는 백여 개의 섬이 있기 때문이었다. 유럽의 항해와 선박도 지중해의 다도해라 할 그리스와 노르웨이, 덴마크 연안 다도해를 중심으로 발전했다. 한반도의 서남부 다도해나 일본 서 규슈(西九州)도 고도 군도(五島群島) 연안이 중심지이다. 중국의 절민 연안도 한국의 다도해와 마찬가지로 2천 2백여 섬이 몰려 있는 곳이다.

사람이 대륙에 먼저 살았다면 이 섬 사람들은 어디로부터인가 떠밀려 갔거나 떼배를 타고 찾아든 사람들일 것이고 섬이란 좁은 공간에서 제한된 자원 때문에 내륙이나 다른 섬을 여행하기 위한 기구와 기술을 연구하지 않을 수 없었을 것이다.

이들은 느긋한 마음으로 내륙에 눌러 앉아 농사를 지을 습성을 지니지도 못해 장사를 하거나 부족한 자원 때문에 해적질을 할 수밖에 없었을 것이다. 물고기를 구하기 위해서도 배를 타야 했지만 보다 나은 생필품과 식량을 확보하기 위해 배질과 배만들기를 계속 생각했을 것이고, 이것은 선박과 항해술을 발전시킬 수밖에 없는 불가피한 운명을 만들어 냈다.

이러한 환경 때문에 발해만 섬 사람들은 한반도 북부와의 교통에 그들 배를 동원했을 것이고 그들의 항해기술을 제공했을 것이다. 더구나 주산군도는 한반도 남해안을 향해 시속 0.3노트의 속력으로 북진해 오는 흑조(黑潮) 해류의 길목에 자리잡고 있다. 주산군도 사람이 그들 해역에 배를 타고 바다에 나왔다가 돛과 키를 잃고 조난당하면 이들은 전남의 흑산도(黑山島) 해역에 표류하게 되었을 것이다. 반대로 전남 다도해의 섬 사람이 바다에 나섰다가 돛과 키를 잃은 채 북동풍을 만나면 남쪽으로 밀리면서 흑조의 저항을 받아 주산군도 해역에 표류한다. 반대로 북서풍을 만나면 일본 류큐(琉球) 열도나 남 규슈(南九州) 쪽에 표류한다. 이 표류선(漂流線)은 바로 한반도 남부사람들의 고대항로였다. 남송의 명주(明州)와 고려 간의 항로가 중국 북부의 금나라 때문에 시작된 것이 아니라 그 이전부터 있어 온 흙모래가 불규칙한 해구를 이루어 통행이 불가능했기 때문이다. 중국인들은 한반도 서해안을 우회하는 것이 싫어 경항(京杭) 대륙운하를 개발해 수운을 발전시켰다.

산동(山東) 문등(文登)이나 교주(交州 : 靑島灣)가 장보고 시대에 한·중·일 교역의 발선지로 이용된 것은 등주를 발선지로 이용하던 당나라 때보다 선박이나 항해술이 발전했을 뿐 아니라 항해기술사들이 발해만 섬 사람들인 중국 선원에서 한반도 서남쪽 선원들로 바뀌었기 때문이기도 하다.

산동반도 문등에서 서북풍을 만나면 배는 전남의 안마도나 군산항 앞바다에 도착하는 데 알맞다. 조선시대 중국 산동지방 선원들이 가장 많이 표류한 한반도지역이 바로 이 곳이다. 본디 옹진반도와 산동반도의 직항은 거리로는 가장 짧지만 해류의 흐름을 따를 때 역류항로가 되어 직항이 불가능한 물목이다.

Ⅳ. 남중국과 한반도의 표류

필자는 제주에서 전남을 향하던 최부(崔溥 : 1454~1504)가 어째서 겨울철인 1월 동풍을 만나 표류했는데 중국 주산군도에 떠밀려 갔을까에 의문을 품고 절강성 연안을 세 차례나 답사했다. 최부보다 11년 전인 1479년 2월 김비의(金非衣)란 사람도 같은 해역에서 북풍을 만났는데도 어째서 류큐로 밀리지 않고 중국대륙쪽으로 밀리다가 대만 해역에 표착했을까. 앞서 주장한 바와 같이 이 표류선(漂流線)일 수도 있다는 생각이 그치지 않았다. 물론 제주 사람들은 류큐 열도에 표류하는 경우가 훨씬 많았다.

중국에서 삼이(三夷) 또는 민절(閩浙), 만이(蠻夷), 백월(百越) 등으로 불린 복건성(福建省)과 절강성 일대에는 신라 사람들의 교류 흔적이 중국 북부보다 훨씬 많다.

중국 산동이나 강소성 일대 신라 유적은 일본 승려 엔닌(円仁)의 기록이 근거가 될 뿐이지만 절강성 연안의 향토지리지에는 산동 지방보다 더 많은 기록과 흔적들이 있음을 찾아낼 수 있다(별표).

1995년 항주대학(杭州大學) 한국연구소가 간행한 『한국연구韓國硏究』란 책을 보았더니 요례군(姚禮群)의 글에 『고려사』에 나와 있는 명주 지방 표류만 7건이고 『자치통감』의 기록에도 명주 근역 표류만 7건이 나와 있다고 소개하고 있다.

이 같은 흔적은 고려 때 왕래한 기록을 포함하지 않았다. 962년부터 1126년까지 165년 간에 공식으로 여·송(麗·宋) 간에 왕래한 사절은 고려 사절이 53차, 송 사절이 32차이다.

김상기(金庠基) 씨는 1011년 이후 1273년까지 사이의 송상(宋商) 내항 횟수는 120회에 이르고 5천 명 가량이라 했다. 중국인 송희(宋晞)는 공식사절단 이외의 상인 왕래만 129회라고 집계했다. 고려 때 명주와의 왕래는 항해 및 선박 조선기술의 발전 및 정상국교 조치에 따른 것이라 하더라도 그 이전에 이미 한반도와 남부 중국과의 해로가 있었음을 알 수 있다.

5. 백월(百越)문화와 한반도문화

앞서 필자는 고대항로일수록 인위성보다는 자연적인 해류와 바람에 의한 이동 항로가 많았을 것이고 한반도의 고대항로는 남로였을 것이라고 주장한 바 있다.

전남 지방에 집중해 있는 지석묘과 민속, 언어 등에서 이 같은 추론은 틀림없다고 확신하고 있는 터이지만 근대 중국 항주대학

원리(苑利) 선생이 좋은 글을 발표한 것을 보았다. 앞서 밝힌 항주대학 한국학연구소가 대우학술재단 지원으로 1995년에 간행한 『한반도와 중국 소수민족의 문화관계 비교』에 쓴 글이 그것이다.

그는 한민족(韓民族)은 구이(九夷) 중 백이족(白夷族)이고 그 일족은 중국 동남 연해안인 강소, 절강, 안휘(安徽) 일대에 살던 예맥(濊貊)이 3천여 년 전에 옮겨간 것으로 주장하고 있다.

한반도 고대사에서 예맥은 반도 이북인 강원도 윗쪽에 살던 민족이다.

중국의 신화에서 치우는 황화 중심의 염황족(炎黃族)에 밀려난 묘족(苗族)의 선조이다. 이 묘족은 4천여 년 전에 발해 북쪽 연안에 살다가 남쪽 하북성(河北省) 삼하현(三河縣)으로 쫓겨간 민족으로 오늘날 중국 남쪽의 5개 성을 중심으로 270만 명 가량이 살고 있다.

이들은 예맥족과도 밀접한 친연성을 가지고 있다. 백이(白夷)는 백민족(白民族)이며 맥족(貊族)이라고 주장한다. 맥은 만맥(蠻貊)이며 이 민족은 한반도의 북맥(北貊)과 회하(淮河) 지방의 남맥(南貊)으로 나뉜다. 이 북맥은 중국의 동남쪽에서 3,500여 년 전에 한반도로 건너갔고 무문토기(無文土器) 시대를 열었다. B.C. 221~206년 전후 중국 대륙에서 진(秦)나라가 망하면서 그 유민들인 남맥(南貊)들이 한반도에 건너가 마한(馬韓)의 보호 아래 신라 등 삼국을 열었다. 남맥은 뒷날의 오월족(吳越族)이라 할 수 있으며 그 일파가 운귀(雲貴) 고원으로 옮겨가 백족(白族)이 되었다.

이 민족은 중국에서 백월민(百越民) 또는 월족(越族)이라 부르는 일족이다.

> 한반도에서 수도작이 시작된 것은 3,500여 년 전으로 중국 중남부 예맥의 이동 시기와 거의 같으며 지석묘, 반월형 돌낫, 돌도끼 등과 관련이 있다.
>
> 한국의 '논'도 백월 문화권에서 나(挪 : nuo)라 부르는 것과 유사하다.
>
> 발효음식, 보신탕 풍습, 순대 풍습, 사랑방 풍습, 다락방 풍습, 쓰개 풍습, 문신, 성석 신앙, 알바위 신앙, 옹장 풍습, 학숭배 풍습 등이 모두 백월 문화의 영향이다.

원리의 이러한 주장은 여러 자료와 비교 연구가 진행되어야 할 과제이지만 표류항로와 문화 전파 논리에 합당한 견해라 할 수 있다.

6. 동진 · 수대의 항로

『진서 晋書』 사이전(四夷傳)에 보면 278년부터 290년까지의 12년 간에 마한(馬韓)은 네 차례 진에 조공했다는 기록이 보인다.

진은 서진(西晋 : 265~316)과 동진(東晋 : 317~420)의 두 왕조로 나누어 살필 수 있다.

서진은 위나라 조조의 가신집안 사마염(司馬炎)이 위(魏)를 계승하고 280년 오(吳)나라를 병합하여 중국을 통일한 나라이다. 그러므로 마한이 진나라 수도 장안(長安)까지 도달한 해로는 추론하기 힘들다. 그러나 뒤이어 남경(南京)에 수도를 둔 동진 때 372년 백제 근초고왕이 사신을 보냈다는 기록을 보면 이 때 이미 남로항해가 개시되었음을 알 수 있다. 동진의 북쪽 경계가 장강(長江)이었기 때문이다.

521년 신라 법흥왕이 양(梁)나라에 조공한 항로도 양나라 경계가 서주(徐州)에 그쳤으므로 남로를 이용했다고 보아야 한다. 이 경우 남로란 명주 선로를 이르는 것이 아니고 장강 하구를 상정해도 된다.

중국 대륙도 동진시대를 거쳐 5호16국의 혼란기를 겪고 양(梁 : 502~549)과 북위(北魏 : 386~534)의 남북조를 거치고 뒤이어 수(隋 : 581~618)·당(唐 : 618~907) 시대가 열리는데 한반도는 이 시기에 삼국과 신라통일 왕조가 명멸한다.

한반도의 대안에는 남경을 중심으로 420년 동진에 이어 송(420~478)이 일어났고 뒤이어 남제(南齊 : 479~501)를 거쳐 양(502~556)이 있었다.

송은 산동반도를 포함한 중국 남조였으므로 고구려는 북조인 북위와 대등한 외교관계를 가지고 있었으며 이를 이은 남제, 양과 교류관계를 가졌다. 이 두 나라들이 동진의 영역을 이어받았기 때문이다.

제(齊)의 남쪽에 진(陳 : 557~580)이 들어서면서 중국의 동해안은 장강을 경계로 양분되고 백제는 등거리 외교를 한 데 반해 신라는 진(陳)과의 교류에 치중했다.

수·당에 이르면 황하 중심의 나라가 되고 국가 간의 공식교류는 북로(北路)가 중심이 되었다고 할 것이다. 그러나 수·당은 고구려와 계속 전쟁상태에 있었기 때문에 백제와 신라는 남로를 이용했을 것으로 보아야 한다. 당은 발해만의 수군을 중심으로 백제와 고구려를 정복했기 때문에 신라와의 교통도 발해만 수상

세력이 주도권을 잡을 수밖에 없었을 것이다. 그러나 통일신라 때 기왕의 남로항선이 끊겼다고 볼 수는 없다.

동진(東晋)의 기록들이 왕조 간의 교류만을 기록한 것이므로 민간교류는 오히려 남로가 더 활발했음을 중국 남쪽의 유적에서 살필 수가 있다. 장보고의 연구는 겨우 산동반도와 강소성 중심 교류에 한정할 것이 아니라 당시대 한반도와 중국과의 교류까지 그 연구범위를 넓혀야 한다.

신라 말기인 907년, 중국 통일국가였던 당나라가 망하고 다시 5대 55년의 혼란기에 빠진 뒤를 이어 10국이 일어나 960년 송(宋)이 통일을 이루는 동안 한반도에서도 새로운 개혁운동이 일어났다. 당나라가 한반도에 영향력을 끼칠 수 없을 정도로 쇠약해졌던 892년, 후백제가 일어났고 895년 궁예가 왕을 자칭하였다. 당나라가 망하자 918년 왕건(王建)은 왕위에 오르고 국호를 고려라 하였다.

중국 대륙과 한반도가 다 같이 분열해 혼란이 계속되던 시기 남쪽에 자리잡은 후백제는 중국 장강쪽의 오월(吳越)과, 고려는 산동 중심의 후량(後梁)과 외교관계를 가졌고 후당(後唐)이 후량을 계승하자 그 관계를 지속한다. 이 같은 한반도의 대외관계는 기존의 교통로와 관련한 지리적 친연성에 따른 것이라 볼 수 있다.

고려가 황하 중심 세력과 친연관계를 맺은 뒤 북송이 중국 대륙을 통일하고 고구려에 가까운 요와 금이 중국 황하지역을 지배하면서 고려가 후백제 친연지역인 절강 지방 남송과 교류를 계속한 것을 생각하면 고려 왕건의 지지세력인 전남 연해안의 해상세력과 무관하지 않다는 생각을 갖게 한다.

동북아시아에서 중국이나 한반도의 해상세력이 문화교류의 주역을 맡고도 정치권력의 중심이 되지 못했던 역사를 되돌아 볼 수 있다.

그러나 결국 해상활동을 이어받은 일본이 가장 먼저 서양의 문물을 받아들여 오늘날 아시아의 경제대국이 된 것을 생각하면 신라시대 장보고 해상세력의 제거와 견제는 두고두고 교훈으로 삼아야 할 대목이라 생각한다. 21세기에도 바다와 물결은 문화유통의 매체임을 인식해야 하겠다.

【 별표 】

* 중국 남쪽 교류 관련 연표(고려 이전)

○ 월남과의 경계 광동성(廣東省) 흠현(欽縣) 서북쪽 80리에 '백제(百濟)'라는 지명이 있다.

○ 복건성(福建省) 장강현(長江縣) 서남에는 晋나라 때 만든 '新羅'현('新羅'縣 : 南宋 때 폐지)란 지명도 있다. 다만, 이 곳 282년 신라현(新羅縣) 이름은 307년 경주지방 지명 신라(新羅)보다 앞선다.

○ 중국의 도작(稻作)은 장강(長江) 이남 하모도(河姆渡)에서 유입된 것인지 한반도 남쪽에 고도(古稻) 유적이 집중해 있다.

○ 절동견(浙東犬)과 진도견(珍島犬)의 골격 및 유전자가 같다.

○ 중국 남쪽 온주(溫州) 동해연안과 전남지방에 지석묘가 집중 분포하고 있다.

○ 중국 신국(新國 : 8~23)의 貨泉이 해남과 거문도에서 발굴되었다.

○ B.C. 4~2세기 중국식 동검(銅劍)들이 한반도 호남지방에서 출

토되고 있음은 이미 이 때 해로교섭(海路交涉)이 있었음을 알 수 있다.

- A.D. 48년 아유타국(阿踰陀國) 공주 보주태후(普州太后) 허황옥(許黃玉)이 김해에 도착하였다.
- 마한(馬韓)은 277~290년 사이에 중국 남쪽 진국(晋國 : 265~316)과 9차례나 통교한 기록이 있다.
- 372년 백제(百濟) 근초고왕은 동진(東晋 : 317~418)에 사신을 보내기 시작한 뒤 3대에 걸쳐 6차례나 통교했다. 뒤를 이은 송(宋 : 421~478)과는 12차례 왕래했다.
- 384년 중국 남조(南朝) 동진(東晋)에서 마라난타(摩羅難陀)가 해로로 백제에 상가나 불교를 전했다.
- 백제 사람 겸익화상(謙益和尙)은 526~530년 간에 인도(印度) 상가나사(常伽那寺)에 유학했다.
- 백제 聖王(523~554) 때 백제 웅주(熊州) 사람 현광(玄光)은 진(陳 : 557~589) 형산의 혜사(慧思 : 515~577)에게서 천태종(天台宗)을 배우고 강남에서 본국 배를 타고 귀국해 웅주(熊州) 옹산에 절을 지었다. 그의 영정이 중국 절강성 천태산(天台山) 국청사(國淸寺) 조당(祖堂)에 있다. 이 절의 16대 조종(祖宗)은 고려 사람 도의(道義) 스님이다.
- 백제 스님 발정(發正)은 502~534년 간에 양(梁)에 유학했다.
- 549년 신라 유학승 각덕(覺德)이 양(梁 : 502~557)의 사신과 함께 중국에서 불사리를 가져와 흥륜사(興輪寺)에 안치했다.
- 565년 신라 유학승 명관(明觀)은 남중국 진(陳)의 사신 유사(劉思)와 함께 석씨경론 7백 권을 가져왔다.
- 신라는 진(陳 : 557~589)에 8차례 사절단을 보냈다. 백제는 4회, 고구려는 6회 보냈다.

- ○ 고구려는 중국 남조(南朝)에 45회 사절단을 보냈다. 336년(고국원왕 故國原王)에 남경(南京)의 동진(東晋 : 317~420)에 첫 사신을 보냈으며 송(宋 : 421~478) 때는 22차례나 사신을 보냈다. 양(梁 : 502~556)에도 11차례나 보냈는데 이는 백제 사신 5회, 신라 사신 1회보다 많다.
- ○ 고구려 스님 파약(波若)은 596년 천태산(天台山) 국청사(國淸寺)에 유학가 공부했다. 천주(泉州) 영수봉 앞에 고구려 스님이 복청사(福淸寺)를 지었다.
- ○ 신라 스님 녹광(綠光)이 수(隋) 인수년간(仁壽年間 : 601~604)에 해로(海路)로 오(吳)에 건너가 천태산(天台山)에서 공부했다.
- ○ 745년 경주 민장사(敏藏寺)에는 관음상이 있었는데 우금리 보개(寶開)라는 여인이 열심히 기도했더니 오(吳)에 장사갔던 그의 아들 장춘(長春)이 풍랑을 만나 죽게 되었을 때 관음보살이 구해 주었다.
- ○ 서긍의 『고려도경(高麗圖經)』(1124)에 보면 "옛날 신라 상인이 오대산에서 불상을 가지고 귀국하려다가 바다에서 암초가 나타나 배가 갈 수 없어서 불상을 암초에 올려 놓았다. 스님 종악이 소량(蕭梁) 양시조(梁始祖) 때(502~549) 세운 보타원(普陀院)에 모셨더니 선박의 왕래가 가능했고 복을 빌면 감흥이 없지 않다"는 대목이 있다. 같은 무렵 백제 스님 발정(發正)이 천태산(天台山)에 유학온 기록이 있다. 그렇건만 『불조통기(佛祖統紀)』(1269)에는 862년 일본 스님 에가쿠(慧鍔)가 오대산에서 불상을 가지고 가다가 이 섬에 멈춰 이 섬사람 장씨(張氏 : 支信?)가 모신 것이 하궁거관음원(下肯去觀音院)의 시초가 되었다고 엉터리 기록을 남기고 오늘날 중국사람들마저 이 기록을 내

세워 일본 관광객을 불러들인다.

- 봉래도라 부르는 주산군도(舟山群島) 대산도(岱山島)는 고려 선박들이 휴식해 가는 곳이다.
- 576년(진흥왕 37) 신라 안홍(安弘) 스님이 유학을 마치고 隋에서 귀국했다.
- 585년 신라 스님 지명(智明)은 중국 남쪽 진(陳)에 유학했다가 602년에 귀국했다.
- 589년(眞平 11) 신라 단광(丹光) 스님이 진(陳)에 유학 갔다가 600년에 귀국했다.
- 596년 신라 스님 담육(曇育)도 수(隋)나라 남쪽으로 유학갔으나 605년 귀국했다.
- 백제 스님 혜미(蕙彌)는 무왕(武王)의 명을 받고 609년 오(吳)로 갔으나 난리중이라 돌아오던 길에 일본의 히고(肥後)에 표류했다. 이 때 승객은 85명이었다.
- 636년(善德 5) 신라 스님 자장(慈藏 : 金善宋) 등 10여 명의 여인이 이 당(唐)에 유학갔다가 643년 귀국하여 통도사를 세웠다.
- 신라는 진평(眞平)·선덕여왕(善德女王)(579~646) 간에 수(隋 : 581~618)와 당(唐 : 618~668)에 25회나 사절단을 보냈다. 이 때 현유(玄遊), 현조(玄照), 현각(玄恪), 혜업(慧業), 혜륜(惠輪), 혜중(惠中) 등이 중국에 불교를 공부하러 갔으며 그 중 현유(玄遊), 혜업(慧業) 등은 중국 스님 현장(玄奬)을 따라 인도(印度)까지 갔다. 700년 이전 인도의 외국 구법승 58명 중 10명이 신라와 고구려 스님들이다.
- 전등록(傳燈錄)에 나타나는 신라의 당 유학승 42명 중 35명이 중국 남쪽에서 공부했다. 이 기록을 뒷받침하듯 천태산(天台山) 국청사(國淸寺) 곁에는 신라 스님들이 살던 신라원(新羅園) 터

가 있다. 태주(台州) 황암현(黃岩縣)의 신라방(新羅坊)이나 임해현(臨海縣)의 통원방(通遠坊), 신라산(新羅山) 등의 흔적이 이런 역사 기록과 관련이 있다.

○ 730년 신라 스님 법융(法融), 이응(理應), 순영(純英) 등은 중국 천태산(天台山)에서 공부하고 귀국하였다.

○ 845년 신라 상인들이 중국 광주(廣州)에서 표류한 일본인 50여 명을 일본에 인도하였다(『속일본후기 續日本後紀』 承知 12년 12월).

○ 892년 여주 고달사(高達寺) 원종(元宗) 스님은 남중국 안휘성(安徽省) 동성현(桐城縣)에 유학갔다. 921년 진주(晋州) 덕안포(德安浦)로 돌아왔다.

○ 892년 동진대사(洞眞大師 : 868~947)는 당에 갔다가 921년 임피로 귀국하였다.

○ 869년 해주 이엄(利儼 : 866~932) 스님은 절강사절 최예희(崔藝熙)를 따라 영파(寧波)에 갔다가 911년 나주(羅州) 회진(會津)으로 귀국하였다.

○ 900년 문경 정진대사(靜眞大師 : 878~956)는 강회(江淮)지역으로 유학갔다가 924년 전주(全州) 희안(喜安) 포구로 귀국하였다.

○ 906년 대경대사(大鏡大師 : 862~930)는 武州에서 출발, 924년 개성으로 귀국하였다.

○ 888년 당에 유학갔던 법경대사(法鏡大師 : 871~921)는 908년 7월에 순천으로 들어왔다.

○ 891년 최형미(崔逈徽 : 864~917) 스님은 영암에서 출발, 당나라 유학 후 905년 귀국하였다.

* 고려의 표류(明州 85%)

○ 817년 신라 왕자 김장염(金張廉) 명주(明州) 표류
○ 1000년 지달(池達) 등 8명 명주(明州) 표류
○ 1020년 활달(闊達) 정해현(定海縣 : 明州) 표해
○ 1076년 신충(辛忠) 등 20인 절강(浙江) 수주(秀州) 화정현(華亭縣) 표류
○ 1016년 '신라 주표자(舟漂者) 해량(海糧) 견환(遣還) 시책 시행'
○ 1012~1278년 간 송상(宋商) 129회 고려 왕래
○ 1074년(文宗 28) 김양감(金良鑑) 항로 변경 요구
1080년(文宗 34) 명주(明州) 항로 개설
○ 1088년 양복(楊福) 등 23명 명주(明州) 표류 귀국
○ 1088년 제주 사람 용엽(用葉) 등 10명 표류 귀국
○ 1089년 이근보(李勤甫) 등 24명 명주(明州) 표류 귀국
○ 1097년 자신(子信) 등 3명 송(宋) 표류 귀국
○ 1099년 제주 사람 조섬(趙暹) 등 6명 귀국
○ 1113년 진도 사람 한백(漢白) 등 8명 명주(明州) 귀국
○ [1122년 서긍(徐兢) 일행 명주(明州) 출발]
1127년 남송(南宋) 남로(南路) 정식 개통(開通)
○ 1128년 김철의(金鐵衣) 등 6명 귀국
○ 1155년 지리선(知里先) 등 5명 명주(明州) 귀국
○ 1155년 고려인 30여 명 송(宋) 송환
○ 1174년 장화(張和) 등 5인 송(宋) 송환
○ 1186년 이한(李漢) 등 6인 송(宋) 송환
○ 1226년 제주인 양용재(梁用材) 등 28인 귀국
○ 1258년 김광정(金光正) 등 6명 명주(明州) 표류

* 조선시대의 표류

○ 1479년 2월 김비의(金非衣) 등 8명 태만여나국도(台灣與那國島)에 표류
○ 1483년 2월 29일 이섬(李暹) 등 47명(3.9 長沙)
○ 1488년 윤1월 3일 최부(崔溥) 등 43명(윤 1.16 臨海)
○ 1534년 2월 20일 김기손(金紀孫) 등 12명(윤 2.1 淮安)
○ 1540년 10월 강행공(姜衍恭) 등 19명 귀국
○ 1665년 8월 김원상(金元祥) 등 귀국
○ 1741년 하(夏) 20여 인 표주(漂舟) 천령사(天寧寺 : 台州)
○ 1796년 9월 21일 이방익(李邦翼) 등(10.6 湖)
○ 1798년 8월 이원갑(李元甲) 등 8월 귀국
○ 1815년 12월 이종덕(李鍾德) 등 귀국
○ 1818년 4월 10일 최두찬(崔斗燦) 등 50명(4.26 舟山島)
○ 1828년 9월 10일 김광현(金光顯) 등 7명(9.18 普陀山)
○ △1687년 9월 고상영(高尙英) 등 24명(越南)
○ 1689년 김태황(金泰璜) 등(越南)
○ 1717년 정창선(鄭敞選) 등(中國)

* 중국에서 한국 표류

○ 1332. 6 명주(明州) 曾島
○ 1755. 12. 21 산동(山東) 봉래 壬柄島
○ 1777. 11. 15 산동(山東) 성산각(成山角) 봉산백(奉山百)
○ 1777. 12. 4 남금주(南錦州) 대청도(大靑島)
○ 1780. 11. 9 산동(山東) 등주(登州) 구수미(九水尾)
○ 1803. 2. 9 칠산(七山)
○ 1809. 1. 14 김주만(金州灣) 낙월도(落月島)

○ 1810. 11. 21	천주(泉州)	임자도(荏子島)
○ 1813. 12. 5	천주(泉州)	재원(在遠)
○ 1820. 2. 15		낙월(落月)
○ 1857. 1. 11		임자(荏子)

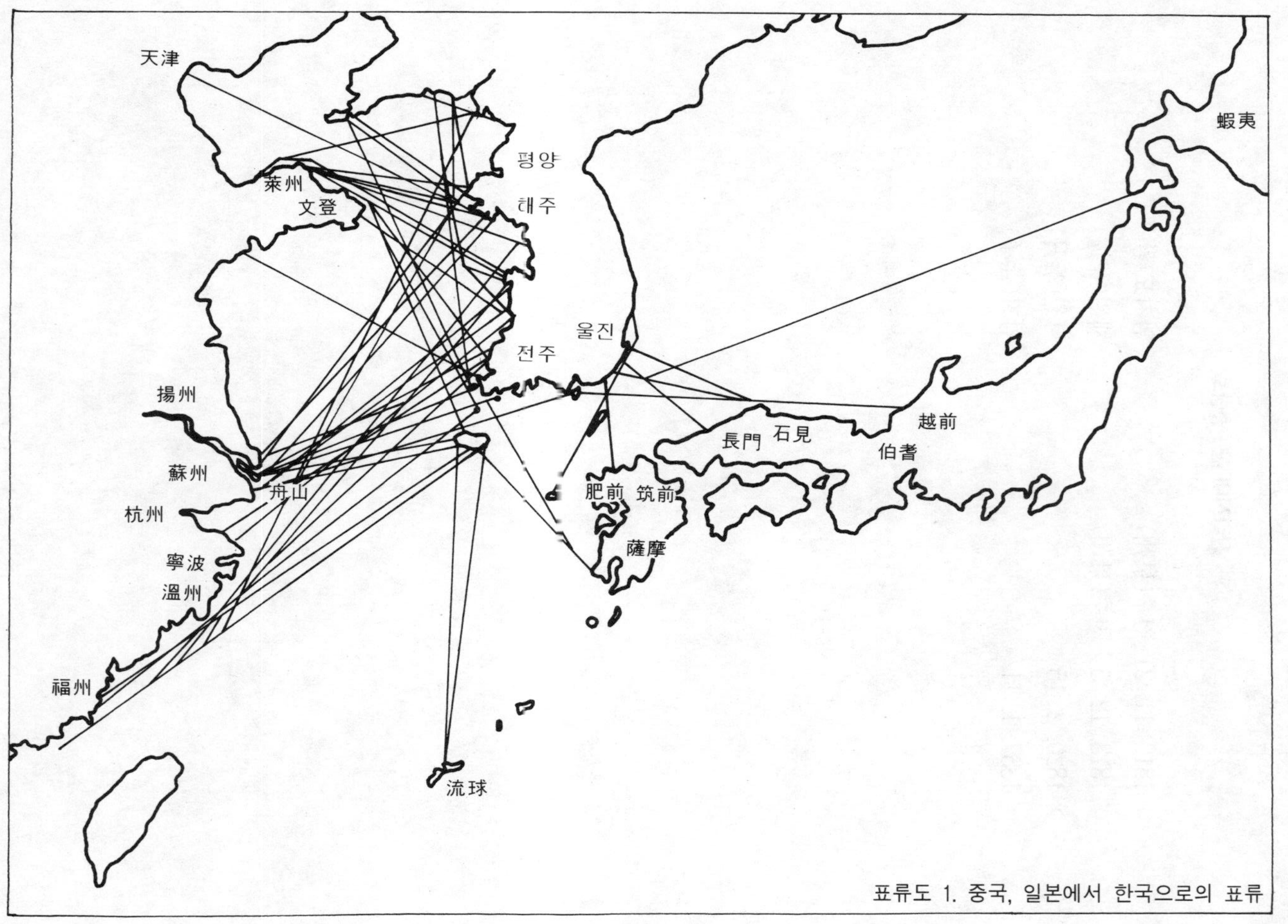

표류도 1. 중국, 일본에서 한국으로의 표류

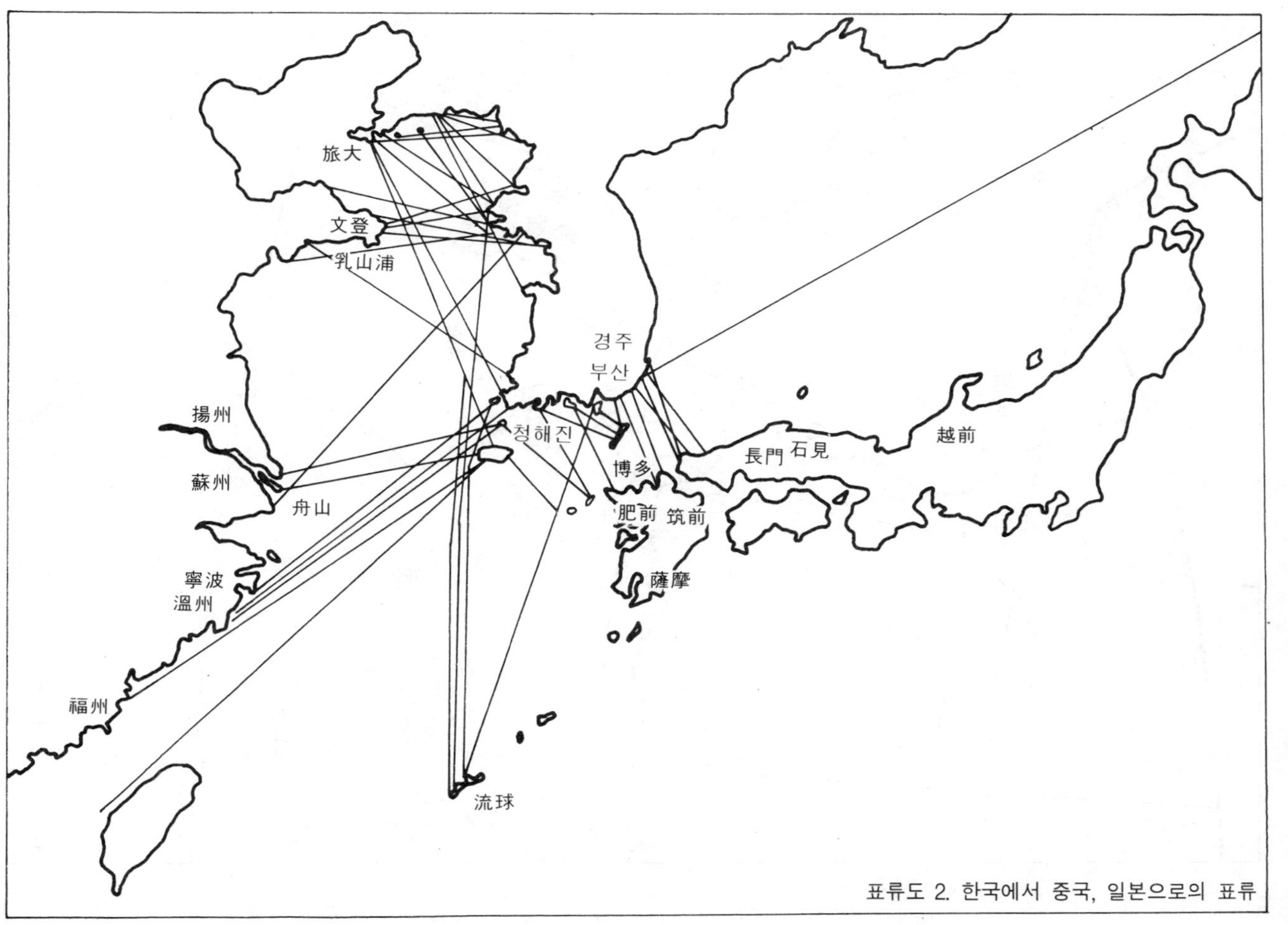

표류도 2. 한국에서 중국, 일본으로의 표류

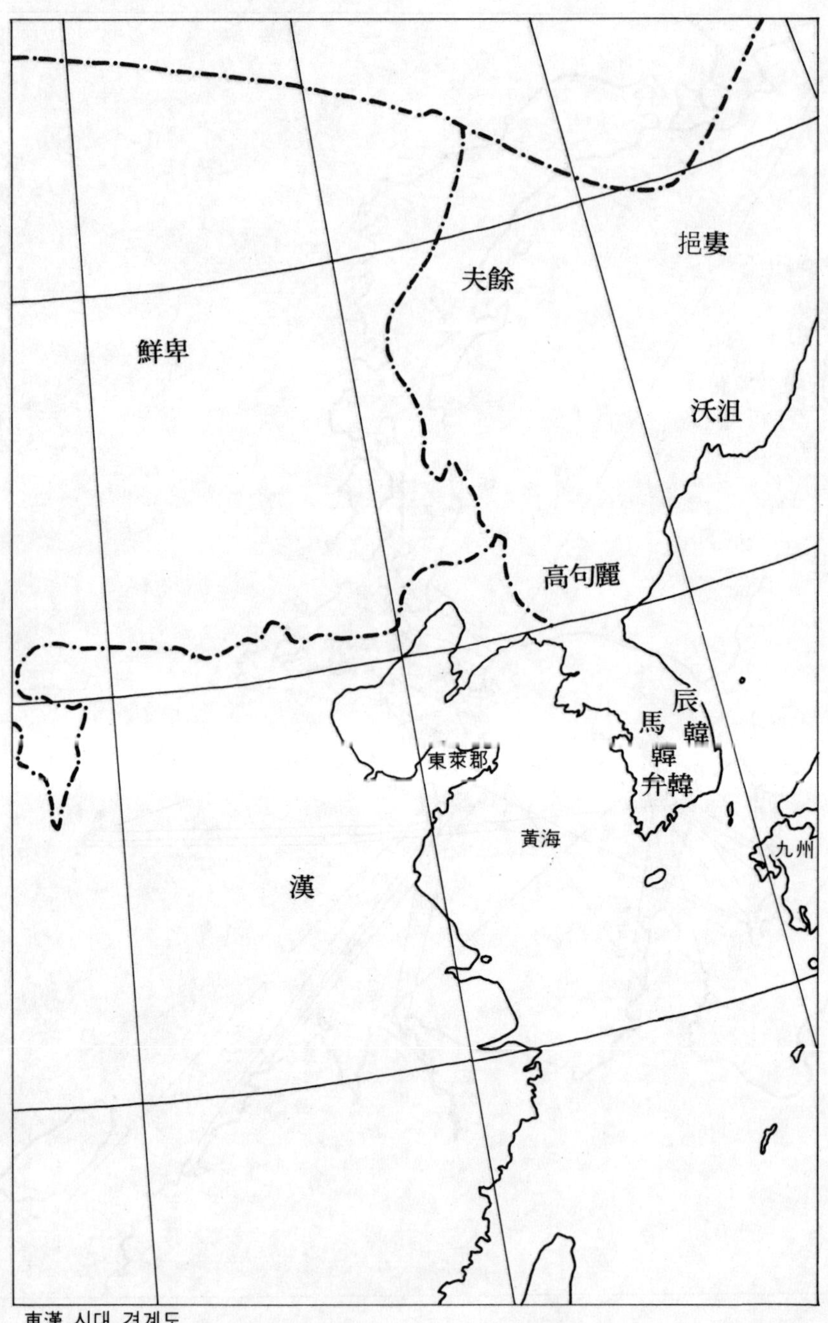

東漢 시대 경계도

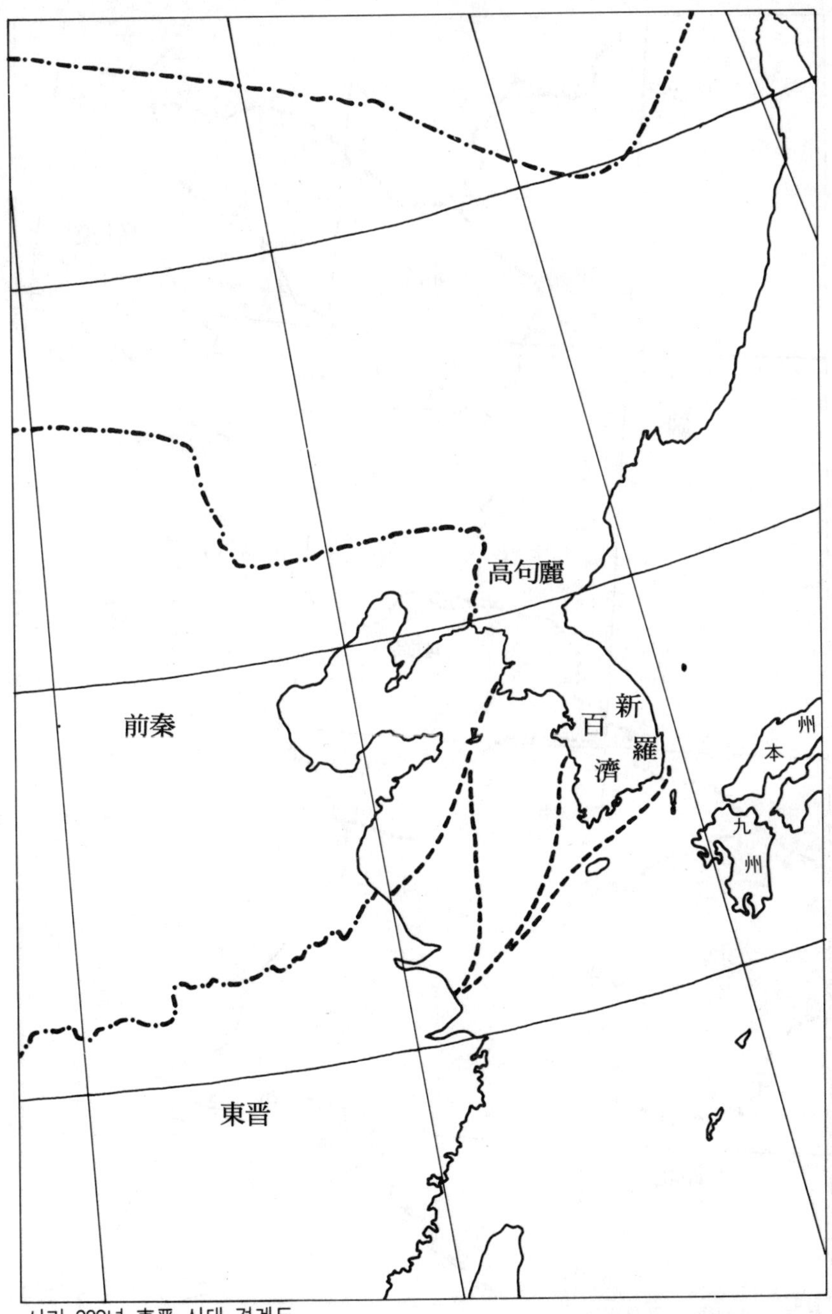

서기 382년 東晋 시대 경계도

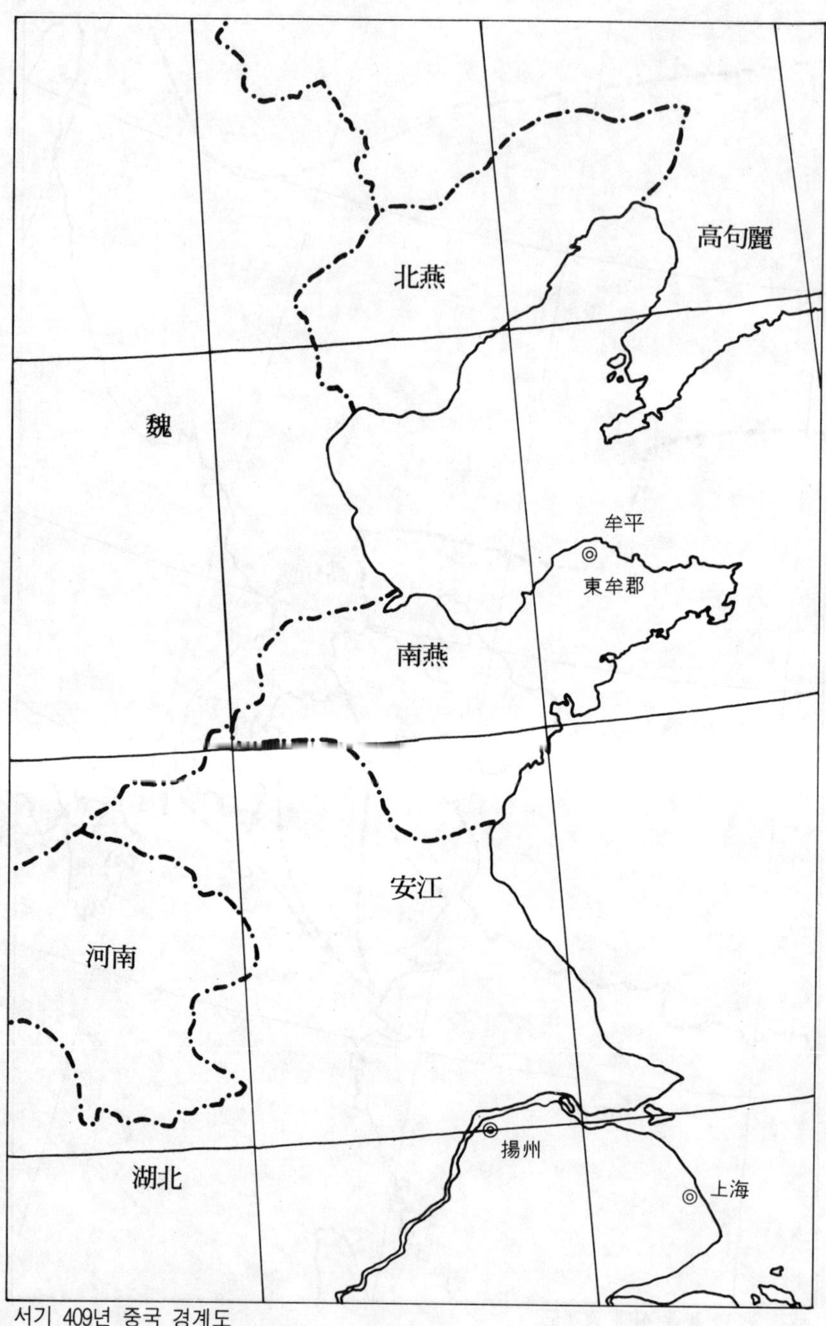

서기 409년 중국 경계도

서기 497년 중국 경계도

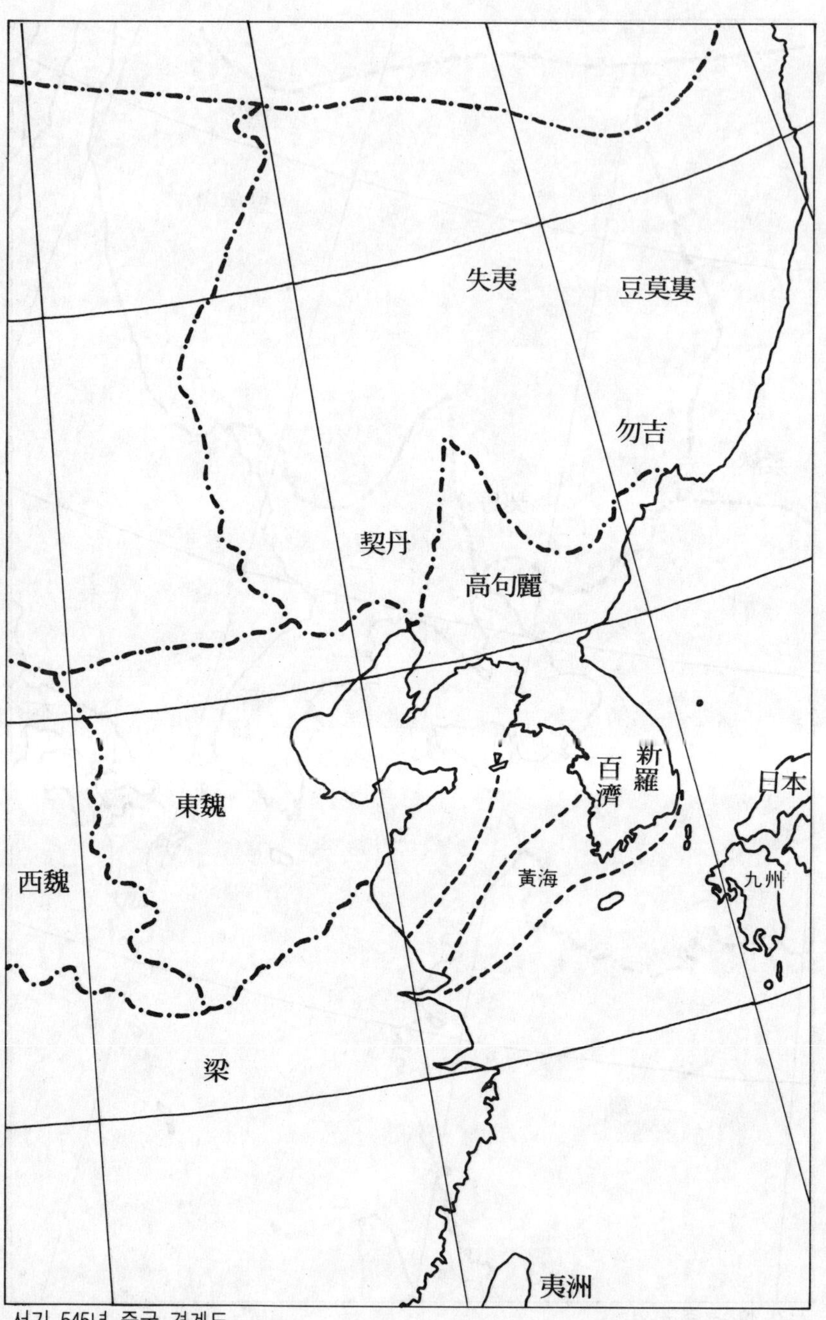

서기 545년 중국 경계도

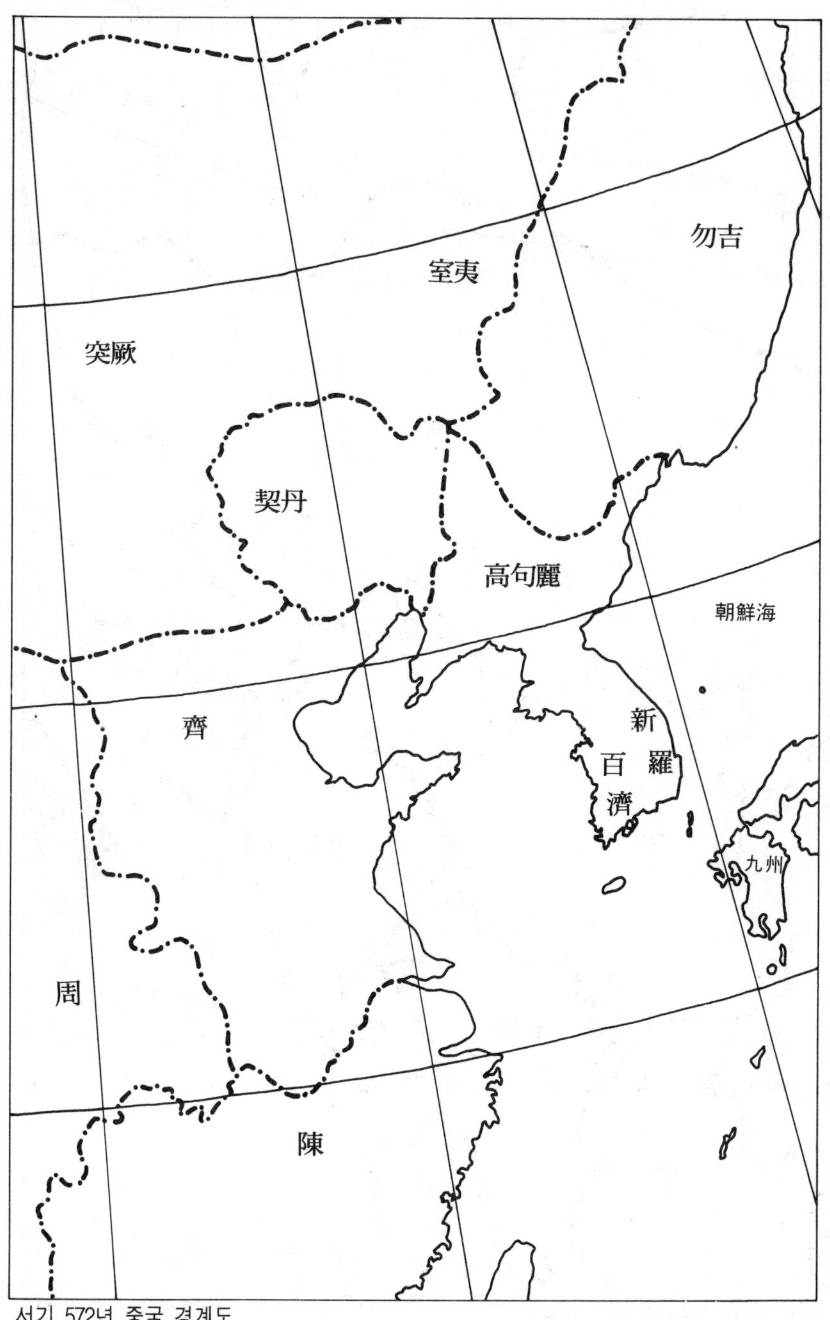

서기 572년 중국 경계도

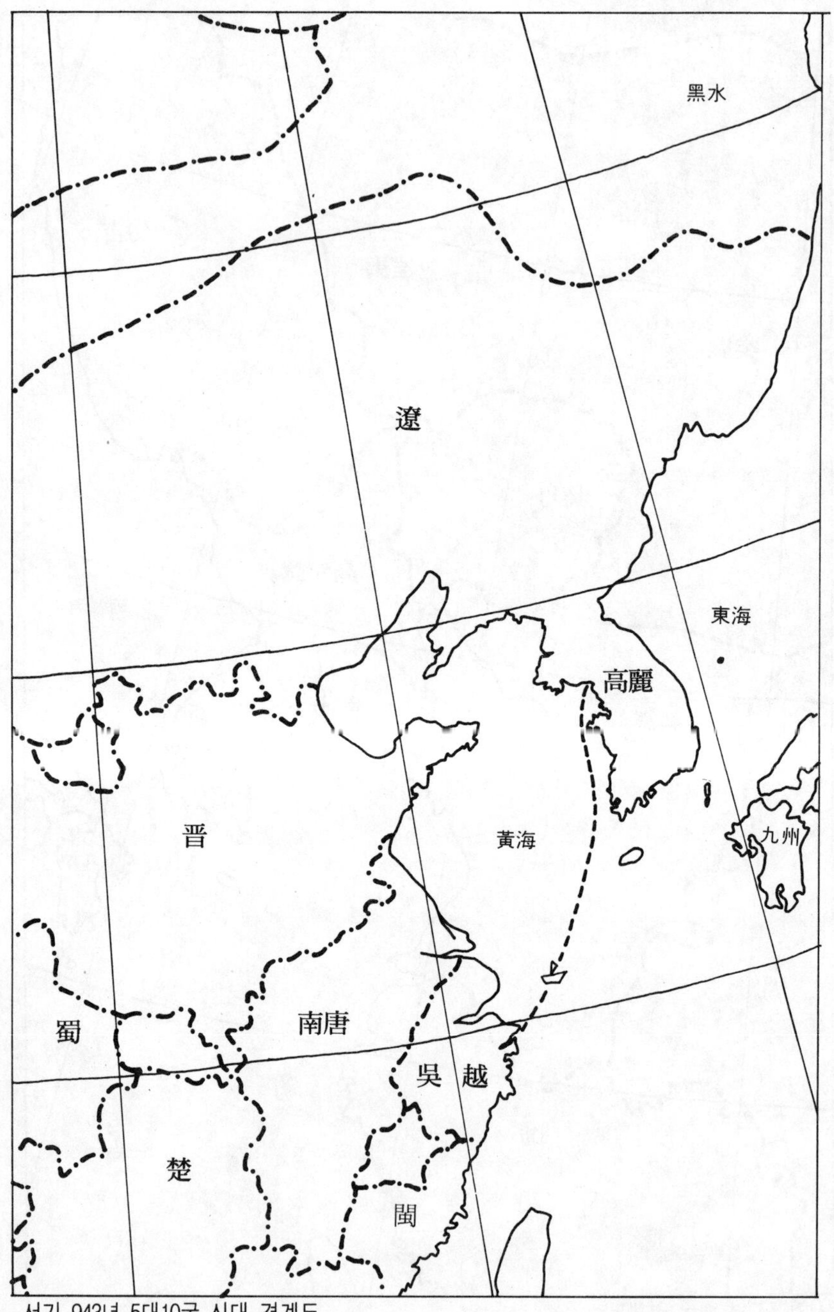

서기 943년 5대10국 시대 경계도

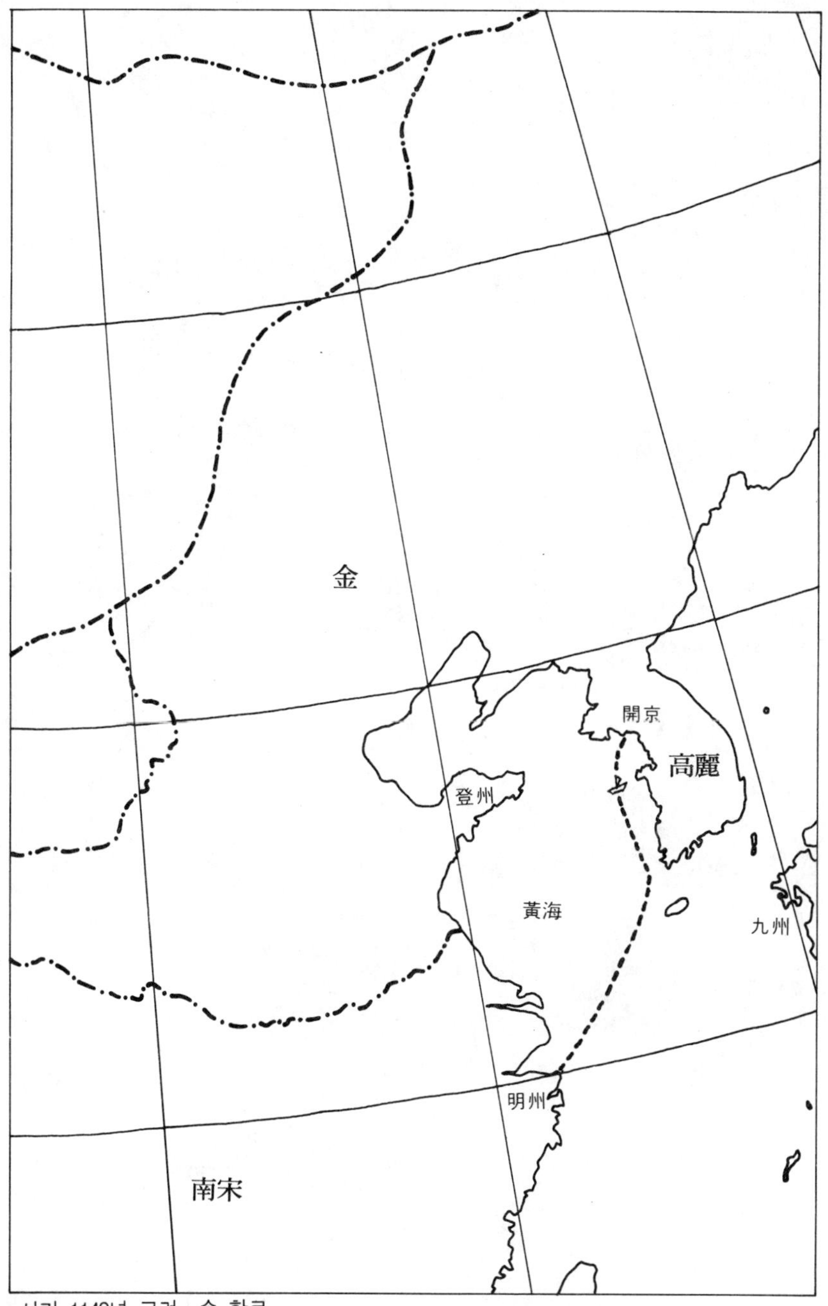

서기 1142년 고려·송 항로

장보고 세력 흥망의 역사적 의미

김 광 수

머리말

흥덕왕(興德王 : 826~836)대를 전후한 시기에 활약하였던 신라의 청해진대사(淸海鎭大使) 장보고(?~841?)는 진작부터 우리 역사상 특기할 만한 경이로운 인물로 주목되어 왔다. 실로 출자조차 분명히 전하는 것이 없었던 그가 황해를 가로질러 나·당의 연해지방을 연결하는 일대 세력권을 구축하여 신라·당·일본 삼국을 잇는 해상교역의 왕자적 지위에 오르고 또 신라 왕실에 대하여 납비(納妃)를 시도하였음은 비록 그의 위세가 자객으로 인하여 당대에 허무하게 마감되었다고 할지라도 일찍이 그 유례를 찾아보기 어려운 큰 사건이라 아니할 수 없다.

따라서 그간 그러한 장보고의 행적과 관련하여서는 여러 모로 검토되어 왔다.[1] 그의 출자로부터 입신, 해상(海商)으로의 진출,

* 서울대학교 교수

청해진의 설치 및 신라·당·일본 삼국의 교역과 신라 조정에의 막강한 영향력 행사, 그리고 그 세력의 소멸에 이르기까지의 일대 활약상이 당시의 시대적 상황 및 그에 따른 역사적 해석과 함께 자세히 검토되어 왔다. 본고는 그러한 기왕의 연구에 기초하면서 장보고 세력의 흥망이 특히 신라사의 전개 과정과 관련하여 차지하는 위치가 어떠한 것인가를 이해해 보고자 한 것이다.[2)]

Ⅰ. 황해교역과 신라인의 대당진출

황해를 중심으로 하는 연안세력의 교역은 이미 고조선 시기부

1) 장보고와 관련해서는 대략 다음과 같은 논문과 저서를 참고할 수 있다. 今西龍, 「慈覺大師入唐求法巡禮行記を讀みて」『新羅史硏究』, 1933 ; 金庠基, 「古代의 貿易形態와 羅末의 海上發展에 就하여」『震檀學報』1·2, 1933 ; E. O. Reischauer, *Ennin's Travels in Tang China*, The Ronald Press Company, 1955 ; 日野開三郎, 「羅末三國の鼎立と對大陸海上交通貿易」『朝鮮學報』16-20, 1960 ; 內藤雋輔, 「新羅人の海上活動に就いて」『大谷學報』9-1, 大谷大學大谷學會, 1928 ; 金文經, 「在唐新羅人의 集落과 그 構造」『李弘稙博士回甲記念 韓國史學論叢』, 新丘文化社, 1969 ; 盧泰敦, 「羅代의 門客」『韓國史硏究』21·22합, 1978 ; 佐伯有淸, 『最後の遣唐使』(講談社 現代新書), 1978 ; 蒲生京子, 「新羅末期の張保皐の擡頭と反亂」『朝鮮史硏究會論文集』16, 1979 ; 李永澤, 「張保皐海上勢力에 관한 考察」『논문집』14, 한국해양대학, 1979 ; 盧德浩, 「羅末 新羅人의 海上貿易에 관한 硏究」『史叢』27, 1983 ; 莞島文化院 編, 『張保皐의 新硏究』, 時事文化社, 1985.

2) 본 발표문의 핵심 내용은 대체로 필자가 이미 발표한 논문 「張保皐의 政治史的 位置」(위의 『張保皐의 新硏究』에 수록)에 기초한 것임을 미리 밝혀 둔다.

터 활발히 진행되어 왔다. 그리고 그 교역로는 특히 선진세계로의 접속이 서편으로만 가능하였던 당시 한반도 내의 세력들에게는 곧 그 발전의 성패가 달린 것이기도 하였다. 따라서 진작부터 한반도 내의 여러 세력을 장악하고자 하는 자는 의당 그 황해를 통한 대중국 교역로를 제어하고자 하였으며, 그로 인하여 한민족 지역의 여러 세력들 간에는 때로는 중국의 세력들까지도 결부되는 가운데 크고 작은 정치적 충돌이 있어 왔다.

일찍이 그 전쟁의 빌미 중 하나가 한반도 남부에 있었으리라고 여겨지는 진국(辰國)이 한(漢)과 통교하고자 하였으나 고조선이 그를 가로막았기 때문이라고 전하는 고조선과 한의 전쟁이 그것을 단적으로 보여 주는 것이라 하겠다.[3] 또 그러한 고조선을 이어받은 낙랑을 위시한 한군현에 대한 고구려와 백제의 끝없는 공격, 낙랑 멸망 후의 고구려·백제의 쟁패전 등에도 그 이면에는 역시 그러한 요소가 개재된 것이라 하겠다. 그리고 그러한 상황은 고구려와 백제의 사이를 가르고 경기만 일대를 장악하여 대중교역로를 확보함으로써 후일 삼국통일로 이어지는 일대 전기를 마련한 신라의 국가적 발전의 예에서 보다 확실해진다.[4]

그런데 이렇듯 신라대에 이르기까지의 황해교역에서 좀더 유의할 것은 신라의 삼국통일 이후 그 양상이 다음과 같이 두 가지 점에서 변화를 보이고 있다는 점이다. 우선 지적할 것은 그 교역의 중심에 관한 것이다. 당초 황해를 둘러싼 교역은 고조선-낙

3) 李丙燾, 「衛氏朝鮮 興亡考」『韓國古代史硏究』, 박영사, 1976, 86~87쪽 참조.

4) 申瀅植, 「韓國古代史에 있어서 漢江流域의 政治·軍事的 性格」『鄕土서울』, 1983, 64~70쪽 참조.

랑 - 고구려 등으로 이어지면서 그 북부 해안을 중심으로 연안 해로를 따라 남으로 연계되어 왔다. 그러던 것이 신라의 삼국통일 이후에는 경기만과 산동반도를 잇는 선의 남쪽에 중심을 두고 황해를 가로질러 이루어지게 되었다는 점이다.[5)]

다른 하나는 그러한 교역로를 따라 이루어진 한민족의 중국 방향으로의 진출에 관한 것이다. 황해교역을 주도하였던 한민족계 세력들은 이미 삼국기부터 사적 또는 국가적으로 중국쪽 연안에 그 교역의 근거지를 마련하기도 하였던 것으로 보이며,[6)] 또한 식자층은 보다 넓은 세계를 동경하며 새로운 문물을 접하고자 중국 방면으로 유학의 길에 오르고 있었다. 그러나 신라통일기에 와서는 일시적 또는 특수한 목적에서만이 아닌 농업정착의 성격을 띤 이주가 산동반도와 그 인근의 해안지역에서 이루어지고 있었으며,[7)] 능력 있는 자들의 대중국 진출에는 자기 사회에 대한 비판의식이 한층 강화되는 면을 보여 가고 있었던 것이다.[8)]

물론 이러한 변화는 우선 연안항로를 벗어날 수 있는 항해술의 발달, 그리고 당시 신라의 교역상대국인 당이 극히 개방적이었다는 상황적 조건을 배경으로 가능해진 것이었다. 그러나 좀더 근본적으로는 신라의 삼국통일에 따른 한반도 내에서의 정치적·사회적 변혁에서, 좀더 좁혀 말하자면 신라사의 전개 과정에서

5) 고대 對中 항로와 관련하여는 다음과 같은 논문이 참조된다. 孫兌鉉·李永澤, 「遣使航運時代에 關한 硏究」『논문집』 16, 한국해양대학, 1981 ; 金在瑾, 「張保皐 時代의 貿易船과 그 航路」『張保皐의 新硏究』.

6) 金庠基, 「百濟의 遼西經略에 對하여」『白山學報』 3, 1967 참조.

7) 金文經, 앞의 글 참조.

8) 申瀅植, 「宿衛學生考」『歷史教育』 11·12, 1969, 69~84쪽 참조.

이루어졌던 것이라 하겠다. 즉 전자의 경우는 신라의 삼국통일 이후 예성강 이남의 한반도가 신라영역으로 합일되고 그에 반해 종래 북부의 중심지였던 대동강 유역이 황폐화되는 정치적 상황의 변화에 기인한 것이었다. 후자의 경우는 크게 보아 이미 삼국항쟁기로부터 시작되었던 신라사회의 산업발달과 영역확대에 따른 질적 변화와 원래의 신라 귀족 중심체제인 골품체제(骨品體制)와의 괴리에서 오는 정치·사회적 이완현상이라 할 수 있다.

좀더 부연하자면 신라는 삼국통일 이후에도 종래의 진골(眞骨) 중심의 골품체제를 존속시켜 그 정치적 중심을 잃지 않으면서 다른 한편으로는 왕실 중심의 집권화 시책을 전개하여 넓어진 영역을 효율적으로 제어하고자 하였는데, 대체로 중대(中代)에는 그를 통하여 정정의 안정과 산업의 발달을 보았던 것이다. 그러나 하대(下代)에 이르러서는 그러한 왕실의 전제화는 결국 진골귀족의 왕위쟁탈전을 불러들였고, 그러한 정정의 이면에 결부된 산업의 발달은 대토지 소유를 가능케 하여 많은 무전(無田) 농민을 배출하는 결과를 가져왔으며 골품체제는 점차 비진골(非眞骨) 귀족들의 반신라적 성향을 강화시키는 것이 되었다. 그리고 이러한 상황은 신라의 정치적 통제력의 약화와 함께 흉년 등으로 타격을 입은 농민들을 이미 그 중심이 남쪽으로 이동되어 있던 황해 무역로를 따라 멀리 중국 연안으로 집단 이주케 하였으며 다수의 능력 있는 자들의 도당(渡唐)을 부추기기에 이르렀다. 여기에서 장보고 도당과 그 세력의 기반이 된 재당 신라인 집단의 형성이 이루어지게 된 것이다.

Ⅱ. 장보고의 출신과 세력 형성과정

장보고의 이름은 신라, 당, 그리고 일본측 자료가 각기 그 표기를 달리하고 있다. 그를 통해 유추해 보건대 대체로 그의 본래 이름은 활 잘 쏘는 아이라는 뜻의 '활보'였다고 생각되며 신라에서는 그를 표기할 때 훈과 음을 섞어 '궁복(弓福)' 또는 '궁파(弓巴)'라고 한 것으로 보인다.9) 그리고 도당(渡唐) 이후에는 그러한 의미에서 '장(張)'이라는 성을 취하고 어미의 음에 따라 '張保皐'라는 중국식 성명을 만들어 사용하였으며 후일 일본에서는 그의 부유함을 들어 '張寶高'로 표기하였다고 생각된다.10)

그의 출신에 관련하여서는 다만 '해도인(海島人)'이었다든가 또는 '측미(側微)'하였다는 전문(傳文)만이 있어 대체로 그가 후일 청해진을 설치하였던 완도(莞島) 지방의 미천한 신분 출신이 아닌가 하는 추측이 있을 뿐이다. 그러나 그가 뛰어난 무재(武才)의 소유자였다고 전하고 있음을 보면, 단순한 생업 백성이라기보다는 변방의 도서에서일망정 그 향읍에서는 나름대로 지배적 위치에 있는, 다시 말하자면 토호(土豪) 집안 출신이 아니었을까 하는 추측을 갖게 한다.11)

이렇듯 신라의 변방 도서 출신으로 추측되는 장보고가 처음 그 역량을 발휘하여 세인의 눈에 뜨이게 된 것은 당시 어느 수준까지는 외국인에게도 극히 개방적이었던 당(唐)에서의 일이었다. 그의 도당 시기나 당에서의 자세한 행적은 전하지 않지만 그가

9) 盧泰敦, 앞의 글, 28쪽 참조.
10) 拙稿, 앞의 글, 62~63쪽 참조.
11) 위의 글, 63~65쪽 참조.

출중한 무재의 소유자로 나이 30세경에 서주(徐州)의 무령군(武寧軍) 소장(少將)이 되었음이 전하고 있어 그가 스스로의 능력으로 무장으로 입신하였음을 알려 주고 있다.12)

그런데 820년대 초반에는 이미 그의 활동범위가 일본에까지가 닿는 것으로 나타나고 있다. 따라서 당에서의 장보고의 해상(海商)으로의 변신과 그 세력의 형성은 이미 이 시기에는 이루어졌던 것으로 추측되며, 실제 당시 산동지역의 정세나 무령군의 형편도 또한 그러할 수 있는 가능성을 보여 주고 있다. 819년에는 절도사(節度使)로 4대 50여 년에 걸쳐 산동지역을 장악하고 또 신라·발해 교역을 통제하던 고구려 유민 출신 이정기(李正己) 일가가 몰락하였으며13) 대략 821년경에는 그를 토벌할 때 선봉에 선 무령군에 감군(減軍)이 있었던 것으로 예상된다. 이 때 대체로 장보고 또한 군에서 나와 이 지역 신라 거류민 집단을 규합하는 가운데 특히 이정기 일가의 몰락으로 일시 공백상태가 된 황해무역권을 장악하게 된 것이 아닌가 하는 것이다.14)

당에서의 그의 활동은 대체로 당의 연안항로와 나·당 항로의 중계지가 될 수 있었던 산동반도의 돌출부인 적산포(赤山浦 : 登州府 寧海州 文登縣 淸寧鄕 소재)를 중심으로 이루어진 것으로 보인다. 일본 승려 엔닌(円仁)의 견문에 의하면 그는 그 곳을 중심으로 산동반도로부터 남쪽으로 회수(淮水)와 양자강(揚子江)

12) 장보고의 당에서의 행적과 관련하여는 다음과 같은 자료가 참고된다. 杜牧, 『樊川文集』 권6 ; 『唐書』 권220, 列傳제145 東夷傳 新羅 ; 『三國史記』 권44, 列傳제4 張保皐傳.

13) 金文經, 「唐代藩鎭의 한 硏究 - 高句麗 遺民 李正己一家를 中心으로 -」 『省谷論叢』 6, 1975 참조.

14) 蒲生京子, 앞의 글, 50쪽 참조.

어구에 이르기까지의 해안과 강안 지역에 분포하여 자치적인 집단을 이루고 있던 이른바 '신라방(新羅坊)' 또는 여타 신라인 촌락[15]의 총수격으로 성장하여 그들 신라인을 결속시키는 가운데 늦게까지 그 지역 해운업을 독점하다시피한 것으로 유추된다. 그리고 특히 적산촌 산중에 위치하였던 그의 원찰(願刹)인 법화원(法華院)은 그의 영향력 아래 있던 신라인들의 정신적 구심점의 역할을 한 것으로 전하고 있다.[16]

위와 같이 일단 당에서 이미 세력을 구축하여 일본에 이르기까지의 해상교역에 주역으로 성장한 장보고는 828년에는 다시 귀국하여 당시 국왕인 흥덕왕에게 해적들이 신라인을 약탈하여 당에 매도(賣渡)하는 것을 막는다는 구실로 그의 고향으로 생각되며 또한 신라와 당 및 일본을 잇는 해상교역의 요충이기도 한 지금의 완도에 청해진을 설치할 것을 청하였다. 그리고 대략 그 인근 주민들의 동원 내지 관할권을 의미한다고 생각되는 '졸 만인(卒萬人)'을 얻어 그 대사에 취임하였다. 이로써 좀더 확실한 새로운 세력기반을 구축하고 동시에 공적인 지위까지 획득하는 변신을 보였다. 그는 이제 신라의 인정을 받음으로써 국제적으로도 인정받을 수 있는 일정한 지배 영역과 직분을 얻게 되었다. 그리하여 밖으로는 좀더 격식을 차린 견당매물사(遣唐賣物使) 또는 회역사(廻易使) 등의 명칭으로 당과 일본에 교관선(交關船)을 보내는 등 그 교역의 위상을 한층 높여 갔으며, 안으로는 신무왕(神武王) 옹립에 그 군사적 후견인으로 관여하면서 신라 조정에

---

15) 円仁,『入唐求法巡禮行記』. 金文經,「在唐 新羅人의 村落과 그 構造」 참조.

16) 金文經,「赤山 法華院의 佛敎儀式」『史學志』1, 1967 참조.

막강한 영향력을 행사하기에 이르러 급기야는 납비를 자청하고 나서게까지 되었다.17) 이에 장보고는 신라의 청해진과 당의 적산포를 양축으로 하여 황해 남부의 나·당 양안의 신라인 사회를 이끄는 일대 세력권을 구축하게 되었으며 그에 기반하여 명실공히 황해교역에서 왕자적 지위에 오르게 되었던 것이다.

Ⅲ. 장보고 세력의 정치·사회적 성향

장보고 세력의 기초가 되는 인적 기반은 지역별로 크게 두 집단으로 나뉘어진다. 그 하나는 적산포 중심의 도당 신라인이며 다른 하나는 청해진 관할하의 서남해안 주민들이다. 그리고 조직면에서 보면 장보고 휘하에는 그들 양 지역 주민의 통어 및 해상활동에 요직을 맡고 참여하는 다수의 유능한 막료급의 인적 자원이 있었던 것으로 나타나고 있다.18)

물론 장보고가 이러한 인적 기반에 밀착될 수 있었던 것은 무엇보다도 우선 그 처지상 동류(同類) 의식을 가질 수 있는 상황이었기 때문이라고 하겠다. 크게 보아 장보고를 포함한 그들 모두는 골품체제하의 신라 사회에서 볼 때 주변에 위치한, 그리고 이미 또는 점차 그로부터 이탈해 가고 있는 부류들이라 하겠다.

17) 장보고의 귀국 후 행적과 관련해서는 주 12에 제시한 자료와 더불어 다음과 같은 자료가 참고된다. 『三國史記』 권10·11, 新羅本紀 제10·11 ; 『三國遺事』 권2, 紀異2 ; 『續日本後紀』 권9·10·11 ; 円仁, 『入唐求法巡禮行記』. 그리고 주 1에 제시된 대부분의 논저가 그에 관하여 상세히 언급하고 있다.

18) 盧泰敦, 앞의 글, 28~30쪽 참조.

그리고 좀더 직접적으로는 재당 신라인은 이국에서의 동족(同族)으로, 또 청해진 관할 주민은 동향인(同鄕人)으로서 장보고와 결속하기에 좀더 용이한 처지였다. 그리고 특히 그 막료급 인물들은 국내외에서 부랑하던 능력 있는 인물들이 다수 포섭되어 기용된 것으로 보이는데 이들은 더욱 장보고와 같은 처지라 하겠다.

그러나 장보고가 그러한 인적 기반을 이끌고 일대 세력을 이룰 수 있었던 것은 동류감에 더하여 이미 노쇠한 당과 신라가 포기하다시피한 그들의 생존에 대한 보호자 역할을 대행한 데서 가능하였다. 우선 그가 한동안 산동, 서주 지역을 장악하였던 절도사 이정기 일가를 토벌하는 데 선봉이었던 무령군의 무장 출신이라는 점과 그가 처음 자신의 세력으로 삼은 당시 재당 신라인 사회가 기실 자위적(自衛的) 자치집단이었음을 연결시켜 보면 그의 역할이 저와 같았을 것임은 쉽게 예상된다. 그리고 이 점은 특히 청해진 설치에서 한층 더 극명하게 드러난다. 이미 언급하였듯이 그는 신라인을 당에 노비로 약매(掠賣)하는 해적들을 소탕하고자 한다는 명분에서 청해진을 세울 것을 청하였으며 그의 설진(設鎭) 이후 해상에서 신라인 약매자가 없어졌다고 전하는 것[19]을 보면 그가 나·당 연안지역의 신라인 사회를 장악하는 데는 그 주민 보호가 지상의 명분이었다고 하겠다. 그리고 실제 청해진 자체가 군진(軍鎭)일 뿐만 아니라 그의 교관선단도 군사적 편제로 이루어진 흔적이 있음을 보면 그럴 만한 실력도 충분히 갖

---

19) 『唐書』 권220, 新羅傳, "後保皐歸新羅 謁其王曰 遍中國以新羅人爲奴婢 願得鎭清海 使賊不得掠人西去 清海海路之要也 王與保皐萬人守之 自太和後 海上無鬻新羅人者".

추었다고 하겠다.[20]

한편 그와 같은 세력의 형성 및 유지에는 또한 그의 개방적이고도 포용력 있는 인물 기용이 한몫 한 것으로 생각된다. 당시 신라와 당의 교역로상에는 신분적인 벽 때문에 입신(立身)의 한계에 부딪쳐 도당하였으나, 당에서도 또한 이방인으로서 여의치 못하여 부랑하던 다수의 능력 있는 인물들이 내왕하고 있었다. 장보고는 그들을 막료로서 폭넓게 포섭 기용하고 있었다. 그리고 그 세력을 유지하는 데 상호 도덕적 신뢰성을 제고할 수 있는 종교적 배려까지 결하지 않고 있었다. 그는 당초 그의 근거지였던 적산에 이미 언급한 바 있는 선찰(禪刹)로서 법화원을 개창하였던 바, 그것은 물론 예하 주민의 심적 구심처로 그리고 그들이 지향하는 사회정의의 실천을 위한 도량으로 이용코자 한 것이 틀림없다.[21]

그런데 이제 다시 장보고 세력의 형성에 내재한 이러한 여러 요인을 음미해 보면 그들 집단은 이미 골품제를 근간으로 하는 기존의 신라사회로는 회귀할 수 없는, 좀더 그 구성원의 개체성(個體性)과 안정된 생(生)이 보장되는 다시 말해 양인(良人)의 처지를 재확립하는 새로운 사회를 지향하고 있었다고 하겠다. 즉 골품체제를 고수하고자 하는 한 신라 왕조와는 병존할 수 없는 한층 진보적인 정치·사회적 성향을 지닌 집단이 되고 있었다. 그리고 이 점은 특히 그들 집단의 총수인 장보고와 신라 왕실의 관계에서 좀더 분명해진다.

---

20) 盧德浩, 앞의 글, 31쪽 참조.

21) 金文經, 「赤山 法華院의 佛敎儀式」; 拙稿, 앞의 글, 75~76쪽 참조.

귀국 후 장보고는 일단 신라의 권위를 빌어 청해진대사가 되었으나 직함으로 알 수 있듯이 그는 결코 기존의 신라 관직체계에는 편입되지 않고 그 밖에서 특별한 위치로 대우받았다. 즉 '청해(淸海)'란 당시 다른 군진명과 비교해 볼 때 일정 지역의 명칭이라기보다는 모든 바닷길을 맑게 한다는, 바꾸어 말하자면 모든 해상의 권한을 위임한다는 의미로도 풀이될 수 있는 것이다. 또한 '대사(大使)'란 신라의 고유한 관명이 아닌 독립성이 강한 번진(藩鎭)의 의미를 지닌 것으로서 당시 중국의 절도사 별칭에서 유래한 것이다. 그리고 그에게 주어진 그 밖의 관명적 호칭도 '감의군사식실봉이천호(感義軍使食實封二千戶)'의 봉작(封爵)이거나 '진해장군(鎭海將軍)'의 장군호일 뿐이었다.[22]

따라서 장보고와 신라 왕실의 통혼 기도는 기존의 신라체제를 고수하려 한 세력에게는 그 자체로서 자신의 존재를 부정당하는 것이기도 하였다. 이에 당시 중앙의 실권자 김양(金陽)과 기존의 질서하에서는 청해진 지역보다 우위에 있었을 것으로 여겨지는 무주(武州) 출신 염장(閻長)의 공작으로 장보고는 암살되어 제거되었으며[23] 일단 그 세력은 소멸되었던 것이다.

맺음말

이제까지 황해 교역로의 남하와 신라인의 대당 이주, 장보고의 출신과 그 세력의 형성 과정, 장보고 세력의 정치·사회적 성향

22) 拙稿, 앞의 글, 76~77쪽 참조.
23) 蒲生京子, 앞의 글, 61~65쪽 참조.

등을 순차적으로 살펴보았다. 이를 통하여 얻어진 내용을 다시 정리해 보면 다음과 같다. 장보고 세력의 등장은 신라가 한반도 중남부를 통일함으로써 산동반도를 중심으로 하는 당의 연해지역과 신라의 서남해안 및 일본으로까지 연장되는 해상교역이 크게 번성하고, 그리고 골품체제의 모순이 점차 노정되면서 신라의 변방 통제가 이완되고 그 지배체제에서 이탈하는 다수의 신라인이 도당 이주하였던 시기적 상황과 일찍이 입신양명을 위해 도당한 장보고의 탁월한 무재와 영도력의 만남에서 이루어졌다고 하겠다. 즉 이러한 시기적 조건을 배경으로 그 구성원의 개체성과 안정된 생의 보장을 명분으로 하여 결성된 것이었다.

따라서 그 정치적·사회적 성향면에서 볼 때 장보고 세력은 기존의 신라 지배체제와는 공존하기 어려운 것이다. 이에 납비 시도를 기화로 그는 신라의 중앙귀족에게 사주받은 자객에 의해 제거되고 그의 세력 또한 종내는 해체되었다. 그러나 그들 세력이 이룩한 내적 지배질서는 분명 신라 사회가 안고 있는 골품체제의 한계에서 본다면 진일보한 것이었으며 비록 해체되었지만 그들 세력은 제2 제3의 그와 같은 세력의 등장을 예고하는 것이었다. 그리고 실제 곧이어 수다한 호족세력이 출현하였다. 그 중에서도 특히 경기만의 해상세력에 기초하고 나주 호족과 결탁하여 서남해안을 장악함으로써 창업의 첫 발을 내딛고 신라 왕실과의 통혼을 통해 후삼국 통일의 주(主)가 될 수 있는 왕자적 권위를 한층 높인 고려 태조 왕건의 활약상은 이를 좀더 분명히 보여 준다.

월주요갈래 청자의 형태분류를 통해 본 고려청자의 분석

요시오카 간스케(吉岡完祐)

후쿠오카(福岡) 시 사와라(早良) 평야의 주로가와(十郎川) 유적 A구역에서 출토된 월주요갈래 청자는 모두 500점이 넘는다. 이 구역은 사와라 군아(郡衙)에 근무하는 재청관인(在廳官人)들의 집터 내지는 헤이안(平安) 시대에 있었던 시로노하라 폐사(城ノ原廢寺)에 부속된 것으로 보이기 때문에, 이들 재지호족들이나 좌주(座主) 등의 법사(法師)가 일상에서 사용했을 것이다.

사와라 군아는 당시 해외교역의 유일한 항구였던 하카다(博多) 만 이마쓰(今津) 지역 가까이에 있어 외국수입품을 자유로이 이용할 수 있었다. 그러므로 재청관인이나 사원 법사들이 당시 최고급품인 월주요갈래의 청자를 많이 썼을 것으로 생각된다. 500점이 넘는 월주요갈래 청자가 한 군데 유적에서 출토된 것은

* 元寇史料館 연구원

특이한 사례로서, 외국사신의 영빈관으로 사용되었던 후쿠오카시 홍려관(鴻臚館) 터에서 2,500여 점이 출토된 사례에 버금 가는 것이다. 이마쓰 부근이 교역항으로 각광을 받은 것은 12세기 경까지로, 그 이후 교역 장소는 소데노미나토(袖ノ港), 레이센노쓰(冷泉ノ津) 등 이른바 나노쓰(那ノ津) 쪽으로 옮아갔다. 주로가와 유적에서 출토된 유물 중 12세기 이후의 자기가 갑자기 줄어들고 있다는 점, 그리고 가마쿠라(鎌倉) 시대의 교역 중심지였던 레이센노쓰(현재의 博多 舊祇園町 부근)에서 12세기 이후의 중국 도자기가 다수 출토되고 그 이전의 도자기는 거의 검출되지 않는다는 점이 이 사실을 반증한다.[1]

이 유적에서 출토된 월주요갈래 청자는 이차로 쌓인 것이 대부분이기 때문에 층 위에 따른 시기 차이를 추적할 수는 없다. 그러나 형태상으로 각기 몇 가지 특징과 차이가 있어서, 그것을 구분함으로써 당시의 청자의 제조방법의 추이를 상정해 볼 수 있을 것으로 생각한다. 특히 초기의 고려청자에는 월주요계 청자와 흡사한 해무리굽 잔(碗)이 있으며, 이 가마터는 글쓴이의 조사에 따르면[2] 한국 전라도 강진군 대구면・칠량면에서 30여 개소가 발견되고 있다.

고려청자의 발생 시기에 대해서는 다음에 말하듯이 9세기 전반, 830~840년쯤 사이로 비정하고 있으므로, 주로가와 유적의 월주요갈래 청자와 비교함으로써 형태에 따른 지역성 및 연대차를 상정할 수 있을 것으로 생각한다. 이하 양자의 형태와 가마터

1) 池崎讓治・折尾學, 『博多 1』, 福岡市教育委員會, 1979.

2) 吉岡完祐, 『高麗青磁の發生に關する研究』(숭전대박물관, 1979 ; 이화여대 도예연구소, 『도예연구 2』, 1980).

별 차이를 고찰하기로 한다.

1. 주로가와 유적에서 출토된 월주요갈래 청자기의 분류

이 유적에서 출토된 월주요갈래 청자 가운데 확인할 수 있었던 기종(器種)으로는 완·합(盒)·향로가 있다. 그 밖에 항아리·주전자의 주둥이 조각들이 월주요갈래 청자로 여겨진다. 또 기종을 알 수 없는 것들이 몇 점 있다. 하지만 완 아닌 것으로는 1점씩 출토되어 기형을 분류할 수 없다. 이 글에서는 완에 의해 분류했다. 월주요갈래 청자라 하는 것은, 웃물색조(釉調)는 물론이지만 굽의 안쪽에 남아 있는 구울 때의 눈자국이 있는 것만에 한정시켰다. 형태에 의한 분류는 굽의 차이에 따라 셋으로 구분된다.

Ⅰ류 : 굽의 접촉면의 바닥이 넓고 안지름이 좁게 되어 이른바 해무리굽이라고 불리는 기종이다.

Ⅱ류 : 굽이 좁게 되어 현재 쓰이고 있는 것과 같은 둥근턱(輪)굽으로서 전체로 정교한 제품이다.

Ⅲ류 : 분명한 굽이 없고 바닥부분이 납작바닥(平底形) 내지 볼록바닥(上底形)으로 된 평굽으로서 전체로 볼 때 조잡한 제품이다.

Ⅰ류(그림 1)

굽이 해무리굽 모양으로 된 잔(碗)은 다섯 가지 형식으로 분류할 수 있다.

잔 A(그림 1 - 191~193)

이 형식의 특징은 몸체 전면에 윗물을 바르고 안쪽 홈에 여벌구이의 눈자국이 없는 점이다. 전체로 볼 때 제작은 정량(精良)하며 광택이 있는 회록색을 띤다. 굽 바닥의 폭이 넓고 그만큼 안지름이 좁아진다. 월주요갈래 청자류의 잔에서는 가장 좋은 부류에 속한다. 이 번조(燔造=燒造)법과 비슷한 고려청자의 가마터에서는 갑발(匣鉢)에 한 개씩 집어 넣어 굽는 신중한 제작이 이루어지고 있다. 이 형식도 갑발에 한 개씩 따로따로 넣어서 굽는 제조법이었다고 생각된다.

잔 B(그림 1 - 194)

앞의 A형식과 비슷하지만, 굽 안쪽 홈에 작은 눈자국이 남게 되는 여벌구이를 한 것으로 나타난다. 굽 바닥 접촉면의 폭이 좁게 되어 그만큼 안지름이 넓어진다. 바닥 전청부에 뵌쏙놀기의 물래(녹로)자국이 남는다.

잔 C(그림 1 - 195)

몸체의 안팎에 윗물을 바르는데 굽 안쪽만 깎아 내었다. 굽, 홈 양면에 여벌구이의 눈자국이 남는다. 눈자국 수는 복원할 경우 굽이 4개, 홈이 10개 정도 된다. 홈에 눈자국이 많은 것은 여벌구이한 기물(器物)에 흠이 가지 않게 떼어 내기 쉽도록 하기 위해서 고안된 것으로 생각된다.

잔 D(그림 1 - 196, 198)

굽 언저리에는 민자(露臺)로 웃물은 발라지지 않았다. 이것은 굽 부분이 있고 부어넣기식(突入式)으로 웃물칠하기한 조잡한 제품인 Ⅲ류에서 보이는 형식이다. 눈자국은 굽과 홈에 모두 있으며 바탕흙(胎土)과 웃물색조는 정밀하고 양질이지만 만든 방법은 조잡하다.

잔 E(그림 1 - 197)

웃믈색조와 바탕흙은 모두 Ⅲ류의 조잡한 제품과 비슷하다. 굽 끝쪽이 불거져 나오고 굽 바닥의 폭은 좁으며 안지름이 넓어진다. 굽과 홈에 눈자국이 남고, 부어넣기식으로 웃물칠하여 광택이 없고 회색빛을 띤다.

Ⅱ류(그림 1, 2)

둥근턱굽의 잔(碗)은 모두 몸체 전면에 웃물이 칠해져 있다. 각자 형태가 다르고 동질의 것이라도 조금 차이가 있다. 이것은 생산지가 다른데다 제작시기도 틀리기 때문이라고 생각된다. 이 때문에 일곱 가지 형식으로 분류할 수 있다.

잔 A(그림 1 - 207, 208)

전체로 볼 때 낮은 굽으로서, 그 끝쪽과 홈에 다수(15~20개)의 눈자국이 남겨져 있다. 웃물은 회록색을 띠는데, 모두 표면이 거칠고 탁한 느낌을 준다. 제작은 상당히 조잡해 물래자국이나 깎아 낸 자국이 남아 있다.

잔 B(그림 2 - 210)

굽의 접촉면만 웃물을 닦아 내고 굽과 홈에 큰 눈자국이 5개씩

남아 있다. 안쪽 홈 위에 줄이 하나 파여 있어 경계를 이룬다. 웃물색조는 짙은 회록색이라고 할 수 있어, 눈의 자국만 없으면 월주요갈래 청자라고는 생각할 수 없다.

잔 C(그림 2 - 212)

앞의 B형식과 유사하지만 제작법에 차이가 있고, 홈에 연속된 둥근 흰 모래로 된 눈자국이 남아 있다. 폭은 5~7mm쯤 된다. 굽에는 접촉면에서 보면 굽 위쪽 허리부분까지 10개 가량의 눈자국이 남아 있다.

잔 D(그림 2 - 211)

굽 안쪽과 끝쪽이 물래를 돌려 잘 다듬어져서 웃물이 없어져 있다. 굽의 눈자국은 흔적이 남아 있을 뿐 흰 모래는 보이지 않는다. 안쪽의 눈자국은 6~7개 정도이다. 둥근턱굽의 잔으로 굽 안쪽에 웃물이 없는 것은 드문데, 이것 한 점만 발견했다.

잔 E(그림 2 - 213~215)

이 형식은 홈에 눈자국이 없고, 굽 안쪽 천정부에 눈자국이 남는 점이 공통된다. 모두 웃물색조와 기형이 생산지를 달리하는 제품이다. 이것은 분명 가마도구로서 원반형의 흙제품인 도개(垍)를 사용한 것으로 여겨진다. 도개는 제품이 쉽게 가마도구에서 떨어지도록 사용한 것으로서, 천정부에 눈자국이 남은 것은 굽 안지름보다 작은 대 위에 굽기 전에 잔을 올려 놓기 때문이며, 이로써 외관상 눈자국이 없어진다.

잔 F(그림 2 - 216)

홈에 눈자국이 남아 있지 않고 여벌구이를 하지 않았다. 굽 접촉면의 눈자국은 잿물을 닦아 낸 위에 있어서 눈에 잘 뜨이지 않는다. 눈자국의 수도 적고 제작도 신중하여, E형식과 같이 도개(垖)를 사용한 것이라 생각된다.

잔 G(그림 2 - 217, 218)

앞의 F형식과 같은 형식이지만, 홈에도 눈자국이 있고 여벌구이가 되어 있다.

Ⅲ류(그림 3)

납작밑(平底) 내지 볼록밑(上底形)의 바닥을 한 것으로, 잿물칠은 전부 부어넣기식으로 하였으며, 몸체 하반은 민자로 되어 있다. 소수를 제외하고는 담황록색 내지 회록색의 잿물색조이나 벗겨져 있는 것이 많다.

잔 A(그림 3 - 208, 221~225)

바닥 끝쪽이 둥그런 모양을 하고 바깥쪽으로 불거져 나온 것으로, 몸체 특히 바닥의 그릇벽(器壁)이 다른 것에 비해 얇다. 잿물칠하기는 부어넣기식으로 잿물이 굽 언저리까지 흘러내린 것이 많다. 바닥의 눈자국은 안팎면에 모두 5개 내외로 거의 남아 있지 않아 눈에 잘 뜨이지 않는다.

잔 B(그림 3 - 226 · 227)

바닥 끝쪽을 주걱깎기하여 굽 모양으로 만든 것으로 끝쪽에 기울기가 주어졌다. 단지 A형식처럼 바닥의 불거져 나온 부분을 떼낸 것이 아니라서 전자에 비해서 전체로 두껍다. 눈자국은 안팎면 모두 10개 이상이며 바닥의 눈자국은 조금 움푹한 곳이 보인다.

잔 C(그림 3 - 230~232)

바닥 끝쪽을 주걱깎기하였고, 바닥에서부터 몸체가 직선으로 뻗는다. 전체로 그릇벽이 두터워 땅딸막한 인상을 준다. 바닥이 특히 두꺼워서 1.2cm를 넘는 것도 있다. 안팎면의 눈자국은 5~6개 있는 것부터 12~14개 있는 것까지 다양하다.

Ⅱ. 고려청자의 발생연대와 추이

전라남도 강진군 대구면·칠량면은 고려청자의 큰 가마터 군이 있는 곳으로 유명하다. 이 가마터는 1914년에 발견된 이래 스에마쓰 구마히코(末松熊彦), 노모리 쓰요시(野守 健) 씨 등 많은 연구자들에 의해 조사, 논증되어 왔다. 현재까지도 초기 가마부터 최성기의 것에 이르는 가마터가 여러 시기에 걸쳐 일관되게 모여 있는 장소는 이 곳 외에 따로 없다.

필자는 1977~1979년에 걸쳐 당대(唐代) 월자(越磁)의 특징인 해무리굽의 기형을 가진 초기의 월자 가마터 30여 군데를 조사했는데 그 결과 고려청자의 발생연대는 9세기 전반인 830~840년대이고, 신라의 대무역 상인인 청해진대사 장보고에 의해 월주요의 제조기술이 전해진 것으로 판단하게 되었다.

이러한 내용을 담은 논문은 한국에서 두 번에 걸쳐 발표되었는데,[3] 주로가와 유적에서 출토된 월주요갈래 청자와 고려청자를 비교해 보고서 양자가 구워진 연대와 지역성이 어느 정도 분명해질 것으로 생각했다.

아래에 필자가 고려청자의 발생연대를 9세기 전반이라고 주장하는 근거로 기형 구분을 동시에 하려고 한다.

(1) 노모리[4] 씨가 고려청자를 10세기 말에 발생했다고 본 최대의 근거인 순화(淳化) 4년(993) 명(銘)의 광구호(廣口壺)는 최근 발굴조사를 통해 초기 청자가 아니라 백자 범주에 드는 것으로 간주되어(정양모)[5] 청자의 발생연대가 소급되어 올라갈 가능성이 나타나게 되었다.

(2) 고려청자의 초기 가마로부터 당・오대 월자의 특징인 해무리굽 잔(碗)이 다수 출토되는데, 이는 일본의 해무리굽 잔의 출토연대가 10세기 중반경 이전이라는 사실과 부합되지 않는다.[6] 즉 해무리굽이라는 기형은 중국에서도 10세기 말에는 거의 둥근턱굽으로 전환되고 있다고 생각되고 있다.

(3) 대구면은 지금도 뭍의 산간벽지로서, 제품의 운송을 생각할 때 이 지역에 가마터가 있을 필연성은 없는 것으로 보인다. 그러나 『삼국사기』에 5,000명이 넘는 부하를 거느렸다고 기술된 청해진대사 장보고의 근거지 완도가 불과 십여 킬로밖에 떨어져 있

3) 위와 같음.

4) 野守健, 『高麗靑磁の硏究』, 淸閑舍, 1944.

5) 鄭良謨, 「高麗陶磁の窯址と出土品」『世界陶磁全集 18 高麗』, 小學館, 1978.

6) 松岡史・吉岡完祐, 『幸木遺跡, 唐・五代陶磁器出土遺跡發掘調査報告』, 豊津町敎育委員會, 1976.

지 않아 가마터는 그의 지배하에 있었다고 볼 수 있다.

(4) 청자 가마터와 나란히 신라토기 가마터가 존재하는 경우가 현재 판명된 것만도 5개소인데, 이는 가마벽이 확인된 것뿐이고 그 밖에도 토기의 산포지가 몇 개 있다. 이것은 주위에 번조를 위한 연료와 흙이 있음을 보여 주며, 신라토기를 번조한 가마터에 월주요의 기술자가 참가했던 것이라고 생각된다.

(5) 당대(唐代)의 교역항은 서쪽의 이슬람, 동쪽의 신라라고 이야기되듯이, 천주(泉州)는 이슬람 상인, 명주(明州=寧波)는 신라 상인이 주체를 이루고 있었다.

(6) 9세기 초두, 국내의 혼란에 의해 다수의 신라인이 당나라에 노비로 팔렸는데, 장경(長慶) 원년(821)[7]과 대화(大和) 2년(828)[8] 두 번에 걸쳐 신라 노비의 해방령과 매매금지령이 나오고 있다. 장보고는 이들 해방노비를 다수 자기의 지배 아래 두고 있었다. 이 가운데 월수정자의 번조지인 명주(明州)[9]의 여소(余姚) 상림호(上林湖) 가마 등에서 기술을 습득한 사람이 있었을 가능성이 높다. 장보고는 교역의 이익을 얻기 위해, 자기 지배하에 있는 완도 부근의 대구면에 있는 신라토기 가마에서 그들에게 청자를 구워 내게 하였을 것이라고 생각된다.

(7) 장보고가 완도에 근거지를 구축한 것은 842년까지로서, 그의 암살에 의해 청해진은 멸망했다. 이후 완도는 무인도화하여 대구면에서 청자 번조를 영위할 필연성은 없었다. 초기의 가마는 모두 고급의 넣어굽기그릇인 갑발에 요인(窯印)을 찍어 개인 경

---

7) 『冊府元龜』 卷170, 帝王部來遠.

8) 『唐會要』 卷87, 奴婢.

9) 吉岡完祐, 앞의 책 참조.

영을 하였던 색채가 짙었다. 가마가 대규모화하는 것은 이 요인이 사라지고 관요(官窯)로서의 성격이 강해지는 시기부터이다.

이상 서술한 바에 의해서, 고려청자는 9세기 전반인 830년대에 중국 명주 부근의 월주요 기술이 이입된 것이라고 여겨진다. 이러한 추측은, 대구면의 가마터에서 채집한 청자의 기형 변화와 가마도구의 조사 결과에 따른 것이다. 가마의 시기구분은 채집된 청자의 기형과 무늬, 갑발의 요인 등의 차이에 의해서, 전기·중기·후기로 나누었다. 하지만 이 분류는 일시적 성격을 지닌 것으로서, 지표채집한 유물 가운데는 다른 가마로부터의 혼입도 고려된다는 점, 대구면 용운리 27호 가마터, 사당리 12호 가마터, 삼흥리 남산 2호 가마터 등은 채집수가 적다는 점을 고려할 때, 그 전후관계가 바뀔 수도 있다.

전기

초기의 청자는 대구면 용운리, 칠량면 삼흥리 남산의 가마터 등 바다에서 떨어진 산간지역에서 구워졌다. 해무리굽의 청자 잔은 굽에서부터 위로 올라오는 선이 거의 직선으로 아가리까지 뻗는다. 안쪽 홈에는 눈자국이 보이지 않으며, 한 개씩 갑발에 집어넣어 구워졌다. 청자에는 무늬가 없어 민자(素面)이다. 구울 때의 눈자국은 굽 접촉면에만 있고 다른 곳에는 없다. 웃물칠하기는 모두 담그기 방식으로서, 부어넣기 방식은 보이지 않는다. 갑발의 요인에도 공통성이 적다.

전기의 가마로 용운리 9호가 가장 고색을 띠어 주목된다. 가마 옆에는 나란히 신라토기 N가마가 있고, 청자 잔 가운데에는 토기에 있는 것처럼 불거져 나온 굽으로 된 것도 있다. 이 가운데 웃물색조가 올리브기를 띤 청자 조각이 검출되었다. 몸체에 눌러 만든 세로선이 그어져 있다. 다른 고려청자가 옅은 녹색 기미를 띠고 있는 데 반해서 이 조각만 바탕흙과 웃물색조가 달라 월자에 가깝다. 아마 제작 때의 본보기로서 반입된 것이라고 생각된다.

중기

이 시기의 해무리굽의 잔(碗)은, 굽에서 올라오는 선이 직선으로 뻗은 것과, 완만하게 굽어 둥그스름한 것이 있다. 표면에는 오대의 월자에서 보이는 연꽃무늬가 나타난다. 오대의 월자와 같이 홈산에 의한 것이 아니라 오목새김에 의해 간략화된 것이다. 기형 또한 합(盒) 모양의 소호(小壺)나 개(蓋)·탁(托)·발(鉢) 등이 나타난다.

가마터도 용운리에서 사당리 등 바다 근처까지 확대된다. 가마도장(窯印)은 둥근 형태 등 공통된 것이 많아 장인들 사이의 관련성이 느껴진다.

후기

이 시기에 이르면 가마터는 계율리까지 확대된다. 해무리굽의 잔(碗)은 굽부터 올라오는 선이 둥그런 느낌을 띤 것으로부터 바깥쪽으로 완만하게 굽은 것으로 바뀐다. 중기에 보였던 연꽃무늬는 모습을 감추고 돋새김(陽刻)과 선새김(線刻)에 의한 무늬가 나타난다. 갑발에서 가마도장이 없어져서 가마의 경영이 개인으로부터 집단으로 옮겨지고 공동관리로 나아간 것으로 생각된다.

사당리 H가마로부터 안쪽 홈에 '부원(富院)'이라는 명이 찍힌 해무리굽 잔이 검출된 사실을 통해 볼 때 가마의 운영이 관요화된 것이라고 여겨진다. 이 때문인지 청자의 문양에는 획화(劃花)에 오대의 월자와 같은 앵무문(鸚鵡文 : 계율리 L가마터) 등이 출현하고 돋새김, 돌림꽃(輪花)·찍는틀(押型) 등으로 다채로워진다. 또 상감청자의 선구라고 생각되는 흰띠선(白推線)을 두른 청자(용운리 27가마터)도 이 시기에 나타난다.

이 말기에 용운리 33-D가마나 계율리 L가마 등에서부터 가마도구로 도개가 사용되기 시작하는데, 해무리굽의 청자 잔은 퇴화하여 형식화된 기형이 된다. 도개는 채집한 기물의 모든 표면에 3~4개의 작은 돌에 의한 돌기가 보인다. 이것은 구울 때 눈자국을 두드러지지 않게 하기 위한 것으로서 굽 안쪽 천정부에 접해서 이루어졌다.

3. 월주요 청자의 구워내기 방법의 변화

월주요 청자와 초기 고려청자에는 앞서 말했듯이, 유사한 측면과 이질의 측면이 존재한다. 이 양자를 비교함으로써 다음과 같은 문제가 제기된다.

(1) 초기의 고려청자의 웃물바르기는 담그기 방식에 의한 것으로 부어넣기식에 의한 것은 존재하지 않는다. 해무리굽 잔에는 여벌구이에 의한 눈자국이 홈에 없고, 한 점씩 갑발에 집어넣어져 구워 내지고 있다. 이것은 월주요갈래 청자 Ⅰ류 A와 같은 형식의 것으로, 고려청자의 번조기술은 Ⅰ류 A를 구워 낸 가마에

서 이입된 것이라고 생각된다.

(2) 고려청자에는 월주요갈래 청자 Ⅱ류 E에 있는 것처럼 굽 천정부에 내화토(耐火土)에 의한 눈자국이 보이지 않는다. 그러나 3~4개의 작은 점 모양의 흔적이 남은 것이 있다. 이것은 도개의 표면에 내화토를 얹고 구워 낸 것과 작은 돌을 돌기 모양으로 얹고 구워 낸 것이 있어, 전자는 Ⅱ류 E에 있는 것 같은 눈자국을 남기고, 후자는 굽 천정부에 작은 점 모양의 자국을 남긴 것이라고 생각된다. 이러한 판단에서, 고려청자에 도개의 사용이 이입된 시기에, 중국에서는 이미 내화토 대신에 작은 돌 모양의 것을 얹은 도개가 쓰이고 있었을 것이라고 생각된다.

(3) 고려청자에서의 갑발의 사용법은, 도침대(置臺) 위에서 갑(匣)을 씌운 것으로, 현재처럼 갑발 가운데에 집어넣는 사용법과는 다르다. 이것은 구워 낼 때에 내화토에 의해 청자와 갑발이 붙는 경우에 파손될 염려를 없애고 떼내기 쉽게 할 필요성 때문이었다고 생각된다.

이상의 고찰로부터, 월주요갈래 청자의 형태와 구워내기 방법의 전환을 다음과 같이 생각할 수 있다.

9세기 용운리 9가마터에서 출토된 것으로 대표된다. 9세기 전반에 월주요갈래 청자의 기법이 그대로 이입되었다고 추정되며, 무늬가 없이 민자이다. 갑발에 의한 구워내기 방법으로 도침대 위로부터 갑발을 들씌우고 굽에는 내화토에 의한 눈자국이 두드러지게 보인다.

10세기 주로가와 유적에서 출토된 월주요갈래 청자 Ⅱ류 E로 대표된다. 같은 종류의 것으로서, 태평무인(太平戊寅 : 978) 명(銘)의 월주청자 부스러기편이 존재하는 사실로부터, 10세기 후반에는 도개 위에 내화토를 얹어 사용했다고 생각된다.

11세기 고려 건국에 의한 고려청자의 관요화에 의해, 중국으로부터의 영향이 강해져 무늬·가마도구 등 많은 기법이 이입되었다고 생각된다. 고려청자에서 무리굽의 기형이 급속히 소멸함과 동시에 굽 안쪽 천정부에 작은 눈자국 모양의 것이 3~5개 남은 것이 출현한다. 이것은 표면에 작은 돌을 여러 개 얹은 도개의 사용에 따른 것이다. 용운리 33 - D가마터, 계율리 L가마터의 것이 이 시기로 생각된다. 도개는 갑발의 조각을 대신 쓴 것도 있어, 처음부터 구워진 경질(硬質)의 것이라고 생각된다.

12세기 이후 송대의 자기에는 굽 안쪽 천정부에 작은 눈자국을 남긴 것이 언젠가부터인지 사라진다. 도개 위에 몇 개의 돌기를 만들고 눈자국을 눈에 띄지 않게 하는 기법이 어느 시기까지 계속되었는지는 현재 단계에서 알 수 없으나, 남송대의 교단관요(郊壇官窯)에서는 도개의 모습이 용운리 33 - D가마터·계율리 L가마터 출토의 도개와 유사하다.[10] 이 사실로부터 12세기까지 쓰인 것은 확실하지만, 주로가와 유적에서 출토된 13세기라고 생각되는 홈줄연꽃무늬 청자 잔은 굽 접촉면이 민자대(露臺)로 되고 눈자국 같은 것은 보이지 않는다. 이것은 도개의 사용법이 현재처럼, 굽기 전부터 생찰흙(生粘土)을 쓰고 그 위에서 구워진

10) 長谷部樂爾, 「宋の官窯靑磁」 『世界陶磁全集 12 宋』, 小學館, 1977.

흙의 온도가 다른 가루모양의 것을 뿌려, 구울 때 붙는 것을 막는 방법[11]으로 바뀌었다고 생각되며, 그것과 동시에 갑발을 쓰는 법이 위에서 씌우는 방식에서 현재처럼 구울 그릇을 갑발 속에 집어넣는 방법으로 전환되었던 게 아닌가 생각한다. 왜냐하면 구워낼 때 자기와 가마도구가 엉겨붙는 것을 막고 떼어낼 때의 손상을 없애며 갑발로부터 제품을 손쉽게 꺼낼 수 있게 하여 갑발을 씌우는 것보다 갑발 가운데에 집어넣는 편이 효과면에서 더욱 좋기 때문이다.

이상 서술한 판단으로부터, 자기 구워내기 기법은 9세기 전반은 도침대 위에 기물을 두고 갑발을 들씌우는 방식, 10세기 후반에는 도개의 사용이 시작되고 위에 내화토를 얹는 방식, 11세기에는 도개 위에 내화토 대신 돌기 모양의 것을 대용하여 눈자국을 없애는 방식, 12세기 이후로는 일정한 시기부터 현재와 같은 구워내기 기법이 완성되어 갑발을 씌우는 방식으로부터 기물을 갑발 안에 집어넣게 되었다고 생각되며, 이를 상정한 것이 그림 6과 같다.

---

11) 중국 福建省 德化窯의 오름가마(중국에서는 龍窯라고 한다)의 제조법을 참조했다.

분 류		특 징	기 형
I 류	A	전면 시유 홈에 눈자국 없음	191, 192, 193
	B	홈에 눈자국 남음	194
	C	굽 안쪽면 유를 깎아냄	195
	D	돌입식 시유법	196, 198
	E	돌입식 시유법 조제품	197
II 류	A	눈자국 안팎면 모두 다수(15~20개) 남음	207
			209
			208

그림 1. 주로가와 유적에서 출토된 월주가마갈래 청자 모습 분류

분 류		특 징	기 형
Ⅱ류	B	홈에 눈자국	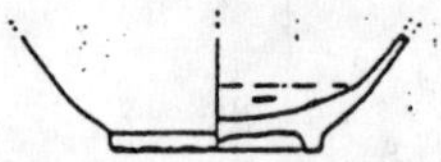 210
	C	홈에 바퀴모양의 눈자국 눈자국이 허리 부분까지 남음	 212
	D	굽 안쪽면에 유 없음	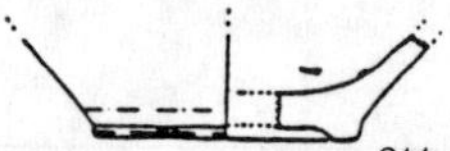 211
	E	굽 안 천장부에 눈자국 남음	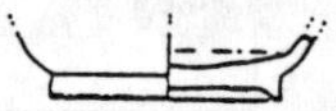 214
			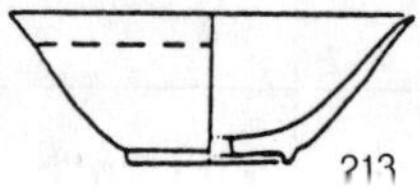 213
			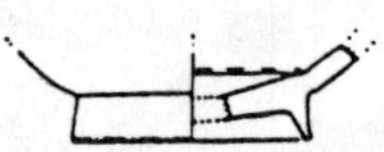 215
	F	홈에 눈자국 없음	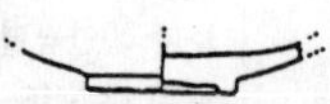 216
	G	홈에 눈자국 없음	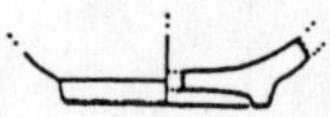 218
			 217

그림 2. 주로가와 유적에서 출토된 월주가마갈래 청자 모습 분류

분 류		특 징	기 형
Ⅲ류	A	바닥 끝쪽 돌출 기벽은 전체적으로 얇음	 225 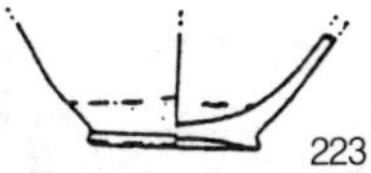 223  224 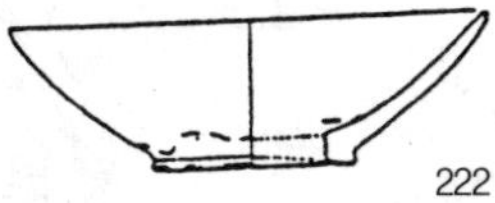 222 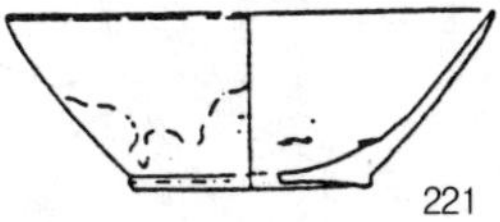 221 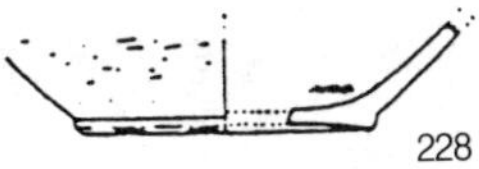 228
	B	바닥 끝쪽을 깎아내 굽모양의 기형을 이룸	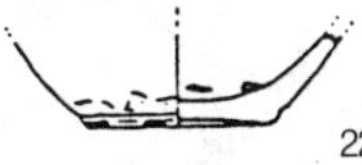 226 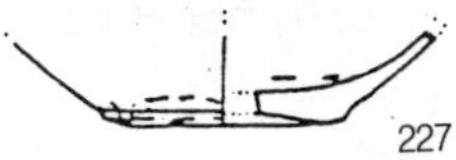 227
	C	바닥 끝쪽 주걱떼기	 231 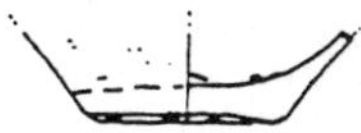 230  232

그림 3. 주로가와 유적에서 출토된 월주가마 갈래 청자 모습 분류

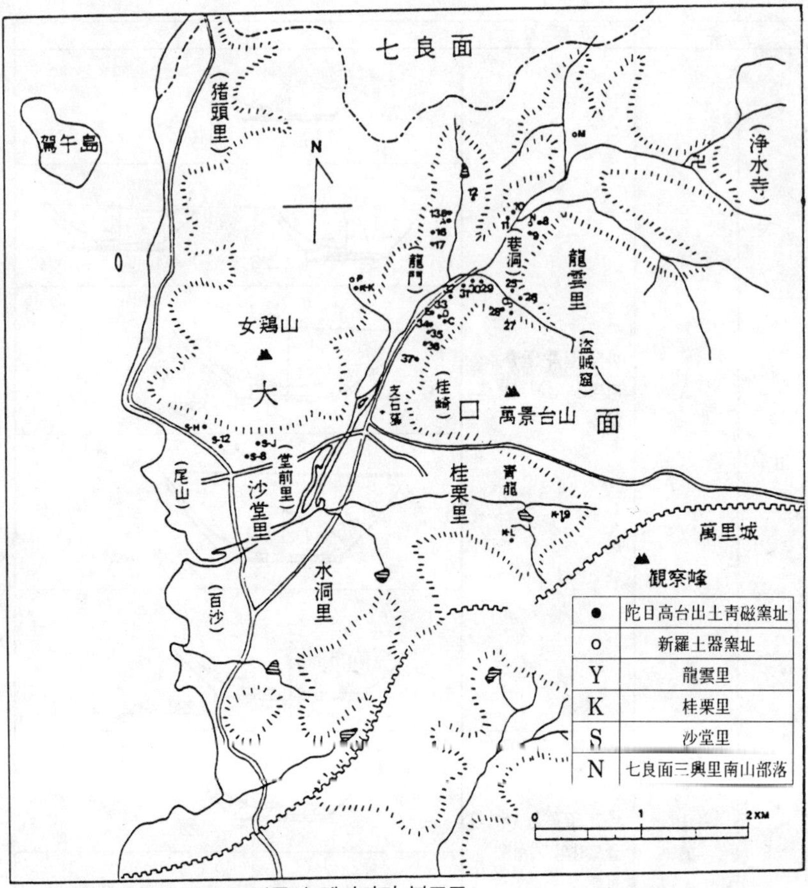

七良面
猪頭里
駕午島
淨水寺
龍門
巷洞
龍雲里
盜賊窟
女鷄山
大
口
面
萬景台山
桂峙
支石墓
堂前里
沙堂里
尾山
桂栗里
青龍
萬里城
觀察峰
水洞里
百沙
● 陀日高台出土青磁窯址
o 新羅土器窯址
Y 龍雲里
K 桂栗里
S 沙堂里
N 七良面三興里南山部落

그림 4. 전라남도 강진군 대구면 옛가마터 분포도

Y-12
Y-9
Y-33-D
K-L

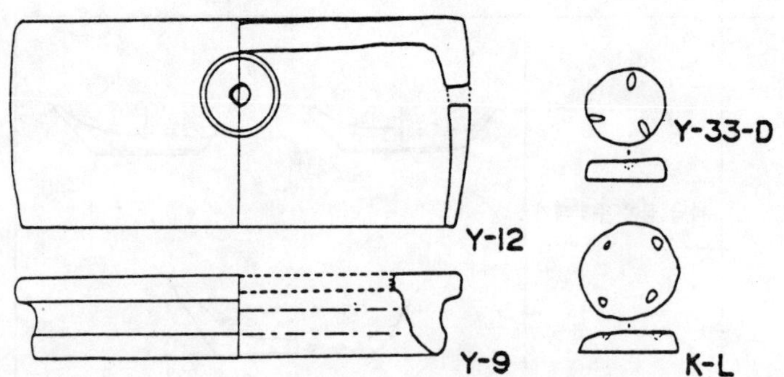

그림 5. 고려청자 가마 유적에서 출토된 가마도구

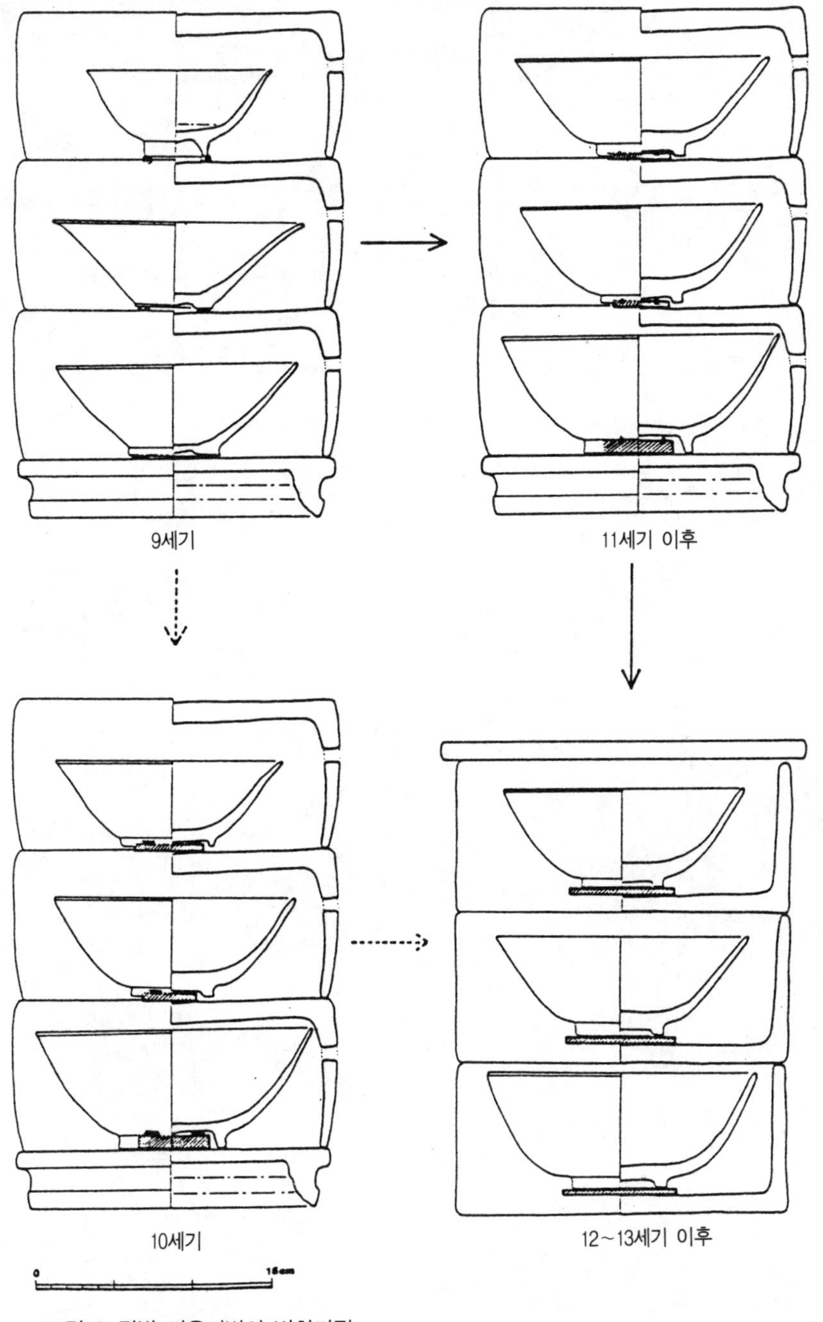

그림 6. 갑발 씌우기법의 변화과정

남해로의 동단 - 고대 한 · 중해로

무함마드 깐수

머리말

실크로드의 3대 간선의 하나인 남해로(南海路 : 일명 해상 실크로드)도 기타 두 간선(오아시스 육로와 초원의 길)과 마찬가지로 부단한 변천과정을 거쳐 그 노정이 인식되어 왔다. 지금까지 학계에서는 남해로의 동단을 중국의 동남해안으로 보는 것이 통설이다. 그러나 중국 이동지역, 즉 한국이나 일본에까지 서역과 남방 문물이 전파되고 서역선박이 내항하였으며, 이에 관한 문헌기록도 엄존한다는 사실을 감안할 때 남해로는 결코 그 항로를 중국 동남해안에서 멈추지 않고 더 동진하여 한국이나 일본에로 연장되었다고 추단할 수 있다.

한국의 경우 일찍부터 중국과의 해상교통이 발생하여 이 통로를 통한 중국과의 교류는 물론, 멀리 동남아시아나 서역과의 교

* 단국대학교 교수

류도 직·간접적으로 진행되어 왔음을 여러 가지 사실(史實)에서 확인할 수 있다. 이것은 고대 한·중해로가 남해로의 연장선상에서 그 기능을 수행하여 왔음을 의미한다. 따라서 고대 한·중해로를 남해로의 한 동단으로 인지하고 그 노정과 역할을 구명하는 것은 남해로의 원상에 대한 응분의 복원작업일 것이다.

남해로의 서단(西段)과 거의 때를 같이하여 시동한 고대 한·중해로는 조선술과 항해술의 발달, 그리고 양국 정세의 변화에 따라 항로를 달리하면서 줄곧 전개되어 왔다. 역대의 항로는 크게 연해로(沿海路 : 迂廻路)와 횡단로(橫斷路 : 直航路)의 두 갈래로 나뉘어 양국의 해안을 서로 이어 주었다.

이 글에서는 동서교류의 여명기에 지구의 동쪽 한 구석에 자리한 한반도를 명실공히 남해로의 동단(東段) 주역으로 기능케 한 고대 한·중해로의 전개 상황을 시대별로 고찰하려고 한다.

Ⅰ. 남해로의 동단문제

남해로는 자고로 실크로드의 한 구성부분으로서 고대로부터 근대에 이르기까지 지중해에서 홍해와 아라비아해를 지나 인도양과 서태평양에 이르는 광활한 해상에서 동서교류가 진행된 바닷길을 말한다. 중세에 이르기까지 이 길을 통해 향료와 도자기를 비롯한 동방의 문물이 서방으로 대량 유출되었으므로 이 길을 일명 '향료의 길', '도자기의 길'이라고도 한다.

지금까지 학계의 통설에 따르면 남해로의 서쪽 끝(西端)은 로마이고 동쪽 끝(東端)은 중국의 동남해안 일원으로서 해로의 동서 직항거리는 약 15,000km(37,500리)이며, 포괄 해역은 지중해

·홍해·아라비아해·인도양·서태평양 등이다.

남해로는 일시에 모습이 확연해진 것이 아니라 오랜 세월 끊임없는 변천과정에서 구간별로 한 토막씩 이어지면서 그 면모가 온전히 갖춰지게 되었다. 잔존기록에 의하면 기원전 8세기 말경부터 선을 보이기 시작한 남해로는 당초 그 서단이 바빌론이었으나 기원후 3세기 경에 오면 로마로 서전(西轉)한다.[1] 서단에 비해 좀 뒤늦게 알려진 동단은 기원전 3세기(秦代) 광주(廣州 : 일명 番禺)에서 시발하여[2] 9~10세기(唐代~宋代)에는 양주(揚州)·천주(泉州)·명주(明州) 등 중국 동남해안의 항구도시로 북상하였다.

이와 동시에 조선술과 항해술이 발달함에 따라 항로는 대체로 기원후 6세기까지 지속해 오던 연해항로(沿海航路)가 점차 심해(深海) 직항로로 바뀌어 갔다. 이러한 과정에서 시라프 등 페르시아만 내의 여러 항구와 인도양 상의 요로 사자국(師子國 : 현 스리랑카) 등이 중요한 기항지(寄港地 : 中繼地)로 부상하면서[3] 남해로의 동·서 구간은 한 토막씩 서로 이어져 갔다. 그리하여 바빌론에서 페르시아만을 지나 인도 서해안을 잇는 최초의 남해로 서단이 기원 초에는 인도양 동편으로까지 연장되었다. 한편 동방에서도 기원을 전후한 시기(漢代)에 일남(日南 : 현 월남)으로부터 도원국(都元國 : 현 수마트라의 서북부)을 지나 인도 동

---

1) R. Mookerji, *A Histiry of Indian Shipping and Maritime Activity*, 88~89쪽 ; 張星烺, 『東西交通史料彙編』 第6冊, 24~25쪽 ; 『水經注』에 인용된 康泰의 『扶南土俗傳』.

2) 『史記』 貨殖列傳.

3) J. W. Mecrindle tr., *Christian Topography of Cosmas, an Egyptian Monk*, Book II, 47~49쪽.

남해안의 황지(黃支 : 현 Kanchipuram)에 이르는 구간에 항로가 개척되고[4] 5세기 말엽에는 중국상선이 이라크의 유프라테스강 하구까지 항해하였다. 8세기에 이르면 광주(廣州)로부터 페르시아만까지의 직항로가 개항되고 10세기에 오면 중국 동남해안으로부터 로마까지의 바닷길 전 구간이 연결되어 드디어 이른바 동서교류의 대동맥의 하나인 남해로가 완성되기에 이르렀다.[5]

이상은 남해로의 동쪽 종착지, 즉 동단을 중국의 동남해 연안으로 설정한 종래의 통념이다. 그러나 고대 동서교류의 전모를 구체적으로 추적해 보면 이 남해로가 결코 중국의 동남해 연안에서 그 동진항로를 멈춘 것이 아니라 한반도나 일본으로까지 이어졌다는 사실을 발견하게 된다. 따라서 남해로의 동쪽 종착지(東端)와 거기에로의 구간(東段)을 원 상태로 복원하는 것은 당연한 일이라 아니할 수 없다. 문제는 고대(10세기 이전)에 이 구간이 남해로를 통한 동서교류에 얼마 만큼 참여하여 해로로서의 역할을 수행했는가 하는 데 있다. 이러한 참여도를 가늠할 수 있는 전거는 유물로 입증되는 문물교류와 그에 관한 기록인 것이다.

이 문제와 관련하여 그간 일본학계의 연구동향을 보면 남해로의 동쪽 종착지를 일본에로 연장하려는 연구가 나름대로 진척되어 그 결과가 국제학계의 주목을 받고 있다.[6] 그러나 적어도 당

---

4) 『漢書』 卷28, 地理志.

5) 남해로 전 구간의 개통 상황에 관해서는 拙著, 『新羅·西域交流史』, 단국대출판부, 1992, 489~507쪽 참고.

6) 三杉隆敏·原照二 編著, 『海のシルクロード事典』, 新潮社, 1988 참조. 1982년 新時代社가 출판한 『シルクロード歷史地圖』에는 남해로를 중국 寧波(明州)로부터 奈良·京都까지 연장시켰으며, 1991년 2월 유네스코가 주최하여 관련 15국이 참여한 南海路考察團

대까지는 일본과 중국 간의 해상교통은 물론, 중국이나 서역문물의 일본에로의 유입도 주로 한반도를 매개로 하였다는 사실을 감안할 때 남해로의 동쪽 구간(東段)인 한·중해로에 관한 구명은 비단 남해로의 한 구간에 관한 문제일 뿐만 아니라 그 동쪽 종착지(東端)의 해명과도 관련된 중요한 문제임에는 이의가 있을 수 없다.

한·중해로는 자고로 한국과 남해로 상에 위치한 여러 나라들을 이어 주는 가교적 역할을 수행한 바닷길이다. 물론 중국을 통하지 않는 직항로도 있을 법하지만 아직은 자료의 미흡으로 구체적으로 논급할 수 없다. 그러나 분명한 것은 동남아를 비롯한 남방문물이 한반도에 유입되었다는 사실로서, 이것은 그 유입경로의 여하를 불문하고 한반도와 남해로와의 역사적인 인연을 입증해 준다. 따라서 동서교류의 일익을 담당한 한·중해로는 남해로의 한 동쪽 구간으로서의 응분의 자리매김이 있어야 할 것이다. 이를 위해 중요한 것은 한반도와 동남아를 비롯한 남방과의 사이에 남해로를 통한 교류가 있었다는 사실을 밝히는 문제이다.

그 사실로서 우선 동남아와의 유리구슬 교류를 들 수 있다. 한반도 각지에서는 실로 다양하고 다채로운 장식품으로서의 유리구슬이 다량 발굴되고 있는데, 그 중에는 동남아시아와 맥을 같이하고 있는 몇 가지가 있어 두 지역 간의 교류를 증언하고 있다. 6세기 전반에 축조된 공주 무령왕릉에서 출토된 유리구슬 가운

('Integral Study of the Silk Roads : Roads of Dialogue'란 이름하의 남해로고찰단)의 최종 활동지를 奈良로 정하고 여기에서 마지막 남해로 고찰 결과 발표회를 개최함으로써 이 곳이 남해로의 동단으로 부각되었다.

데는 함량 성분에서 칼슘이 적고 알루미늄이 많은 전형적인 동양식 소다-석회유리가 출토되었는데, 이러한 종류의 유리구슬은 중국에는 없고 인도나 동남아시아에서 대표적인 유리구슬로 발굴되고 있다. 무령왕릉을 비롯해 여러 곳에서 나오는 금박구슬(Gold-foil Glass Bead)은 2세기 이후에 동남아시아, 특히 타일랜드에서 유행된 금박구슬과 소재나 형태 면에서 친연관계를 가지고 있다. 2세기경의 유적인 전남 해남군 군곡리 패총과 경남 창원시 삼동동 옹관묘, 그리고 무령왕릉에서는 인도에 기원을 두고 있는 무티시라 구슬(Mutisalah Beads : 일명 Indian Red Glass로 적색 혹은 적갈색 소옥)이 적지 않게 출토되었는데, 이 구슬은 2세기경에 많이 만들어져 동남아 여러 지역으로 전파되었다.[7] 이러한 사실들은 2세기를 전후하여 한반도와 인도대륙 및 동남아와의 사이에는 해상을 통한 문물교류가 있었음을 실증해 준다.

다음의 사실로 들 수 있는 것은 신라 흥덕왕(興德王) 9년(834)에 내려진 사용금령(使用禁令) 대상품목 중에 동남아산 진품이 여러 점 포함되어 있다는 사실이다. 금령에는 진골(眞骨)에서 백성에 이르기까지 자단(紫檀)과 침향(沈香)을 차재(車材)나 안교(鞍橋)·침상(寢床)에 사용할 수 없도록 규정하고 있다.[8] 자단은 단향(檀香)의 일종으로서,[9] 『제번지 諸蕃志』에 의하면 단향은

7) 이인숙, 『한국의 古代유리』, 창문, 1993, 79~81쪽.

8) 『三國史記』 卷33, 雜志2 車騎와 屋舍條.

9) 紫檀은 檀香의 일종이다. 단향은 佛書에서 旃檀 혹은 眞檀이라고도 하는데, 이는 梵名 Candana의 음사로서 학명은 Pterocarpus Satarinus다(馮承鈞, 『諸蕃志校注』, 臺灣商務印書館, 1967, 112쪽의 주 1 참고). 趙汝适의 『諸蕃志』 卷下에 따르면 단향은 가지를

동남아 도파(闍婆 : 현 자바)의 타강(打綱 : 현 Samarang)과 저물(底勿 : 현 Tymor), 그리고 삼불제(三佛齊 : 현 수마트라)에서 생산된다.[10] 『본초강목 本草綱目』에도 단향은 중국의 광동이나 운남과 함께 동남아의 점성(占城 : 현 월남) · 진랍(眞臘 : 현 캄보디아) · 과왜(瓜哇 : 현 자바) · 섬라(暹邏 : 현 타일랜드) · 삼불제 · 회회(回回 : 아라비아) 등 지방에서 산출된다고 하였다.[11] 자단과 함께 사용이 불허된 침향[12]도 『제번지』의 기록에 따르면 진랍을 비롯해 점성 · 삼불제 · 도파 등 동남아 일대가 주산지이다.[13] 사용이 금지된 진품 가운데는 진골녀(眞骨女)의 목수건과 육두품녀(六頭品女)와 오두품녀(五頭品女)의 띠끈 수식용인 공작새 꼬리와 비취모(翡翠毛 : 비취조[Kingfisher's Feathers]의 털)가 들어 있는데,[14] 진조(珍鳥)인 공작새의 원산지는 인도이지만 말레이지아와 미얀마 · 자바 등 동남아의 기타 지역에도 서식하고 있으며, 역시 진조인 비취새도 동남아 일국인 진랍에 주산지를 두고 있다.[15] 이렇게 사용이 금지된 진품들은 거개가 동남아나 인도에서 생산되는 것들로서 신라에서 그토록 진중 애용되었다는 것은 당시의 두 지역 간에 있었던 특수한 교류관계의 일

잘라 陰乾시키면 향기를 뿜는데 황색의 것을 黃檀, 자색의 것을 紫檀, 가볍고 연한 것을 沙檀이라고 한다.

10) 趙汝适, 『諸蕃志』 卷下, 檀香條.

11) 李時珍, 『本草綱目』 卷34.

12) 沈香은 일명 沈水香 또는 蘆薈라고도 하며 학명은 Aquilaria Agallocha이고 梵語로는 Agaru다.

13) 趙汝适, 『諸蕃志』 卷下, 沈香條.

14) 『三國史記』 卷33, 雜志2 色服條.

15) 趙汝适, 『諸蕃志』; 周去非, 『嶺外代答』 卷9, 翡翠條.

단을 말해 주고 있다.

이와 같이 신라는 동남아시아를 비롯한 남방지역으로부터 물품을 수입해다가 선용(善用)했을 뿐만 아니라 그것을 다시 일본으로 재수출하는 중계무역의 지혜도 발휘하였다. 일본 정창원(正倉院)에 소장되어 있는 『조모입녀병풍하첩문서 鳥毛入女屛風下貼文書』 중의 『매신라물해 買新羅物解』에는 신라 경덕왕(景德王) 11년(752, 일본 天平 勝寶 4) 6월에 도일(渡日)한 신라사절이 휴대한 화물명세서가 있는데, 화물 중에는 동남아나 인도에서 생산되는 각종 향료와 약재(인도차이나산 呵棃勒, 페르시아산 畢拔), 안료(顔料 : 인도차이나와 인도산 同黃·烟子) 등 여러 가지 물건이 들어 있다.[16] 이것은 당시 신라가 남해로를 통해 동남아나 인도 등 남방과 활발하게 진행한 무역상의 일면을 여실히 보여 주고 있다.

한반도와 남방과의 교류를 입증해 주는 세번째 전거로는 남해로를 통한 불교의 유입(佛敎南來說)을 들 수 있다. 이러한 사실의 예증으로는 가야건국 설화를 비롯한 몇 가지 설화적 기록과 초기 가야불교가 남긴 유적유물들이 있다. 물론 설화로서 전승되어 왔기 때문에 신화적 요소나 윤색이 끼어 있기는 하지만 그 내용을 자세히 음미·검토해 보면 불교가 북래(北來)에 앞서 남해로를 통해 한반도의 동남해 연안 일대에 일찍이 전파되고 있었음을 엿볼 수 있다.

가야의 건국자 수로왕(首露王)과 왕비 허황옥(許黃玉)의 불행

16) 東野治之, 「鳥毛入女屛風下貼文書の硏究 - 買新羅物解の基礎的考察 - 」『正倉院文書と木簡の硏究』, 東京 : 塙書房, 1977, 331~341쪽.

(佛行)과 행적은 불교의 남래(南來)를 시사한다. 수로왕은 건국한 다음 해에 궁성터를 찾아다니던 끝에 신답평(新畓坪)이란 곳에 이르러 땅은 비록 좁지만 수려하고 기이까지 하여 가위 16나한(羅漢)이나 7성(聖)이 살 만한 곳이라고 찬탄한다. 이 16나한이나 7성은 모두 오도(悟道)한 부처의 제자들이다.[17] 또 수로왕은 연 4년 간이나 흉년을 가져오게 한 옥지(玉池)의 독룡(毒龍)과 만어산(萬魚山)의 나찰녀(羅刹女)를 청불설법(請佛說法), 즉 부처님께 청한 설법으로 물리쳤다는 전설도 전해 오고 있다.[18] 이러한 나한에 관한 이야기나 청불설법 효험에 의한 제해(除害) 전설은 수로왕의 불교신앙이나 가야에서의 불교 진작과 관련이 있을 것이다. 그 밖에 왕자 7명이 지리산에 입산하여 7불이 되었다는 성불(成佛) 이야기[19]도 수로왕의 불행과 무관하지 않을 것이다. 수로왕의 불행과 함께 왕비 허황옥의 출신과 행적에서도 불교 남래의 시사점을 발견할 수 있다. 그녀는 인도 아유다국(阿踰陀國)의 공주로서 석탑(婆娑石塔)을 배에 싣고 동쪽으로 바다를 건너 기원 48년에 가야국의 남안 별포(別浦 : 현 舟浦)에 이르렀다. 건국 초기에는 절을 짓는 법이 없었으므로 가야 8대 질지왕(銍知王) 2년(452)에 왕후를 기리는 뜻에서 표착지인 별포에 왕후사(王后寺)를 세웠다.[20] 이와 같이 허황옥은 인도에서 배

17) 『三國遺事』 卷2, 駕洛國記 및 주 10과 11.

18) 『三國遺事』 卷3, 興法第3 魚山佛影.

19) 李能和, 『朝鮮佛教通史』 上, 中篇 首露王條. 燕譚 스님이 지은 『智理山七佛菴上樑文』과 金善臣이 撰한 『頭流金志』와 『金海金氏世譜』에 의하면 仙人인 玉寶(許黃玉의 오빠인 長遊和尙)를 따라 입산한 수로왕의 7왕자가 불심을 깨달은 곳이 바로 智理山 般若峯 남쪽 10리 거리에 자리한 七佛菴이다.

를 타고 가야 땅에 표착한 것으로 기록되어 있다. 이상의 가야건국 설화는 다분히 전설적 기록인 만큼 신화적 요소나 윤색이 가미된 것은 사실이지만, 이러한 요소나 윤색을 식별해 제쳐놓으면 남해로를 통한 불교의 가야 전입의 실상을 일단 규시(窺視)할 수 있다. 기타 삼국의 건국설화에는 이러한 불교적 요소가 전혀 없는 데 반해 유독 가야건국 설화에만 그것이 참입했다는 것은 불교의 가야 유입에 대한 보다 웅변적인 증언이 아닐 수 없다.

이러한 건국설화에 엉킨 불교이야기와 더불어 가야 옛터에는 불교의 남해 유입을 시사하는 여러 가지 유적유물이 남아 있다. 김해 수로왕릉의 정문과 능중수기념비(陵重修紀念碑)[21]의 이수(螭首)에 새겨진 인도 아유다풍의 쌍어문(雙魚文)이나 태양문장(太陽紋章), 그리고 호계사(虎溪寺)에 안치된 외래의 파사석탑[22] 등은 허황옥 일행이나 불교의 유입에 수반된 결과라고 사료된다. 김해 불모산(佛母山) 장유사(長遊寺)에 있는 「가락국사장유화상기적비(駕洛國師長遊和尙紀蹟碑)」에는 허황옥의 오빠인 장유화상 보옥선사(寶玉禪師)의 불행(佛行)에 관한 기록도

20) 『三國遺事』 卷2, 駕洛國記 ; 『三國遺事』 卷3, 塔像第4 金官城婆娑石塔條 ; 金善臣撰, 『金海金氏世譜』.

21) 國家史蹟 73호로 지정되어 金海郡 金海邑 龜山洞에 있는 현재의 首露王陵은 宣祖 13년(1580) 嶺南觀察使 許晬가 수축한 것인데, 螭首에 새겨진 風車 모양의 太陽紋章은 능 건조시의 것을 그대로 전승한 것이라고 판단된다.

22) 慶南史蹟 74호로 지정된 婆娑石塔은 許黃玉이 배에 싣고 온 것으로 전해지고 있는데, 본래는 虎溪寺에 안치되었으나 지금으로부터 약 120년 전 현재의 許黃玉陵으로 이치되었다. 여러 가지 과학실험을 거쳐 석재가 파사석이라는 것이 판명되었는데, 이러한 돌은 인도나 수마트라에서밖에 채취되지 않는다.

남아 있다.[23] 가야불교에 관한 이러한 설화나 유물유적을 감안할 때, 남해로를 통한 한국불교의 전래는 북래보다 2~3백 년이나 앞선 것으로 추산된다.[24]

끝으로 남해로를 통한 한반도와 남방 사이의 교류를 입증하는 전거로는 중세 아랍문헌의 관련 기술을 들 수 있다. 9세기 초반의 아랍문헌에 초견되는 신라 관련 기록 중에서 남해로를 통한 신라와 아랍 제국 간의 내왕과 교류상을 찾아볼 수 있다. 신라에 관한 최초의 기록을 남긴 지리학자 이븐 쿠르다지바는 저서 『제도로 및 제왕국지』(846)에서 당시 중국 동남해안의 4대 국제무역항을 차례로 언급한 다음 신라로부터 비단·검·도기·범포(帆布) 등 11종의 물품을 수입해 간다고 기술하고 있다.[25] 그런가 하면 중세 지리학의 거장인 알 이드리시는 그가 제작한 세계지도(1154)에 지도사상 처음으로 '신라'란 이름을 명기하고 지구의 동단에 한반도를 자리매김하면서 남해로 상의 섬으로부터 신라로 가는 항로와 성금상(盛金狀)을 비롯한 신라의 풍요함을 예찬하고 있다.[26]

---

23) 고준환, 『신비왕국 가야』, 우리출판사, 1993, 61쪽.

24) 한국불교의 南來說은 拙著, 앞의 책, Ⅵ장 5절 南海路를 통한 佛教의 韓國 傳來 참고.

25) Ibn Khurdadhibah, *Kitabu'l Masalik wa'l Mamalik*(『諸道路 및 諸王國志』), Leiden, Brill, 1968, 70쪽.

26) 알 이드리시(al-Idrisi)는 명저 *Nuzhatu'lMushtaq fi Ikhtiraqi'l Afaq*(『天涯橫斷渴望者의 散策』, 일명 『로저書』)에 세계지도 한 장과 細分圖 70장을 삽입했는데, 第1地域圖 第1部分圖에 아랍어로 이름을 명기한 '신라'를 중국의 동쪽 해상에 자리매김하면서 동중국 해상의 Sanji島로부터 신라로 가는 항로를 지적하고 신라에는 개의 쇠사슬을 금으로 만들 정도로 금과 재부가 많다고 예찬하고 있다.

중세 아랍문헌에 나타난 신라 관련 기술은 비록 단편적이기는 하지만 신라의 자연환경과 인문지리 관계 등 다방면적인 내용을 포함하고 있다. 특히 여러 사학자와 지리학자, 그리고 여행자들이 남긴 여러 저서에는 아랍 - 무슬림들의 신라 내왕에 관한 기술이 눈에 띈다. 그들의 기술 내용을 종합해 보면, 첫째로 일찍이 아랍제국(우마위야조)이나 이슬람제국(압바스조) 시기부터 아라비아반도나 이라크 및 기타 지역으로부터 무슬림들이나 외방인들이 바닷길로 중국을 경유해 그 이동에 위치한 신라에 도착하였으며, 둘째로 그들은 신라에 잠시 다녀올 뿐만 아니라 장기간 정착 기거하였으며, 셋째로 그들이 신라에 진출하고 어려움을 이겨내면서 정주하게 된 동기와 이유는 신라가 공기가 맑고 물이 좋으며 땅이 비옥하고 금을 비롯한 자원이 풍부한 것 등 여러 가지 이점이 있었다는 데 있다. 신라에 내왕한 아랍 - 무슬림들은 주로 중국을 발판으로 하여 남해로를 통한 동서교역에 종사하던 상인들이었다. 송나라의 무역장려 정책에 힘입은 대식(大食 : 아라비아) 상인들이 고려 초기(1024~1037)에 100여 명씩이나 집단적으로 많은 교역품과 방물(方物)을 싣고 상역차 개경(開京 : 현 開城)에 왔다는 사실[27]은 그 선행시대인 통일신라시대에 이미 벌써 이와 유사한 상역이 진행되고 있었으며, 따라서 상인들을 비롯한 대식인들이 신라를 오갔다고 추리해도 별 무리가 없을 것이

1154년에 제작된 이 이드리시 지도는 유럽의 세계지도에 한국이 첫선을 보인 스페인의 벨호(Velho) 지도(1562)보다 무려 408년이나 앞서 제작된 것으로서 한문화권을 제외하고 지금까지 알려진 한국 관련 세계지도로서는 최초의 것으로 사료된다.

27) 『高麗史』 卷5, 顯宗 15年 9月條 ; 卷6, 靖宗 6年 11月條.

다. 이러한 맥락에서 신라 헌강왕(憲康王) 5년(879) 당시 최대의 국제무역항이던 울주(蔚州 : 현 蔚山)에 상륙한 "形容可駭 衣巾詭異"한 처용(處容)은 십중팔구 남해로를 타고 온 이방 서역인이었을 것이다.[28] 이보다 훨씬 이전에 서역인이 이웃인 일본에 표착했다는 『일본서기 日本書紀』의 기록은 처용의 도래와 더불어 남해로 동단에서 이루어진 동서교류의 일면을 증언해 주고 있다. 이 책의 사이메이 기(齊明記)에는 사이메이(齊明) 천황 하쿠치(白雉) 5년(659) 4월 토화라국(吐火羅國 : 현 이란 동북부와 아프가니스탄 서북부)의 남자 2명과 여자 2명, 그리고 사위(舍衛 : 인도 갠지스강 중류지방) 여자 1명이 탄 배가 풍파로 인해 표류하다가 휴가(日向 : 宮崎縣)에 표착했다는 기사가 있다.[29] 당시 일본에로의 해로는 대체로 신라를 경유해야 하였다는 사실을 감안할 때 신라와 서역은 비록 멀리 떨어져 있었지만 바닷길로 상통하고 있었음을 짐작할 수 있다.

이상에서 고찰한 바와 같이 한반도는 일찍부터 동남아나 서역과의 여러 가지 문물교류와 내왕을 통하여 남해로의 동단 주역으로서의 사명과 기능을 나름대로 수행하여 왔다. 따라서 중국 동남해안으로까지의 이른바 남해로동단설(南海路東端說)은 언필칭 구설(舊說)로서 시정되어야 할 것이며, 한반도를 경유해 일본으로까지 이어졌다는 새로운 동단설을 정립해야 할 것이다.

그런데 이 남해로의 동진요로(東進要路)는 다름 아닌 고대 한

28) 아랍 - 무슬림들의 신라 내왕과 처용의 실체에 관해서는 拙著, 앞의 책, 313~347쪽 참고.

29) 『日本書紀』 卷25, 齊明天皇 白雉 5年 4月條(成殷九 譯註, 『日本書紀』, 정음사, 1987, 436~437쪽) 참고.

·중해로인 것이다. 고대 한·중해로는 조선술과 항해술의 발달, 그리고 양국의 기복무쌍한 정세와 상호관계의 변화에 따라 항로와 기능을 달리하면서 남해로의 동단 역할을 수행하여 왔다. 두 나라의 해안을 서로 이어 주는 해로는 크게 연해로(우회로)와 횡단로(직항로)의 두 갈래로 나뉘어 각각 기능하였다.

Ⅱ. 한·중연해로

한·중연해로(韓中沿海路 : 迂廻路)란 한반도의 서남해 연안과 중국의 동남해 연안을 따라 이어지는 한·중 간의 바닷길을 말한다. 이 해로는 이용도와 기능 및 이용 주체의 다름에 따라 한반도의 서남해 연안과 중국의 산동반도(山東半島) 연안을 잇는 해로(약칭 北方沿海路)와 다시 남하하여 산동반도 연안과 동남해 연안을 잇는 해로(약칭 南方沿海路)의 두 구간(2段)으로 구분할 수 있다.

한반도의 서남해 연안과 산동반도 연안을 연결하는 북방연해로의 시용(始用)은 고조선 전기에 맞먹는 중국의 하대(夏代 : 기원전 21~16세기)로 소급할 수 있다. 『시경 詩經』 상송(商頌)에는 지금의 하남성 상구(商邱)에 자리를 잡고 있던 상토(相土 : 湯王의 11대조)가 해외(海外)에 질서정연한 속지를 가지고 있었다는 기록이 나온다.[30] 여기에서의 '해외'란 대체로 고조선의 서쪽 일원을 지칭하는 것으로서 그 영역은 산동반도와 발해·요동반도 및 황해의 북부 내지는 한반도 서해 연안 일원을 포괄한 것으

---

30) 『詩經』 商頌, "相土烈烈 海外有截".

로 학자들은 보고 있다. 따라서 속지를 관리하기 위해서는 교통로로서의 연해로가 이용되었을 가능성은 높다. 상대(商代)와 서주(西周) 시기에도 이 연해로를 이용한 흔적이 은허(殷墟)를 비롯한 유적과 기타 고적(古籍) 기록에서 나타나고 있다. 동한(東漢)의 왕충(王充)이 쓴 『논형 論衡』 일서에는 서주 성왕(成王) 때 "왜인이 창(暢 : 일종의 향료)을 바쳤다"[31]는 기사가 있는데, 왜인 즉 일본인이 서주까지 오는 길은 연안 바닷길이었을 것이다.

고조선 후기에 상응한 중국의 춘추전국(春秋戰國) 시대와 진대(秦代)에 오면 이 북방연해로의 이용이 가시화된다. 산동반도에 자리한 해상왕국 제(齊)나라 사람들은 이 연해로의 존재를 알고 있음은 물론, 그 길을 통해 고조선과 통교하고 있었다. 전국시대의 『산해경 山海經』에는 조선(朝鮮)이 '동해(東海)', 즉 오늘의 황해 수역 내와 '북해(北海)', 즉 오늘의 발해 기슭에 자리하고 있다[32]고 하여 당시 바다를 통한 고조선과의 내왕을 시사하고 있다. 요동반도의 남부와 동남부 일대에서 출토된 전국시대의 구리칼과 구리방울은 두 지역 간의 교류를 말해 준다. 노(魯)나라 성인 공자가 뗏목을 타고 바다를 건너 현자(賢者)들이 사는 동이(東夷 : 九夷, 즉 고조선)에 가서 살고 싶어하였다는 유명한 전언(傳言)도 공자시대의 제국인(齊國人)들은 발해와 요동반도를 거

31) 王充, 『論衡』, "越裳獻雉 倭人貢暢". '倭'가 오늘의 일본인가에 대하여서는 학자들 간에 이견이 있으나 본서에 나오는 '倭'가 동방 一所이라는 데는 異議가 없다. '暢'은 일종의 향기 나는 풀(香郁芳草)이다.

32) 『山海經』, "東海之內 北海之隅 有國名曰朝鮮".

쳐 고조선으로 통하는 바닷길을 이미 알고 있었음을 뜻한다.[33]

전국시대 말엽부터 제나라에서 성행하기 시작한 선인사상(仙人思想)은 천하를 통일한 진시황(秦始皇)으로 하여금 해중선약(海中仙藥)을 찾아 이 연해로에 선단(船團)을 투입하는 초유의 장거(壯擧)를 단행케 하였다. 시황제 28년(기원전 219)에 황제는 낭사(琅邪) 순행중 삼신산(三神山 : 逢萊 · 方丈 · 瀛州)에 선인(仙人)이 산다고 하는 방사(方士) 서시(徐市 : 徐福)[34]의 청을 듣고 서복과 함께 동남동녀 수천 명(일설은 3천 명)을 배로 보내 선인을 구하도록 명한다.[35] 그러나 선인은커녕 서복 일행마저도

---

33) 『漢書』 卷28, 地理志, "東夷天性柔順 異於三方之外 孔子悼道不行 設浮於海 欲居九夷有以也"(東夷의 천성은 유순하고 모든 外邦과는 다르므로 공자는 도가 뜻대로 행해지지 않음을 슬퍼하여 바다를 건너 九夷에 살고 싶어했다). 이 기사는 본래 "孔子曰 道不行 乘桴浮於海 從我者其由也歟"라고 한 『論語』 公冶長第5를 인용한 것이다. 윗글을 顔師古는 『漢書』의 註에서 "論語稱孔子曰 道不行 乘桴浮於海 從我者其由也歟 言欲乘桴 筏而適東夷 以其國有仁賢之化 可以行道也"(孔子는 뗏목을 타고 바다를 건너 賢者들이 살아 도가 행해지는 東夷에 가서 살고 싶다는 말을 했다)고 해석하였다. 夏代로부터 戰國시대에 이르기까지의 북방연해로에 관한 上述 사료는 孫光圻 主編, 『中國航海史綱』, 大連海運學院出版社, 1991, 11~28쪽 참고.

34) 『徐氏歷代名人錄』에 의하면 徐福의 조상은 夏禹 때 伯益子 若木의 32대 손인 徐偃王의 29대 손으로서 그의 이름은 '議'이고 자는 '福'이며 별명이 '徐市'이다.

35) 『史記』 卷6, 秦始皇本紀, "始皇東行郡縣……南登琅邪……齊人徐市等上書 言海中有三神山 名曰逢萊方丈瀛州 仙人居之 請得齋戒與童男女求之 於是遣徐市發童男女數千人 入海求仙人". 三神山인 逢(蓬)萊를 日本列島에, 方丈을 濟州道에, 瀛州를 琉球列島에

황양지객(黃壤之客)으로 영영 돌아오지 않았다. 주지하다시피 서복의 동도(東渡)는 고대중국 원양항해의 효시와 고대 중·일 관계의 시원이라는 점에서뿐만 아니라 일본의 개국시조(開國始祖)와 관련되어 있기 때문에 중·일 학계의 비상한 관심을 불러 일으켜 그 동안 논의가 분분하였다.[36]

작금 중·일학계의 정설로 굳어 버린 서복도일설(徐福渡日說)을 재삼 검토해 보면 견강부회적인 해석이라든가 애매모호한 지명 비정 등 신빙성이 결여된 점들이 한두 가지가 아니나,[37] 그러나 서복 일행의 동도(東渡)는 분명한 사실로 기록되어 있고, 또

비정하는 설이 있다(王儀, 『古代中韓關係與日本』, 臺灣中華書局, 民國 62年, 42쪽).

36) 주로 중국측 학자들은 徐福이 渡日하여 왕이 되어 나라를 세웠다("稱王建國")고 인정할 뿐만 아니라 일부 학자들은 서복을 일본의 開國祖 神武天皇으로까지 보고 있다. 淸末 駐日公使館 參贊 黃遵憲은 『日本國志』에서 일본의 개국조는 원래 서복이었다고 주장하고, 衛挺生도 『日本神武開國新考』에서 "神武天皇은 바로 진시황이 바다에 보내 선인을 구해 오도록 한 서복이다"라고 못박고 있다. 한편 일본측도 역대로 서복을 개국조인양 예우하였는 바, 사적의 기록에 의하면 宇多天皇代부터 龜山天皇代(887~1274)까지의 기간에 9명의 천황이 和歌山 熊野의 飛鳥神社에 있는 '徐福宮'을 참배하고 80여 차례나 恕福祭를 거행하였다.

37) 『史記』 卷119, 淮南衡山列傳에 나오는 "徐福得平原廣澤" 한 마디를 어떤 사료적 地名 구명도 없이 단순한 지형지세로 보아 일본의 紀伊와 熊野浦에 비정한다든가, 후출하는 『三國志』 孫權傳에 기록된 서복의 "仙人求地 '亶洲'"(『後漢書』 東夷列傳에는 '澶洲')를 흑조 해류의 방향에 맞추어 일본의 모처에 비정하는 등 견강부회적인 주장들이 있다. 서복의 일본 到來地로는 沖繩와 九州 남부, 北九州 연해 등 10여 소가 거론되고 있다.

그 흔적이 한반도를 위요(圍繞)한 연해 일대에 남아 있기 때문에 고조선시대 진과 한반도 간의 북방연해로를 구명하는 데 중요한 단서를 제공해 주고 있다.

서복의 동도와 관련하여 가장 원초적 사료인 『사기 史記』 진시황본기(秦始皇本紀)에 기록된 서복의 파견지, 즉 '선인이 사는 곳'인 삼신산이 바로 고조선이다. 이 기사에 대한 『사기정의 史記正義』의 주석에는 『괄지지 括地志』를 인용해 선인이 사는 땅의 이름이 '단주(亶洲)'이며 동해 가운데 있다고 하였고,[38] 같은 책(권27) 봉선서(封禪書)에는 이 삼신산을 "사람이 가기에 멀지 않은(去人不遠)" 발해(현 渤海와 黃海의 범칭)의 가운데에 있는 곳으로 묘사하고 있다. 단주(亶洲 : 亶州, 澶洲)의 위치에 관해서는 중·일 학계가 공히 일본열도의 모처로 단정하고 있다.

『사기』보다 후출한 『삼국지 三國志』 오서(吳書) 손권전(孫權傳)에는 오나라 손권이 황룡(黃龍) 2년(기원후 230)에 장사 만 명을 바다로 보내 이주(夷州)와 단주(亶州)를 취하려고 하였는데, 단주는 바로 진시황이 선약을 구하기 위하여 서복과 동남동녀 수천 명을 보낸 곳으로서 그 곳 사람들은 회계(會稽 : 현 浙江省 紹興)에 와서 피륙을 사고팔며 회계나 동야현(東冶縣 : 현 福建省 福州) 사람들은 해류를 타고 그 곳까지 가기도 하지만 너무나 멀어서 취할 수가 없었다는 기록이 있다.[39] 이 글에 나오는

38) 『史記正義』 括地志 云, "亶洲在東海中 秦始皇使徐福將童男女人入海求仙人".

39) 『三國志』 卷47, 吳書 孫權傳, "(孫權)遣將軍衛溫諸葛直將甲士萬浮海求夷洲及亶州 亶州在海中 長老傳言秦始皇帝遣方士徐福將童男女數千人入海求蓬萊神山及仙藥 止此州不還 亦有潮風流移至亶州者 所在絶遠 卒不可得至 但得夷洲數千人還". 『後漢書』 東夷傳

이주는 동한(東漢)과 삼국시대의 대만(臺灣) 이름이나,[40] 단주의 지명 비정에는 여송도(呂宋島)나 해남도(海南島), 일본열도라는 몇 가지 주장이 나왔었다.

이 세 곳이 오나라에서 멀기로는 다 마찬가지이지만 해류를 타고 갈 수 있는 곳은 오직 일본열도뿐이라는 논거에서 작금 단주를 일본으로 보는 것이 중·일 학계의 일치한 견해이다. 왜냐하면 중국 동남해안의 해류, 특히 흑조의 주류는 동북 방향으로 흐르는 것으로서 절강성이나 복건성 연해에서 방주범양(放舟泛洋)하면 순류를 따라 자연히 일본열도에 다다르기 때문이라는 것이다. 따라서 비록 사적에는 서복의 동도 종착지에 대해 명기한 바는 없지만 이상의 상황 분석을 통해 그 곳이 바로 일본열도라는 추단은 "역사기록이나 지형지세, 항해의 위치에 부합되는 결론"이라고 믿고 있다.[41]

그러나 이러한 비정에는 견강부회적인 요소가 있음을 발견하게 된다. 손권전의 내용을 보면 단주는 주민들이 소흥(紹興)이나 복주(福州)에 상역차 올 수 있는 거리에 있을 뿐만 아니라 동북향 해류의 영역 내에 있는 곳으로서, 이러한 곳은 상거 수천 해리의 일본열도일 수가 없고, 오히려 제주도나 한반도 서남해안의 어느 곳이 더 합당할 것이다.[42]

에는 '亶州'자가 '澶洲'로 바뀜.

40) 張傳璽·楊濟安, 『中國古代教學參考地圖集』, 北京大學出版社, 1985, 64쪽.

41) 孫光圻 主編, 앞의 책, 33쪽.

42) 한국의 김성호 씨는 제주도의 고칭인 '耽羅'의 '耽'자와 '亶洲'의 '亶'자의 중국음은 다 같이 'dan'이란 점을 들어 '단주'가 곧 '담라', 즉 제주도이며 따라서 서복의 도래지는 제주도였다는 견해를 내놓고

서복의 도래지가 고조선이었다는 사실은 선행자들의 행적에서도 그 신빙성의 일단을 추정할 수 있다. 앞글에서 언급했다시피 공자시대에 벌써 제나라 사람들은 고조선(東夷)을 현자(선인)들이 사는 곳으로 선망하고 있었다는 점을 감안할 때 3~4백 년 후에 해상방사로 활동한 서복에게 있어서 고조선은 당연한 선인지국(仙人之國)이었을 것이다.[43] 그러나 서복은 이 선망하는 선인지국에 오래 머물 수가 없었다. 당시 방사들이 말하는 선인이나 불사약은 일종의 사기극에 불과하다는 것을 알게 된 시황제는 홧김에 분서갱유(焚書坑儒)를 자행한다. 그래서 추적을 피해야 하는 방사 서복으로서는 가까운 발해에 눌러 앉아 있을 수가 없어 어딘가로 멀리 탈출하지 않을 수 없었다. 서복의 동도 원인을 시황제의 추적으로부터의 이러한 탈출로 보는 견해와 함께, 그가 "得平原廣澤"(『漢書』 淮南衡山列傳)했다는 점을 근거로 기자(箕子)나 위만(衛滿)이 일속을 거느리고 고조선에 식민한 것처럼 서복도 일군(진시황의 학정 반대자들일 수 있음)을 거느리고 해외 식민지 개척을 위해서였다는 소견도 있다.[44]

있다(김성호, 『중국 진출 백제인의 해상활동 천오백년』, 맑은소리, 1996, 61~62쪽).

43) 한국의 윤내현 교수는 『三國遺事』와 『帝王韻記』에 古朝鮮의 토착언어인 단군을 각각 '壇君'과 '檀君'으로 다르게 표기한 점으로 미루어 '亶洲'의 '亶'자는 단군의 또 다른 표기일 수도 있으므로 '亶洲'는 곧 단군이 통치하던 땅, 즉 고조선을 지칭하는 말로서 徐福의 도래지는 다름아닌 고조선이라고 주장한다(윤내현, 「中國 동북 해안지역과 韓半島~滿洲지역의 相互關係」 『張保皐』, 이진, 1993, 72쪽).

44) 王儀, 앞의 책, 42쪽.

탈출이건 식민지 개척이건 간에 당시 서복으로서는 배를 타고 갈 곳이란 우선 한반도의 해안 일대를 따라 남하하는 길밖에 없었을 것이다. 그래서 오늘까지도 한반도에 그의 도래를 입증하는 유적유물과 전설 등이 남아 있는 것이다. 경상남도 김해군 금산에 대전(大篆 : 古篆)체로 "서시(徐市)는 일어나 일출에 예를 올렸다"(徐市起 禮日出)고 새긴 마애석각(磨崖石刻)이 있는가 하면, 제주도의 정방폭포(正房瀑布) 근처가 서복의 도래지로 전승되고 그 곳 암벽에 "서시가 이 곳을 지나갔다"(徐市過此)라는 글귀가 새겨져 있다.[45] 이러한 유적석각은 제작연대가 구체적으로 밝혀지지 않아 신빙성에는 일말의 손색이 있으나 서복의 한반도 도래에 대한 증거의 하나임에는 틀림이 없다. 이와 더불어 음사상의 유사성에 의해 '단주'를 단군 고조선이나 탐라에 비정하는 것은 고려의 여지가 있는 일견이라고 사료된다.

서복의 기항지점과 행적 및 한반도 내에서의 유적 등을 감안하면 서복의 동도해로를 다음과 같이 설정할 수 있다. 서복은 진시황의 제2차(기원전 219)와 제5차(기원전 210) 순유시[46] 똑같이 산동반도의 남해안에 위치한 춘추(春秋) 이래의 대항(大港) 낭사(琅邪)에서 "渡海求仙人"을 간청하였다. 그리하여 서복 선단의 출항지는 낭야의 항만(현 利根灣)이었을 것이다. 출항한 선단은

45) 李元植, 「徐福渡來傳說を追よ」『讀賣新聞』平成 元年 12月 28日자. 윤내현, 앞의 글, 72쪽 ; 김성호, 앞의 책, 61~62쪽 참고.

46) 진시황은 재위 12년 동안 모두 다섯 차례의 전국 순유를 단행하였는데, 그 중 네 차례(2~5차)는 북은 발해에서부터, 남은 長江 이남의 浙江(현 錢塘江)까지의 海岸 순유였다. 이 네 차례의 해안 순유 중에서 세 차례는 산동반도 이북의 해안지대이다. 이것은 당시 이 지대의 중요성을 말해 준다(『史記』 秦始皇本紀).

연안을 따라 북상하여 영산만(靈山灣)과 교주만(膠州灣)을 지나서는 동북향으로 산동반도의 동단 성산두(成山頭)에 도착하였을 것이다. 이 길은 연안에 높고 낮은 산들이 면면이 이어져 육표(陸標)가 명확하고 수중 암초도 적으며 작은 만도 많아 순항이다. 성산두에 이르러서는 아직은 항해기술 상 약 105마일밖에 안 되는 한반도 서해안에로의 직항은 엄두를 내지 못하고 선수(船首)를 서북방으로 돌려 지부(之[芝]罘)에 도착하는데, 지부항은 삼면이 육지로 에워싸여 자고로 큰 선단까지를 수용할 수 있는 천연적인 양항으로 각광을 받아 왔다. 지부항에서 계속 북진하여 남북연해로의 중추이며 반도의 북단 요항(要港)인 등주항(登州港)에 이른 후 여기에서 발해로 들어가 8마일에 상거한 묘도군도(廟島群島)를 지나 약 50마일쯤 항해하면 요동반도의 남단 노철산(老鐵山)에서 닻을 내린다. 등주로부터의 이 구간은 섬들이 점재하여 항해목표가 뚜렷하고 임시 기항지가 많으며 해면도 평온하다.

노철산에서 동쪽으로 선수를 돌리면 압록강 하구에 이르며, 여기에서부터는 남하하여 한반도의 서남해안을 항진한다. 서복의 흔적을 남긴 제주도나 금산은 반도의 남단에 위치하여 일찍부터 바닷길이 트인 곳으로서 서복이 '지나갔다'든가 '일출에 예를 올렸다'는 등 유적석각(遺跡石刻)으로 보아 제주도와 금산은 각각 그가 취한 동도 연해로 상에 자리한 어떤 한 지역이었을 것이다. 그렇다면 한반도에서의 그의 종착지는 어디였을까 하는 문제가 제기된다. 『후한서 後漢書』 동이전 한국조(韓國條)의 기록에 의하면 진나라 사람 7명이 고역을 피해 진한(辰韓)에 피신해 갔으며, 진한에서 쓰는 일부 낱말이 진어(秦語)와 같다(예컨대 '國'을

'邦', '馬'를 '弧', '賊'을 '寇'라고 하여 '辰韓'을 '秦韓'이라고도 쓴다고 한다).47) 이 7인이 꼭 서복 일행이 아니더라도 당시 진나라 사람들이 진한에 도래하였음을 시사하는 기사로는 될 수 있을 것이다. 따라서 진나라 사람인 서복의 한반도 도래지를 동남 일각(金海48) 등)으로 잡아도 큰 무리가 아닐 것이다.

이상 한반도에로의 서복의 동도연해노정(東渡沿海路程)을 정리하면 낭사(琅邪) → 성산두(成山頭) → 지부(之罘) → 등주(登州) → 묘도군도(廟島群島) → 노철산(老鐵山) → 압록강 하구 → 강화도 → 흑산도 → 제주도 → 금산 → 김해로 이어지는 북방연해로 항로를 설정할 수 있다.

고조선 말엽에 와서 고조선 옛터에 대한 중국 서한조(西漢朝)의 정복과 한반도 북부에 이른바 한사군 설치 등 한·중 관계의 격변에 따라 북방연해로의 이용이 빈번해졌을 뿐만 아니라 초유의 군사기능도 담당하게 되었다. 따라서 점차 명확한 문헌기록

---

47) 『後漢書』 東夷傳 韓國條, "辰韓耆老自言 秦之七人避苦役適韓丘 馬韓割東界與之 其名國爲邦 馬爲弧 賊爲寇 行酒爲行觴 相別爲徒 有似秦語 故或名之爲秦寒".

48) 가야건국 설화 중에서 수로왕비 허황옥 일행이 남해로를 타고 와서 상륙한 곳이 바로 김해 別蒲임을 감안할 때 한반도 동남 일각에서 기원을 전후한 시기 기항할 만한 곳으로 김해를 지목할 수 있으리라고 사료된다. 『三國遺事』 駕洛國記에는 허황옥이 도착하기 전에 김해가야에 상륙한 석탈해가 수로왕과의 왕권다툼에서 패하자 가까이에 있는 나루터에 이르러 "중국에서 온 배가 대는 수로를 따라 가버렸다"(將中朝來泊之水道而行)는 기록이 있다. 이것은 기원 1세기 전엽에 중국 배가 이 곳까지 왔음을 시사한다. 또한 이러한 내박 사실을 입증하듯 당시 중국에서 통용되던 貨泉이 김해에서 출토된 바 있다.

(주로 중국측 기록)을 전거로 하여 무형(無形)의 해로이지만 그 노정을 추적할 수 있게 한다.

서한 무제(武帝)는 고조선에 대한 정벌의 불가피성과 북방해로의 중요성을 감안하여 재위 중 일곱 차례나 해상 순유에 나섰는데, 그 중 여섯 차례는 산동반도 이북의 해역을 순방하였다.[49] 한 무제의 조선정벌 행로에 관한 『사기』의 기록을 보면 그는 조선정벌군을 두 대로 나누어 편성하였는데, 좌장군(左將軍) 순체(荀彘) 휘하의 한 대는 육로로 요동에 진출했고, 누선장군(樓船將軍) 양복(楊僕)이 이끄는 다른 한 대 7천 명은 산동반도(齊)를 출발하여 발해를 건너 조선의 수도 왕검성(王儉城)에 선착했다.[50] 이것은 발해를 건너 한반도에 이르렀다는 북방연해로 이용의 첫 명문 기록이다. 앞에서 고찰한 바와 같이 선대에 이미 이 연해로가 개통되었기에 무제는 안심하고 일거에 이 바닷길에 대군을 투입할 수 있었을 것이다. 양한(兩漢) 시대까지 한·중 교통은 주로 육로에 의존하였으나 해로도 이용하였음을 이로써 확인할 수 있다.

삼국시대에 들어서면 이 북방연해로는 주로 고구려와 중국 북방 제호(諸胡)들과의 해상교통로로 이용된다. 『자치통감 資治通鑑』에는 오호시대(五胡時代) 동진(東晋) 성제(成帝) 함강(咸康)

49) 『資治通鑑』 卷20의 기록에 따르면 武帝(재위 기원전 140~88)는 기원전 110~89년 사이에 7차의 해상 순유에 나섰는데, 전대의 진시황처럼 매번 미련을 버리지 않고 "欲自浮海求蓬萊(神山)"하였으나 "無進展"이었다.

50) 『史記』 朝鮮傳, "天子募罪人擊朝鮮 其秋(元封二年)遣樓船將軍楊僕 從齊浮渤海 兵五萬人 左將軍荀 出遼東……樓船將軍將齊兵七千人 先至王儉".

4년(338) 후조왕(後趙王) 석호(石虎)가 도료장군(渡遼將軍) 조복(曹伏)에게 명하여 청주(靑州 : 山東 益都)로부터 선박 300척으로 곡(穀) 30만 곡(斛)을 고구려에 운반하고, 중랑장(中郎將) 왕전(王典)으로 하여금 청주에서 선박 천 척을 건조하여 고구려와 함께 연왕(燕王) 모용황(慕容皝)을 협공하였다는 기사가 있다.[51] 이 기사는 5호16국의 전란 속에서도 이 요동연해로가 계속 이용되고 있었음을 말해 준다. 『삼국지』에는 위(魏) 명제(明帝) 경초(景初) 2년(238) 6월부터 제왕(齊王) 정시(正始) 8년(246)까지의 사이에 위와 왜(일본) 간에 있었던 6차의 사절내왕을 소개하면서 한반도 연안을 통한 해로를 밝히고 있다. 당시 위의 속지였던 대방군으로부터 남하하여 '한국('韓國 : 馬韓)'을 지나 남해안에서 동쪽으로 항해하면 '구사한국(狗邪韓國 : 가야국)'에 이르는데 대방군에서 여기까지 거리는 7천여 리나 되며, 가야에서 대마도(對馬島)와 일기도(壹岐島)를 거쳐 북 규슈(北九州)의 마쓰우라(松浦) 연안에 이른다고 『삼국지』는 전하고 있다.[52]

이 북방연해로의 이용은 수대(隋代)에 와서 수군(水軍)에 의한 고구려 정벌로 말미암아 더욱 명확하여졌다. 수 문제(文帝)가 개황(開皇) 18년(598, 고구려 嬰陽王 9)에 수륙군 30만으로 고구려를 침공할 때 수군총관(水軍摠官) 주라후(周羅睺)는 동래(東萊 : 山東省 東萊府)에서 바다로 고구려 수도 평양으로 향하다가

---

51) 『資治通鑑』 晋紀18.

52) 『三國志』 魏書 倭人傳, "從郡(魏屬帶方郡)至倭 循海岸水行 歷韓國 乍南乍東 到其北岸狗邪韓國 七千餘里 始渡一海 千餘里至對馬國……又南渡一海千餘里 名曰瀚海 至一大海……又渡一海 千餘里至末盧國".

폭풍을 만나 병선이 표몰(漂沒)하였으며,[53] 수 양제(煬帝)가 대업(大業) 2년(612, 영양왕 23)에 113만 대군으로 제2차 고구려 정벌에 나설 때에도 수사총관(水師摠官)인 좌익위대장군(左翊衛大將軍) 내호아(來護兒)로 하여금 강회(江淮 : 長江 · 淮水 지방)의 수군을 거느리고 축로(舳艫) 수백 리의 당당한 기세로 동래에서 출범해 부해선진(浮海先進)하여 패수(浿水 : 현 大同江)를 따라 평양 근교 60리 되는 곳까지 핍박했다가 대패하였다. 대업 9년(619)의 제3 · 4차 고구려 정벌 때도 수나라 수군은 동래에서 출항해 평양을 공격했다. 이와 같이 수대에는 산동반도의 동래가 수의 수군기지였으며 여기로부터 수군은 요동연안을 따라 평양으로 항해하였다. 강회의 수군도 그 곳으로부터 황해를 횡단한 것이 아니라 동래지방에 일단 집결하였다가 다시 요동연해로에 투입된 것으로 짐작된다.

당대에 이르러 당 태종(太宗)의 3차 고구려 정벌(貞觀 18 · 21 · 22)과 고종(高宗)의 3차 고구려 정벌(永徽 6, 顯慶 3 · 5)은 모두 예외 없이 수륙 양군을 동원했는데, 수군은 전대와 마찬가지로 내주(萊州 : 東萊)에서 요동반도 연안을 따라 평양에 선착하였다. 당 태종의 1차 고구려 정벌에 관한 『삼국사기』의 기록을 보면 태종은 전함 500척을 내주(萊州)로부터 바다를 건너 평양으로 가게 하였다고 하였다.[54] 이것은 당대에도 내주가 이 연해로의 중요한 기착항 역할을 하였음을 말해 준다.

---

53) 『三國史記』 卷20, 高句麗本紀38, 陋陽王條 ; 『資治通鑑』 隋紀5 高麗傳.

54) 『三國史記』 卷21, 高句麗本紀9 寶藏王條, "戰艦五百艘 自萊州泛海趣平壤".

삼국시대 말엽에 황해의 횡단로(직항로)가 개척됨에 따라 통일신라시대(唐代)에 와서 이 북방연해로의 이용 빈도나 기능은 다소 약화되었지만 여전히 역할을 하고 있었다. 이 북방해로에 관한 통일신라시대의 잔존 사료 중 가장 상세하고 또 신빙성이 높은 것은 가탐(賈耽)의 다음과 같은 기록이다.

> 登州東北海行 過大謝島龜歆島末島烏湖島三百里 北渡烏湖海 至馬石山東之都里鎭二百里 東傍海壖 過靑泥浦桃花浦石人汪橐 駝灣烏骨江八百里 乃南傍海壖 過烏牧島貝江口椒島 得新羅西北之長口鎭 又過秦王石橋麻田島古寺島得物島千里 至鴨綠江唐恩浦口 乃東南陸行七百里 至新羅王城[55)]

윗글에 나오는 해로 상의 지명과 위치를 연결해 놓으면 통일신라시대 후반(中唐 이후) 당과 신라 간에 있었던 북방연해로를 일목요연하게 그려 낼 수 있다. 즉 산동반도의 등주에서 동북향으로 300리 항진해 발해 상에 점재(點在)한 묘도군도(廟島群島)의 대사도(大謝島 : 현 長山島)·구흠도(龜歆島 : 현 砣磯島)·말도(末島 : 현 歆島)·오호도(烏湖島 : 현 隍城島)를 거쳐 북방으로

55) 본 인용문은 賈耽(730~805)이 저술한 『皇華四達記』(일명 『道里記』) 중의 登州海行入高麗渤海道의 一文인데, 그가 재상 재임시(德宗 貞元年間 : 785~804) 쓴 것이다. 전문은 소실되고 殘文이 『舊唐書』 권432의 地理志 卷末에 수록되어 있다(『舊唐書』 卷166, 賈耽傳 참고). 가탐은 이 글에서 이 '高麗道'와 함께 압록강 하구에서 강을 거슬러 올라가 고구려 수도 丸都城(현 集安)을 거쳐 북상하여 渤海王城(현 黑龍江省 寧安縣 渤海鎭)에 이르는 강길을 밝히면서 이 길을 '渤海道'라고 이름하였다.

오호해(烏湖海 : 현 老鐵山水道)를 지나 200리를 가면 마석산(馬石山 : 현 遼東半島 老鐵山) 동켠의 도리진(都里鎭 : 현 旅順口區)에 이른다. 여기에서 동쪽으로 바닷가를 따라 청니포(青泥浦 : 현 大連市 中心 青泥窪橋 일대)·도화포(桃花浦 : 현 大連市 金州區 東北 淸水河口의 紅水浦)·석인왕(石人汪 : 현 石城島 북부해협)·탁타만(橐駝灣 : 현 鹿島 이북의 大洋河口)·오골강(烏骨江 : 현 鴨綠江 入海口)을 지나는 800리 노정을 마치면 남쪽으로 다시 바닷가를 끼고 오목도(烏牧島 : 현 平安北道 身尾島)와 패강(貝江 : 현 大洞江) 하구의 초도(椒島 : 현 黃海道 椒島)를 지나면 신라 서북부의 장구진(長口鎭 : 현 황해도 豊川이나 長淵郡의 長命鎭)이 나타난다. 여기에서 다시 천리 길로 진왕석교(秦王石橋 : 현 甕津半島 부근의 섬, 돌다리 모양)·마전도(麻田島 : 현 開城 서남쪽 해상의 喬桐島)·고사도(古寺島 : 현 江華島)·득물도(得物島 : 현 德積島)를 지나면 한강(漢江 : 鴨綠江으로 오인) 하구의 당은포구(唐恩浦口 : 현 京畿道 南陽)에 이르며, 여기에서 상륙하여 육로로 700리 가면 드디어 신라의 수도(慶州)에 도착한다.[56] 가탐은 등주에서 경주까지를 잇는 이 연해로를 '고려도(高麗道)'라고 이름하였다.

이상에서 고찰한 바와 같이 고조선시대(선진시대)부터 통일신라시대(당대)에 이르기까지의 오랜 기간 한반도의 서남해안과 중국의 동북해안(황해와 발해연안)을 잇는 북부연해로(우회로)는 고대 한·중해로의 시원으로서 고대 한·중육로와 더불어 양국

56) 본문에 나오는 지명과 위치 비정은 吳承志, 『唐賈耽記邊州入西夷道里考實』; 『東國輿地勝覽』; 孫光圻 主編, 앞의 책, 80쪽; 拙著, 앞의 책, 516~518쪽 참고.

간의 내왕과 교류에 크게 이바지하면서 부단히 이용되어 왔다.

고대 한·중해로의 중추적 역할을 하여 온 이 북부연해로는 산동반도에서 계속 남하하여 동남해 연안으로 이어졌다. 이 산동반도에서 동남해 연안으로 이어지는 연해로도 고대 한·중 간의 내왕과 교류의 통로로서의 일익을 담당하였기 때문에 의당 고대 한·중연해로의 한 구간으로 인정되어야 할 것이다. 따라서 이 구간을 남방연해로(南方沿海路)로 명명함이 가당할 것이다. 아직 한·중 간에 횡단 직항로가 개항되기 이전 시기에 삼국이나 발해는 주로 이 남방연해로를 이용하여 중국 남조 제국과 통교하였던 것이다.

남방연해로를 이용한 최초의 흔적은 『사기』 오태백세가(吳太伯世家)의 기록에서 찾아볼 수 있다. 춘추시대 오(吳)나라 왕 부차(夫差)가 제경공(齊景公)의 사망을 계기로 제나라에서 내란이 발생한 틈을 타서 자서(子胥) 간지(諫止)로 하여금 북벌을 단행케 하였다. 간지는 제사(齊師)를 애능(艾陵)에서 격파한 후 일단 환국하였다가 다음 해에 다시 해상으로 북벌했으나 제에게 패배를 당하고 말았다. 이 해상북벌의 노정이 장강(長江)에서 출항해 해안을 따라 북상했는지, 아니면 고우호(高郵湖)를 지나 구 황하하구나 혹은 해주(海州) 방면에서 출항해 북상하였는지는 명기한 바가 없어 미상이나 간지의 해상북벌은 당시에 이미 화중(華中)과 산동반도 사이에 연해로를 통한 교통이 있었다는 것을 시사한다. 그 후 이 남방연해로의 이용은 진시황의 남방 순유에서도 확인된다. 시황제는 기원전 210년 그의 마지막(제5차) 전국 순유차 구억산(九嶷山 : 현 湖南省 寧遠縣)에 갔다가 장강에서 배를 타고 전당(錢唐 : 현 浙江省 杭州)과 오(吳 : 현 江蘇省 蘇

州)를 지나 강승(江乘 : 현 강소성 鎭江 부근)에 이른 후 여기부터는 바닷길로 북상하여 산동반도의 남단 낭사에 이르러서는 두 번째로 선인을 구하고자 서복을 바다로 보낸다. 시황제의 이 북상해로는 분명히 남방연해로의 북단이다. 한 무제(武帝)의 제3차(기원전 109) 남방 순유도 장강 하구에서 바다로 나와 배로 북상하여 역시 낭사에 이르렀다.

중국의 위진남북조시대에는 남조의 동진(東晋)과 북조의 연(燕)이 이 연해로의 남북단을 통해 상호 통교하고 있었다. 건강(建康 : 현 江蘇省 南京)에 정도한 동진은 원제(元齊) 태흥(太興) 2년(318)과 3년에 요동의 모용외(慕容廆)와 통사가 있었으며, 성제(成帝) 함화(咸和) 9년(338)에는 동진이 알자(謁者) 서맹(徐孟)을 파견해 모용황(慕容皝)을 요동공(遼東公)으로 책봉했는데, 이 때 서맹의 배가 마석진(馬石津 : 현 旅順口 부근)에 정박하였다. 이 마석진의 지명을 주해하면서 호삼성(胡三省)은 이 배의 항로를 밝히고 있다. 즉 배는 건강에서 출범해 대강(大江 : 현 揚子江)을 빠져 나와 바다에서 북행해 연해를 따라 등주를 거쳐 대양(大洋 : 현 발해와 황해)에 이르렀다. 여기에서 동북으로 오호도(烏湖島)까지 3백 리를 항진한 다음 오호해(烏湖海)를 지나 마석산(馬石山 : 현 老鐵山) 이동의 도리진(都里鎭 : 현 旅順口)에 도착하였다.[57)]

고조선이 이 남방연해로를 이용했다는 전거는 아직 발견하지 못하였다. 그러나 삼국시대에 오면 그 이용사례가 나타난다. 삼

---

57) 『資治通鑑』 晋紀17, "自建康出大江 至于海轉料角 至登州大洋 東北行道大謝島龜歆島어 島烏湖島三百里 北度烏湖島 至馬石山東之都里鎭 馬石津卽此地也".

국 중에서 이 남방연해로를 선참으로 이용한 나라는 고구려이다. 동진 성제(成帝) 2년(336)에 고구려 고국원왕이 남중국에 있는 이 나라에 사신을 보내 방물을 헌상했는데,[58] 당시 고구려와 요동을 지배하고 있던 모용 씨는 서로 적대관계에 있었기 때문에 요동을 통과하는 육로를 이용하는 것은 불가능하였을 것인 바, 이 연해로를 택하였을 것이다. 그 후 고구려와 동진 간의 교섭은 한동안 중단되었다가 안제(安帝) 의희(義熙) 9년(413)에 고구려 장수왕이 장사(長史) 고익(高翼)을 동진에 보내 상표(上表)하고 조공을 했다. 그런데 이 때는 고구려가 이미 평양에 천도한 후여서 고익은 아마 북방연해로를 이용해 산동지방에 도착한 후 이어 이 남방연해로를 따라 남진했을 것이다. 송(宋) 소제(小帝) 경평(景平) 2년(424)에 고구려 장수왕의 조공사 위노(慰勞)가 '요해(遼海)'를 지나 조공을 해 왔다[59]고 하니 그는 요동을 우회하는 북방연해로를 탄 것으로 보인다.

신라의 경우도 이 남방연해로를 이용해 중국 남조와 공식적으로 통교하였을 뿐만 아니라 사무역이나 사적 내왕도 하여 화중·화남 일원에 신라인들의 활동거점마저 형성되었다. 신라가 남조와 첫 통사를 한 것은 법흥왕 8년(521, 梁 武帝 普通 2)인데, 백제 사신을 수행해 북방연해로를 이용한 다음 산동지방에서 다시 남방연해로를 택한 것으로 보인다.[60]

통일신라시대에 와서 당도(唐都)가 장안(長安)으로 옮겨감으로써 당연히 북방연해로가 많이 이용되었다. 그러나 당시 초주

58) 『晋書』 成帝記.
59) 『宋書』 高句麗傳, "踰遼越海 納貢本朝".
60) 『梁書』 新羅傳.

(楚州 : 현 江蘇省 淮安)를 비롯한 중국 남방 여러 곳에 신라인들의 거주와 활동의 거점인 신라방(新羅坊)이 생기고 양국 간에는 조공에 기초한 국교관계뿐만 아니라 사무역이나 사적 내왕도 더욱 성행하여 연안을 따라 항해하는 남방해로도 활기를 띠게 되었다. 이와 같은 사실은 일본 승려 엔닌(円仁)의 『입당구법순례행기 入唐求法巡禮行記』에서 그 흔적을 역력히 찾아볼 수 있다.

이 책의 개성(開成) 4년 5월조 기술에 의하면 엔닌은 당시 신라인과 일본인들의 입당(入唐) 관문이자 강회(江淮) 유역의 경제적 요지이며 운수 중심지인 초주(楚州)에서 해로를 잘 아는 신라인 60여 명을 고용해 귀국선을 탔다. 등주로 향해 남해연해로로 북상하던 도중 밀주(密州)로부터 목탄을 수송해 가는 신라인들을 만나 그들의 안내로 신라인 촌락인 해주(海州) 동해현(東海縣) 숙성촌(宿城村)에 기숙한 바 있다. 이와 같은 사실은 당시 중국 동남해안 일대에서의 신라인들의 활동상과 그들에 의한 남방연해로의 이용상을 단적으로 증명해 주고 있다. 엔닌은 또한 이 책에서 해주로부터 산동 적산(赤山)에 이르는 연해로의 구간상에 있는 중요한 기항지로 대주산(大珠山 : 현 膠州灣 서남단), 산로(山窂, 山勞 : 현 교주만 동측반도의 동남단), 유산(乳山 : 현 海陽 동측반도의 서남단) 등을 지적하였다.

이상에서 통일신라시대까지 한반도와 중국 동남해안 간에 소통되었던 연해로를 시대별로 살펴보았다. 시대의 변천에 따라 좀 다르기는 하였지만 이 연해로는 주로 한반도의 서남해안에서 출발해 요동반도 남안을 따라 서진하여 노철산에서 발해만을 지나 산동반도에 이른(여기까지는 北方沿海路) 후 계속 남하하여 양자강(楊子江) 하구를 중심으로 한 중국 동남해안에 도착(여기까지는 南方沿海路)하는 바닷길이다.

3. 한·중횡단로

고대 한·중해로 중에서 횡단로(直航路)란 한반도의 서남해안으로부터 황해를 횡단해 중국 동해안에 이르는 바닷길을 말한다. 이 바닷길은 한반도의 서남해안에서 중국 산동반도의 해안에 이르는 북방횡단로(北方横斷路)와 화중·화남 연안에 다다르는 남방횡단로(南方横斷路)의 두 갈래로 나누어 고찰할 수 있다.

모든 다른 해역에서와 마찬가지로 바다를 횡단하는 해로는 조선술이 발달하여 풍랑과 장기항해를 감당할 수 있는 배가 건조되고 항해기술과 경험이 축적되어야 한다. 따라서 일반으로 힘겹고 위험까지 동반하는 횡단해로는 연안해로보다 뒤늦게 개척되게 마련이다. 한·중횡단로의 경우도 예외는 아니다.

한반도의 서해안에서 산동반도 해안을 직항하는 북방횡단로의 개척은 고구려의 색로에 의한 백제의 북방진출과 관련이 있는 것으로 보인다. 『위서 魏書』 백제전에 의하면 백제 개로왕 18년(472)에 왕은 "고구려의 격로(隔路)가 있어"(豺狼隔路) 여예(餘禮)와 장무(張茂) 두 사람을 조사(朝使)로 익사를 무릅쓰고 바닷길로 파견한다는 표를 위왕(魏王)에게 보냈다.[61] 이와 같은 고구려의 색로(塞路) 사건은 백제 서계(西界)의 소석산(小石山) 북쪽 해중에서 '고구려'(長蛇)의 방해로 백제로 남하하던 북위 사신의 배가 침몰되고, 위나라 사신 안(安) 등이 동래(東萊)로부터 해로

61) 『三國史記』 卷25, 百濟本紀3 蓋鹵王條 ; 『魏書』 百濟傳.

를 취해 백제왕 여경(餘慶 : 개로왕)에게 새서(璽書)를 전하려고 백제의 해변에 이르렀으나 대풍을 만나 부동(浮動)하다가 끝내 뜻을 이루지 못하고 귀국했다는 백제전의 기사에서도 찾아볼 수 있다. 이 때 통사(通使)들이 택한 항로는 연해로가 아니라 동래에서 황해를 가로질러 백제에 이르는 직항로로 추측된다. 그들이 백제의 해변에까지 이르고도 풍랑 때문에 되돌아간 것은 이 직항로에 아직 익숙치 못한 탓으로 그 이용이 얼마 되지 않았음을 말한다. 이와 같은 상황에서 백제가 북위(北魏)를 비롯한 북중국과의 내왕에서 요동연해로(遼東沿海路)에 의지한다는 것은 항시 위험천만한 일이었다. 그리하여 부득불 고구려가 도사리고 있는 연해지대를 지나지 않고 직접 황해를 횡단하는 직항로가 개척되게 되었다.

660년 당 고종(高宗)이 신라왕의 요청을 받아들여 백제를 정벌할 때(義慈王 20) 당장(唐將) 소정방(蘇定方)은 군사를 거느리고 성산(城山)에서 출범해 바다를 건너 덕물도(德物島)에 이르렀다.[62] 성산은 산동반도의 동북단 영성만(榮城灣)의 일소이고,[63] 덕물도(德[得]物島 : 일명 德積島)는 경기도 남양도호부(南陽都護府)에 속한 한 섬(현 仁川)으로서 소정방의 수군도 산동반도의 동북단에서 황해를 횡단해 백제에 직항하였을 것이 틀림 없다. 요컨대 백제시대에 있어서 북중국과의 해상내왕은 고구려와의 관계에 좌우되어 연해로와 횡단로 중 한 길을 택하였으나, 주로 후자인 것으로 사료된다. 따라서 한반도와 중국 간의 북

---

62) 『三國史記』 百濟本紀6 義慈王條 ; 『舊唐書』 卷199, 百濟傳 ; 『資治通鑑』 唐紀16.

63) 『元和郡縣志』 卷13, 登州條.

방횡단로는 이 때부터 개통된 것으로(적어도 기록상으로) 볼 수 있다.

신라의 경우도 백제와 마찬가지로 고구려의 색로를 당하게 되자 이 횡단로를 이용하기 시작하였다. 당 태종 7년(633)에 신라의 원병 요청을 받은 소정방은 내주(萊州 : 東萊, 현 산동성 掖縣)에서 출발해 수많은 함선을 이끌고 동쪽으로 향하여 순류를 타고 내려와서 덕물도에서 금성(金城 : 慶州)으로부터 이 곳에 온 태자 법민(法敏)의 영접을 받았다.[64] 이 때 당 수군은 동래로부터 동쪽으로 황해를 횡단해 곧바로 덕물도에 직행한 것이다.

통일신라시대에는 고구려 옛 땅에 발해국이 자리함으로써 신라와 당 간의 육로교통은 물론, 북방연해로도 이용할 수가 없었다. 그리하여 이 횡단로의 이용빈도는 전례 없이 높아졌다. 성덕왕(聖德王) 30년(731) 하정사(賀正使) 김지량(金志良)의 "梯山航海"를 비롯해 많은 내외 입당자들이 이 횡단로를 이용한 기록이 남아 있다. 그 중 대표적인 일례가 일본 승려 엔닌의 『입당구법순례행기』 중의 현지여행기록이다. 그는 당 문종(文宗) 개성(開成) 5년(840) 9월 2일 산동 적산(赤山)에서 출항해 동남 방향으로 4일 간 항해해 본래는 백제 땅이었으나 지금은 신라의 서경(西境)으로 된 웅주(熊州 : 현 公州)에 도착하였다고 하였으니,[65] 이것은 의심할 바 없이 황해를 횡단한 것이다. 『증보문헌비고 增

64) 『元和郡縣志』 卷5, 新羅本紀5 太宗王條.

65) 円仁, 『入唐求法巡禮行記』, "(唐文宗開成5年)九月二日午時從赤浦渡海 出赤山莫王耶國 向正東行 一日一夜 至三日平明 向東望見新羅國西南之山風變正此 側帆向東南行 一日一夜 至四日晚 向東見山嶋……乃云是新羅國西熊州西界 本是百濟之地".

補文獻備考』에도 당사(唐使)들이 내왕할 때 유숙하던 당관(唐館)이 있던 황해도 서해안 풍천(豊川)에서 바람과 조류를 기다렸다가 배를 타고 적해(赤海)·백해(白海)·흑해(黑海) 등 수천 리를 횡단했다는 기록이 있다.[66]

이와 같이 북방횡단로는 고구려의 색로라는 삼국 간의 관계변화에 따라 시통(始通)된 후 해상조난 등의 시련을 극복하면서 개척·이용되어 왔다.

북방해역보다 더 넓고 풍랑도 더 사나운 남방해역을 넘나드는 남방횡단로는 여타 항로에 비해 뒤늦게 트이어 통일신라(당대) 이후에야 본격적으로 가동되었다. 그러나 그 시항(試航)은 일찍부터 있어 왔으며,[67] 그 시용(始用)은 백제와 남조의 동진(東晋) 간의 통교에서 찾아볼 수 있다. 근초고왕 29년(372)에 있은 백제의 첫 동진공도(東晋貢道)나 동진의 호승(胡僧) 마라난타(摩羅難陀)의 내제로(來濟路 : 383)는 당시 고구려병 2만의 백제 정벌(369)과 백제병 3만의 평양성 공격(371) 등으로 인해 여·제 관계가 긴장한 국면에 처해 있던 상황을 감안할 때 북방해로가 아니라 남방횡단로였던 것으로 짐작된다. 백제는 이 길을 이용해 송(宋)이나 남제(南齊)와의 통사도 계속하였다.

한반도의 동남 일각에 자리한 가야도 이 횡단로를 통해 중국 남조와 교섭한 것으로 전해지고 있다. 『남제서 南齊書』에 가라국

---

66) 『增補文獻備考』 卷177, 交聘考, "古記 古者通中國以水路 自豊川乘船 渡赤海白海黑海數千里 經許多洲嶼 候風潮就路".

67) 『晋書』 四夷傳 馬韓條의 기록에 의하면 마한이 278년부터 290년까지의 기간에 네 차례나 晋에 사신을 보내 조공했는데, 그들이 다녀온 항로에 관한 기록이 없어 해로를 단정할 수는 없으나 남방횡단로일 가능성은 있다.

(加羅國) 왕 하지(荷知)가 건원(建元) 원년(479) 남제에 견사(遣使)하여 방물(方物)을 헌상하고 보국장군본국왕(輔國將軍本國王)이란 호를 하사받았다는 기사가 있다.[68] 가라국은 가락국(駕洛國)이고 그 왕 하지는 곧 금관가라(金官加羅)의 왕 겸지(鉗知)다. 가라는 지금의 김해 지방에 소재한 일국으로서 고구려(480)나 백제(484)에 앞서 남제와 통사하였으며 백제 사신에 수행한 신라의 견사 경우와는 달리 독자로 남제에 견사했다는 점으로 보아 그 행로는 연해로를 취하지 않고 황해를 직접 횡단한 것으로 추측된다.

『일본서기』의 몇 가지 조난기사에서도 당시 이 남방횡단로의 개통 상황을 짐작할 수 있다. 이 책에는 609년 백제왕이 중국 오에 파견한 승려 10명과 속인(俗人) 75명 일행이 내란으로 입국할 수 없게 되어 환국하던 도중 조난되어 규슈(九州) 히고 국(肥後國) 아시키타 진(葦北津)에 표착한 사실이 기록되어 있는데,[69] 그들의 귀환로가 남방해로의 횡단로였음은 의심의 여지가 없다. 같은 책에는 또한 659년에 일본 사신들이 도해하다가 남해의 한 섬에 표착한 후 구사일생으로 탈출해 당에 갔다가 2년 후 돌아오는 길에 또 표류하다가 탐라도(耽羅島 : 현 제주도)에 표착한 이른바 남해표착기(南海漂着記)를 상세히 소개하고 있다.[70] 이들 일본 사신들이 내왕 도중 표착한 곳이 바로 남해의 한 섬이나 탐라도란 점으로 보아 그들의 항로가 남방횡단로였음이 확실하다.

이러한 몇 가지 조난 사례로 보아 남방횡단로는 아직은 조난을

68) 『南齊書』 卷58, 東夷傳.
69) 『日本書紀』 推古天皇 17年 4月條.
70) 『日本書紀』 齊明天皇 白雉 5年 7月條.

면하기 어려운 험로로서 정상로는 아니었을 것으로 판단된다. 당시 당의 대고구려, 대백제 정벌로 인해 북방해로가 심히 불안하여 부득불 모험을 무릅쓰고 미숙한 남해의 험로를 택하지 않을 수 없었을 것이다. 그러나 이러한 과정을 통하여 항해의 경험이 축적되고 항해술도 연마되어[71] 마침내 중당(中唐) 이후에는 이 해로가 대거 이용되기에 이르렀다.

중당 이후 신라고승들의 입당 및 귀국은 거개가 남방횡단로를 따른 것으로 전해지고 있다. 『삼국사기』·『삼국유사』·『조선금석총람 朝鮮金石總覽』 등 사적들의 기록에 의하면 진성여왕 6년(892) 봄 원종대사(元宗大師)는 상선을 타고 서행해 서주(舒州) 동성현(桐城縣 : 현 安徽省 桐城縣)에 도착해 그 곳에 체류하다가 후량(後梁) 정명(貞明) 7년(921) 7월 강주(康州) 덕안포(德安浦)로 귀국했고, 진성여왕 10년(896)에 해주(海州) 진철대사(眞澈大師)는 귀국하는 절사(浙使) 최예희(崔藝熙)와 함께 수일 간의 항행 끝에 은강(鄞江 : 明州, 현 寧波)에 도착하여 구법하다가 효공왕(孝恭王) 15년(911) 나주의 회진(會津)으로 환국하였다. 봉암사(鳳巖寺)의 정진대사(靜眞大師)도 효공왕 4년(900)에 도당선(渡唐船)을 타고 강회 부근에 도착하였다가 후당 동광(同光) 2년(924) 7월 전주 희안현(喜安縣) 포구로 귀국했다. 당말에 입당한 오룡사(五龍寺)의 법경대사(法鏡大師)는 효공왕 12년(908)

---

71) 木宮泰彦의 『日支交通史』, 209쪽에 의하면 仁明朝(唐 文宗代, 826~839) 시대에 당나라 상인들은 이른바 恒信風(계절풍)을 이용해 항해하였는데 당에서는 6~7월에 서풍을, 일본에서는 8~9월에 동북풍을 이용해 출항한다. 대부분의 신라승들이 당으로부터 환국한 시기가 7월이었다는 사실은 그들이 탄 배가 이 항신풍(서풍)을 이용하였기 때문인 것으로 풀이된다.

7월에 무주(武州)의 회진(會津)에, 대경대사(大鏡大師)는 천우(天祐) 6년(909) 7월에 무주의 승평(昇平)에 각각 도착했다.

이와 같이 중당 이후 신라 남해안에 위치한 무주·나주·전주·강주는 남방횡단로의 종착지 역할을 하였다. 후백제왕 견훤과 중국 남방의 오월(吳越) 사이에도 2~3차의 통사가 있었는데 그 통로도 이 직항로였을 것이다.[72)]

시대적으로 통일신라의 후대인 고려 초기이지만 당시 남방횡단로에 관해 구체적인 기술을 남긴 사적은 선화(宣和) 5년(1123, 고려 仁宗 元年) 2월에 고려 견사(遣使)를 수행한 서긍의 견문록『선화봉사고려도경 宣和奉使高麗圖經』이다. 비록 시간상으로는 후대의 기록이지만 해로는 육로와는 달리 가변성이 적기 때문에 전대인 신라 때의 해로와 크게 다를 바가 없다고 생각한다. 서긍은 변경(汴京 : 현 南京)에서 출발해 고려 수도 개경(開京 : 현 開城)에 이르기까지의 항로를 해도(海圖) 1부터 6까지로 분단(分段)하여 일지식으로 상세히 기술하고 있다.[73)] 당시의 지명을 오늘의 지명에 비정하여 서긍 일행의 항로를 정리해 보면 영파(寧波)에서 출범해 정해(定海)를 지나 남방연해로를 따라 북상하여 양자강 하구의 사미(沙尾)에서 동북방향으로 항진하다가 황해 남부에서 이 바다를 횡단한다. 한반도 서남단인 전라남도의 흑산도에 도착한 후 여기로부터 서해안을 따라 북상하여 군산·

---

72) 『增補文獻備考』 卷35, 輿地考.

73) 徐兢, 『宣和奉使高麗圖經』 卷31, 海運1~6. 서긍 일행의 항로와 경유지점에 관한 위치 및 지명 비정은 졸저, 앞의 책, 525~528쪽 ; 王文楚, 「兩宋和高麗海上航路初探」 『文史』 12, 1981, 368~373쪽 참고.

인천·강화도를 지나 예성강 하구에 이르러 정박한다. 이 항로의 중추인 남방횡단로는 통일신라시대와 고려 초(中唐 이후에서 송대까지)에 가장 많이 이용된 남방해로(횡단로)라고 사료된다.

서긍 일행은 3월 14일 변경을 출발해 6월 13일 고려 수도 개경에 이르렀으므로 총 여정은 약 90일 간이다. 5월 16일 명주(明州 : 현 寧波)에서 출범해 6월 12일 예성강에 도착했으니 순 항해 일정만은 26일 간이었고,[74] 그 중 정해(定海)에서 흑산도까지는 9일이 걸렸다.

『송사 宋史』 고려전에 기재된 남방횡단로도 서긍 일행이 돌파한 해로와 대동소이한데, 그 구체적인 노정은 다음과 같다.

> 명주 정해로부터 순풍을 만나 3일 만에 입양(入洋)하고 다시 5일 만에 흑산(도)에 도달해 입경(入境)한다. 흑산으로부터 도서(島嶼)와 초석(礁石)들 사이를 에돌아 지나면 주행(舟行)은 매우 빨라진다. 7일 후면 예성강에 이르는데 강은 두 산 사이에 석협(石峽)으로 묶여 있으며 물살이 세게 흘러 내려 급수문(急水門)이라 일컫는 가장 위험한 곳에 이른다. 다시 3일 가면 강안에 다다르는데 여기에는 벽란정(碧瀾亭)이라는 관(館)이 있다. 여기에서 상륙하여 구불구불한 산곡을 40여 리 가면 비로소 국도(國都)가 있다.[75]

---

74) 서긍은 이 글 뒤에서 귀국 노정은 出程 항로와 대체로 일치하였으나 소요 시간은 42일(7월 13일~8월 27일)이 걸렸다고 쓰고 있다. 『三正綜覽』에 의하면 그 해 5월은 작은 달이었다. 귀국 노정은 황해 입구인 沙尾(黃洋水)까지는 완전히 일치하고 그 이후 明州까지의 연해로 노정은 좀 다르다.

75) 『宋史』 高麗傳, "自明州定海 遇便風三日入洋 又五日抵黑山入其

위의 두 책 기술 내용을 비교해 보면 시발지나 종착지가 모두 명주와 예성강(碧瀾亭)이며 경유지나 그 지세도 대차가 없다. 그러나 후자에서 명주로부터 예성강까지의 항해 일정은 18일 간으로 전자의 26일 간보다는 분명히 짧다. 이것은 『선화봉사고려도경』(1123)보다 200여 년 후에 출간된 『송사』(1345)가 그 동안 조선술과 항해술의 발달로 인한 노정의 단축을 반영하였기 때문이다. 200여 년의 세월이 지나 노정의 소요시간은 꽤 단축되어도 항로는 결코 바뀌지 않았다. 이것이 가변성의 육로에 비한 정착성의 해로가 갖는 특징인 것이다.

이와 같이 고대 한·중해로는 연해로(우회로)로부터 시발하여 점차 원양의 횡단로(직항로)로 발전하였다. 비록 두 나라의 정세 변화에 따라 두 바닷길의 이용은 엇갈림이 있어 왔지만 시종 나름대로의 기여를 하면서 면면이 이어져 왔다. 그러나 횡단로, 특히 남방횡단로는 실크로드의 남해로가 중국에 와 닿는 중국 동남해안 일대와 직결됨으로써 남해로와 이어진다는 점에서 특별히 중요한 의미를 지닌다. 따라서 남방횡단로는 남해로의 동단 주로(主路)라고 말할 수 있다.

맺음말

이상에서 남해로 동단으로서의 고대 한·중해로의 적격성(適格性)을 한반도와 남방 간에 있었던 몇 가지 교류상을 통해 입증

境 自黑山過島嶼詰曲樵石間 舟行甚사 七日至禮成江 江居兩山間 束以石峽 湍激而下所謂急水門 崔爲險惡 又三日抵岸 有館曰碧瀾亭 使人由此登陸 崎嶇山谷 四十餘里 乃其國都云".

하고, 주로 해로의 개척과 변화를 연해로와 횡단로의 두 갈래로 나누어 시대별로 고찰하였다. 이것은 결코 새로운 발견이 아니라 역사의 원상(原狀)에 대한 응분의 복원에 지나지 않는다.

이 바닷길을 따라 한·중 간에 사신과 승려들이 오가고 물품이 교역되었으며 문화가 교류되었다. 뿐만 아니라 서역과 남방의 문물이 이 길을 타고 한반도에 유입되었으며, 이웃인 일본은 이 길을 지나서야 중국과 통교할 수가 있었다. 이러한 제반 사실은 이 바닷길이야말로 한·중 두 나라 간의 교류의 통로로서뿐만 아니라 명실상부한 남해로의 동단으로서의 기능과 역할도 나름대로 수행하였음을 실증해 준다. 따라서 고대 한·중해로는 적격한 남해로의 연장으로 인지하고 남해로의 끝을 중국 동남해안으로 보아 오던 종래의 통념을 깨고 남해로의 동단에 대한 새로운 이해를 정립해야 할 것이다.

이를 위하여 한·중해로의 개척과 변천에 관한 문헌기록과 함께 출토유물에 대한 연구를 심화시켜 해로를 보다 구체적으로 설정하고, 시대별에 따른 해로의 기능, 특히 동북아상역권(東北亞商易圈) 형성에서의 역할을 체계적으로 밝히며, 조선과 항해술을 비롯한 해운사(海運史) 연구에도 주의를 돌려야 할 것이다. 이와 더불어 교류사 측면에서 중요한 것은 이 해로를 통한 서역과 남방과의 교류·접촉상을 실증적으로 탐구하고 이 해로와 병존 가능한 남방(東南亞)과의 직항로도 찾아보아야 할 것이다. 한편 남해로의 연장선 상에 함께 자리한 일본과의 해로도 보다 심층적으로 연구함으로써 한·중·일 간의 고대해로의 전모도 구명하여야 할 것이다.

손보기

1922년 태어남
서울 문리대, 대학원 졸업
미국 버클리대 박사
단국대 초빙교수
연세대 용재석좌교수
한국 선사문화연구소장(현)
단국대 한국 민족학연구소장
장보고대사해양경영사연구회장(현)

저서
한국의 고활자, 금속활자와 인쇄술
세종대왕과 집현전, 세종시대의 인쇄출판
한국 구석기학 연구의 길잡이
구석기유적-한국·만주-

장보고와 청해진
손보기 엮음

초판 1쇄 발행 · 1996년 6월 25일
초판 2쇄 발행 · 1997년 9월 10일

발행처 · 도서출판 혜안
발행인 · 오일주
등록번호 · 제22 - 471호
등록일자 · 1993년 7월 30일
121 - 210 서울 마포구 서교동 326 - 26
전화 · 3141 - 3711, 3712
팩시밀리 · 3141 - 3710

값 8,000원
ISBN 89 - 85905 - 29 - 5 03910